Libro del profesor

Nivel 1

Componentes:
— Libro del alumno con claves (páginas 3 a 96).
— Carpeta de actividades complementarias con claves (páginas 97 a 128).
— Cuaderno de ejercicios con claves.
— Guía didáctica con sugerencias de explotación.
— CD audio.

María Ángeles Palomino

 Este símbolo indica que en el libro digital existe un documento extra.

edelsa
GRUPO DIDASCALIA, S.A.

Primera edición: 2012
Primera reimpresión: 2013
Segunda reimpresión: 2015
Tercera reimpresión: 2015
Cuarta reimpresión: 2016
Quinta reimpresión: 2016
Impreso en España/*Printed in Spain*

© Edelsa Grupo Didascalia S.A., Madrid 2012
Autora: María Ángeles Palomino

Dirección y coordinación editorial: Departamento de Edición de Edelsa.
Diseño de cubierta: Departamento de Imagen de Edelsa.
Diseño de interior y maquetación: Departamento de Imagen de Edelsa.
Ilustraciones: Ángeles Peinador Arbiza.
Fotografías: Photos.com

CD Audio: Locuciones y montaje sonoro ALTA FRECUENCIA Madrid, 915195277, altafrecuencia.com.
    Voces de la locución: Arantxa Franco de Sarabia Rosado, María Blanco Jiménez, José Antonio Páramo Brasa y Juana Femenía García.

Vídeo realizado por: Clara Blázquez Vizuete, Javier de Paz Sanz y Carlos Iglesias Lucas.

Imprenta: Rodona Industria Gráfica, S.L.
ISBN versión internacional: 978-84-7711-947-0
ISBN versión brasileña: 978-84-7711-818-3
ISBN versión italiana: 978-84-7711-938-8
ISBN de Italia: 978-88-5760-581-4

Depósito legal: M-16045-2012

Agradecimiento:

La editorial agradece al Instituto Príncipe Felipe de Madrid su colaboración gratuita en la realización del DVD para presentar un centro educativo público español.

Contactos del IES Príncipe Felipe:
    ies.principefelipe.madrid@educa.madrid.org
    ies.principefelipe.madrid1@gmail.com

¡Bienvenido a este curso de español!

VERSIÓN MIXTA

Bienvenido a este curso de español para jóvenes estudiantes que se presenta totalmente integrado en las TIC.

PARA EL PROFESOR

Libro del profesor

Extensión digital:

✓ Manual de uso del libro digitalizado:

- Libro del alumno digitalizado e interactivo para pizarra digital o para ordenador con proyector, con enlaces a vídeo y documentos extra.
- Sugerencias de explotación de los enlaces y documentos extra.

✓ Y en www.edelsa.es > Sala de profesores:

- Modelo de exámenes.

PARA EL ALUMNO

2 opciones del libro del alumno:

1. Trabajar con el libro en formato papel e ir a la extensión digital en www.edelsa.es > Zona Estudiante para complementar con:

   ✓ *Blog* en red.

   ✓ Actividades y ejercicios interactivos.

   ✓ Descarga de audio.

2. Trabajar con la versión "mixta":

   ✓ En el libro del alumno en formato papel se incluye un CD con el libro digitalizado interactivo que incluye el audio.

   ✓ Extensión digital.

¿Cómo funciona este curso?

Este libro tiene 6 unidades

Observa la primera página de cada unidad y sus objetivos.

Cada unidad tiene 2 lecciones

Empezamos cada unidad con un diálogo o un texto.

Responde las preguntas sobre el diálogo o el texto.

Practica y comunica en español.

Acción.

On-line

Escribe en español y publícalo en el *blog* Código ELE en http://www.edelsa.es/codigoele1/

Educación para la ciudadanía

Actividades para la educación en valores.

Aprendizaje interdisciplinar

Relaciona tu clase de español con otras clases: Geografía, Matemáticas, Educación Física...

Recapitulación y práctica

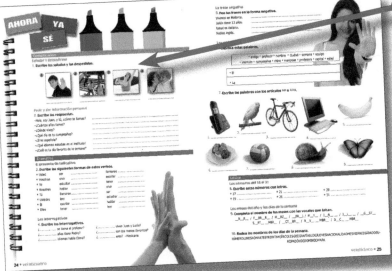

Repasa y fija tus conocimientos:
- de comunicación.
- de gramática.
- de texto.

Modelos de examen

Prepárate para un examen.

Cuaderno de ejercicios

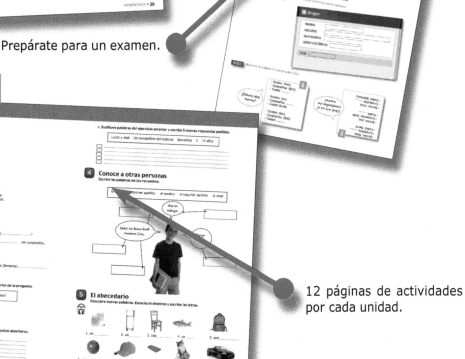

12 páginas de actividades por cada unidad.

Índice del libro del alumno

Conocimientos lingüísticos	Saberes y habilidades culturales
Pronunciación de los sonidos especiales del español: *CH, C + a/o/u y C + e/i, Ñ, J, G y GU + e/i, LL.*	Acercamiento a los sonidos propios del español a través de nombres propios típicos.
Los números del 1 al 19, práctica de la pronunciación.	Aproximación a la geografía política española y ciudades importantes.
Las reglas de la pronunciación y la escritura del acento.	Primer contacto con la dimensión americana del español.
- Verbos *llamarse, ser, vivir y tener* en presente. - Interrogativos *quién, cómo, cuántos/as, dónde*. - Signos ortográficos: ¿, ?, ¡, ! - El abecedario y otros signos ortográficos.	Saludar y despedirse correctamente según el momento del día. Primer acercamiento al uso de los dos apellidos españoles.
- Los números del 20 al 31. - Nombres de los meses y de los días de la semana. - Adjetivos posesivos. - Género de los sustantivos, los masculinos terminados en -o y en -or y los femeninos terminados en -a, -ora y -ad, y algunas excepciones. - Los artículos determinados e indeterminados.	La organización semanal. Formas de felicitar.
- *Tú y usted; vosotros/as y ustedes.*	La expresión de la formalidad e informalidad según los contextos y los interlocutores en el mundo hispano.
- Nombres de países y los gentilicios. - El género de los adjetivos gentilicios por la terminación.	Nombres de los países y signos que los representan.
- Nombres de objetos de material escolar. - La formación del plural de los sustantivos y adjetivos. - Nombres de asignaturas. - Usos de *para*. - Locuciones de lugar: *detrás de, delante de, debajo de, sobre, enfrente, entre*.	Las asignaturas de un curso de estudiantes de 12 años (1.º de la ESO, Educación Secundaria Obligatoria). El sistema de las notas.
- Verbos de actividad escolar y de ocio. - Clasificación de los verbos en tres conjugaciones y el presente de indicativo regular. - Los verbos *ver, hacer y jugar* en presente de indicativo. - Objetos y mobiliario del aula. - Contraste *hay y está(n)*.	Datos sobre el ocio y las actitudes de los jóvenes hispanos.
- Adverbios *bien/mal* con el verbo *estar*.	Los comportamientos sociales aceptables en un aula.
- Los nombres de los colores y la formación del femenino y del plural de los adjetivos.	
- Los parentescos. - Los adjetivos posesivos singular y plural, masculinos y femeninos. - La formación del plural y el cambio de acentuación. - El verbo *gustar* y los pronombres de complemento indirecto. - Los adverbios *muy, mucho, poco y nada*.	El concepto de *familia* y actividades que realizan juntos.
- Adjetivos y sustantivos de descripción física. - Contraste *tener y llevar*. - Adjetivos terminados en -o, -or y -e.	
- Nombres propios sin artículo.	El uso de los dos apellidos y la forma de funcionamiento. Los nombres y apellidos hispanos más frecuentes.
- Números superiores a 31 y los signos matemáticos. - Las horas. - Usos de las preposiciones *a, de y por* para hablar del tiempo. - Verbos pronominales y pronombres reflexivos. - Verbos irregulares frecuentes. - Actividades habituales.	Los horarios y las actividades características de un joven español.
- La expresión de futuro *ir a* + infinitivo. - Actividades de tiempo libre. - Expresiones temporales de futuro. - La expresión de la obligación *tener que* + infinitivo.	La cortesía verbal para rechazar una propuesta.
- Verbos de acción cotidiana.	La pirámide de la salud.
- Los nombres de los deportes.	Los deportes más populares en el mundo hispano.
- Nombre de las habitaciones y de los muebles. - Los demostrativos y los adverbios de lugar.	La deíxis y la proxemia. Las cartas postales.
- Los verbos *ir y venir* y las preposiciones. - Los números ordinales. - Los nombres de los establecimientos públicos y los medios de transporte. - Nombres de vías y espacios urbanos (*calle, plaza, avenida...*).	Los espacios públicos habituales en una ciudad. Formas de dar direcciones.
- Los comparativos.	
- Los nombres de los animales.	El concepto de *mascota*.
- Las expresiones *querer y preferir* con infinitivo. - Los pronombres con los infinitivos. - Los verbos impersonales y los sustantivos para hablar de la meteorología. - Las estaciones del año.	
- El pretérito perfecto simple de los verbos regulares e irregulares más frecuentes. - Expresiones temporales del pasado.	Personajes universales relevantes.
- El vocabulario de la ecología.	Los contenedores de residuos españoles.
- Los planetas.	

Descubre
el español

Su ciencia
(Pedro Duque, España)

Su música
(Shakira, Colombia)

Su comida
(Tacos, México)

Su arte
(Guggenheim, España)

Su deporte
(Messi, Argentina)

La comunicación
(Tú y el mundo hispano)

0 Bienvenido al español

1 Descubre los nombres en español

A. Escucha y marca los nombres.

Pista 1

Tuenti es una red social española para jóvenes.

Pista 2

B. Escucha y repite.

C. Di un número, un compañero dice el nombre del amigo.

1 uno	2 dos	3 tres	4 cuatro	5 cinco	6 seis	7 siete	8 ocho	9 nueve	10 diez

11 once 12 doce 13 trece 14 catorce 15 quince 16 dieciséis 17 diecisiete
18 dieciocho 19 diecinueve

2 Descubre cómo es España

Relaciona las ciudades con los números y pregunta a tu profesor.

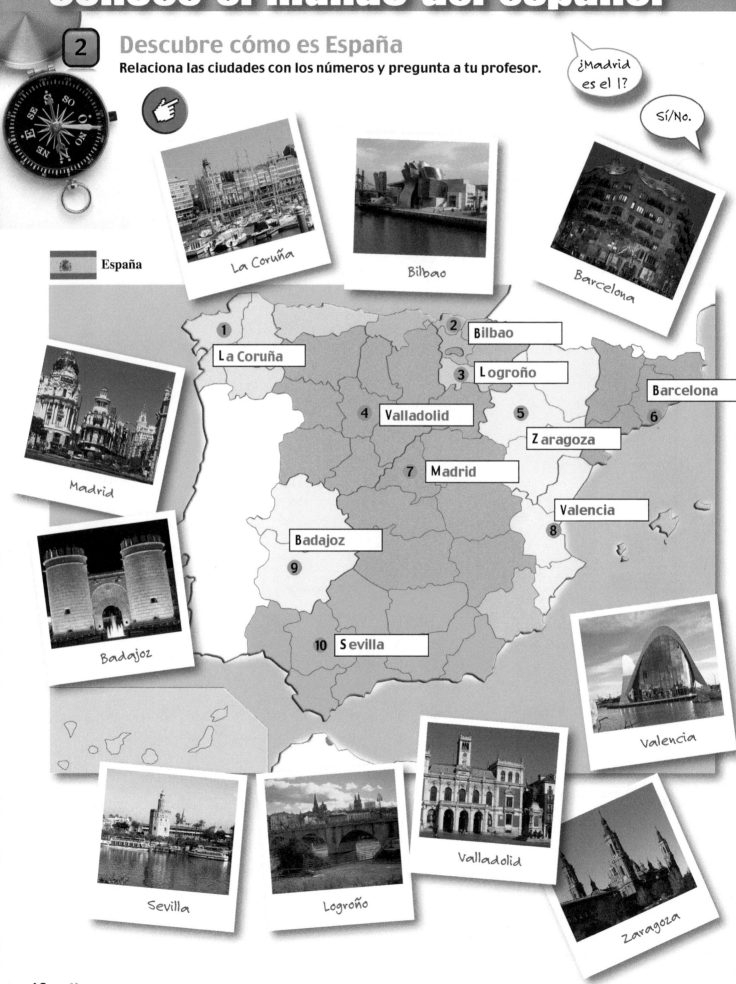

¿Madrid es el 1?

Sí/No.

España

La Coruña

Bilbao

Barcelona

Madrid

Badajoz

Valencia

1 La Coruña
2 Bilbao
3 Logroño
4 Valladolid
5
Zaragoza
6 Barcelona
7 Madrid
8 Valencia
9 Badajoz
10 Sevilla

Sevilla

Logroño

Valladolid

Zaragoza

Descubre América Latina

Escribe los nombres de los países.

7. Cuba

12. México

República Dominicana

Puerto Rico

18

17

Honduras

Guatemala

10

11

Nicaragua

13

Costa Rica

El Salvador

9

6

Panamá

14

20 Venezuela

5 Colombia

8 Ecuador

16 Perú

BRASIL

2 Bolivia

15 Paraguay

4 Chile

19 Uruguay

1 Argentina

1. Argentina
2. Bolivia
3. *Brasil (no es un país hispano)*
4. Chile
5. Colombia
6. Costa Rica
7. Cuba
8. Ecuador
9. El Salvador
10. Guatemala
11. Honduras
12. México
13. Nicaragua
14. Panamá
15. Paraguay
16. Perú
17. Puerto Rico
18. República Dominicana
19. Uruguay
20. Venezuela

4 Descubre la música del español

A. Observa las reglas.

R

1. En las palabras terminadas en vocal, −n o −s, la penúltima sílaba se pronuncia más fuerte.
   Colombia   Honduras
2. En las palabras terminadas en otras consonantes, la sílaba fuerte es la última.
   Valladolid   Salvador
3. Pero si una palabra tiene un acento escrito (´), se pronuncia más fuerte esa sílaba.
   Ramón   dieciséis   república

Pista 3

B. Observa estas palabras y subraya la sílaba fuerte. Luego, escúchalas y levanta el brazo cuando oyes la sílaba fuerte.

Argentina – Badajoz – Barcelona – Bolivia – Carlos – Chile – Cristina – David –
Ecuador – Íñigo – Logroño – Madrid – México – Panamá – Paraguay – Perú –
Pilar – República – Sevilla – Uruguay – Valencia – Zaragoza

C. Acostúmbrate a cambiar la voz. Lee las palabras anteriores en voz alta y levanta el brazo cuando dices la sílaba fuerte.

Pista 4

D. Escucha estas palabras, rodea la sílaba acentuada y escribe el acento en caso necesario.

UN TE-·LÉ··FO-NO — UNA BI-CI-CLE-TA — UN PLÁ-·TA-NO — UN OR-DE-NA-DOR — UN PÁ-JA-RO — UNAS PE-·LO-·TAS — UN PA-·RA-·GUAS — UNA MA-RI-PO-SA — UN PAS-·TEL — UN CA-RA-COL

Conoce a tus compañeros

¡Hola! Me llamo Víctor, ¿y tú?

En esta unidad aprendes a...

- Saludar y despedirte.
- Decir y preguntar el nombre.
- Conocer a otras personas.
- Dar y preguntar el correo electrónico.
- Hablar del cumpleaños.

1

¡Hola!
¿Cómo te llamas?

El primer día de clase

Borja: ¡Hola! Me llamo Borja. Y tú, ¿cómo te llamas?

Paloma: Me llamo Paloma. ¿Y cuántos años tienes?

Borja: Doce, tengo doce años.

Paloma: Pues yo tengo trece años.

Borja: Mira... ¿Quién es?

Paloma: Es el profesor.

El profesor: ¡Hola, chicos, buenas tardes!

Todos: ¡Hola!

El profesor: Soy el profesor, me llamo José Farelo García. Voy a pasar lista. A ver... ¿Quién es Paloma Ruiz Sans?

Paloma: Soy yo.

El profesor: Hola, Paloma. ¿Y quién es Hugo?

Hugo: Soy yo.

El profesor: ¿Y tus apellidos, Hugo?

Hugo: López Brugueira.

El profesor: Muy bien, Hugo López Brugueira. Borja Colmenares...

Borja: Sí... Sí... ¡Soy yo!

El profesor: ¿Y tu segundo apellido?

Borja: Álvarez, Borja Colmenares Álvarez.

El profesor: ¿Quién es Marta García Treviño?

COMPRENDO

1 Une las dos partes de cada frase.

Las chicas se llaman · · José.
Los chicos se llaman · · Marta y Paloma.
Borja tiene · · trece años.
Paloma tiene · · Borja y Hugo.
El profesor se llama · · doce años.

2 *Revisar el boxer* Completa el recuadro.

Nombre	Primer apellido	Segundo apellido
José	Farelo	García
Paloma	Ruiz	Sans
Hugo	López	Brugueira
Borja	Colmenares	Álvarez

PRACTICO Y AMPLÍO

3 **SALUDAR Y DESPEDIRSE**

¡Hola!

¡Hola! ¿Qué tal?

 Pista 6

Escucha e identifica la situación.

¡Buenos días!

¡Buenas tardes!

¡Buenas noches!

- ¡Adiós!
- ¡Hasta luego!

4 **CONOCER A OTRAS PERSONAS**

- Me llamo Luis. Y tú, ¿cómo te llamas?
- Me llamo Pilar.
- ¿Cuántos años tienes?
- Tengo trece años.
- ¿Dónde vives?
- Vivo en Toledo.

Adapta con tu compañero la conversación y completa su ficha.

El nombre

....

La edad

....

La ciudad

....

5 TAREA **EL PRESENTE DE INDICATIVO**

	LLAMARSE	SER	VIVIR	TENER
(yo)	me llamo	soy	vivo	tengo
(tú)*	te llamas	eres	vives	tienes
(él, ella, usted)	se llama	es	vive	tiene
(nosotros/as)	nos llamamos	somos	vivimos	tenemos
(vosotros/as)	os llamáis	sois	vivís	tenéis
(ellos/as, ustedes)	se llaman	son	viven	tienen

* En Argentina y Uruguay: (vos) te llamás sos vivís tenés

A. Completa las frases con las formas en presente del verbo «llamarse».

1. Me ....llamo......... Carlos.
2. Mis amigos se ....llaman........ Pedro y Paloma.
3. ¿Cómo os ....llamáis........?
4. ¿Cómo te ....llamas.......?
5. Nos ......llamamos...... Laura y Carolina.
6. Se ....llama......... Tofi.

B. Escribe los pronombres sujeto.

1. me llamo (...........Yo...........)
2. somos (.Nosotros, nosotras.)
3. tienes (..........Tú..........)
4. viven (.Ellos, ellas, ustedes.)
5. vivís (.Vosotros, vosotras.)
6. tiene (....Él, ella, usted....)
7. se llama (....Él, ella, usted....)
8. tenéis (.Vosotros, vosotras.)
9. son (.Ellos, ellas, ustedes.)
10. vivimos (.Nosotros, nosotras.)
11. es (....Él, ella, usted....)
12. tienen (.Ellos, ellas, ustedes.)

PRACTICO Y AMPLÍO

C. Localiza 10 formas en la cadena de verbos. Escribe las formas y el pronombre.

sois (vosotros, vosotras)

somos nosotros | tengo yo | vive él | sois vosotros | tiene él | vivo yo | eres tú | tenemos nosotros | vives tú | soy yo

---

6 IDENTIFICAR

¿Cuáles son los apellidos de Susana?

Santana Sarasola.

¿Cuántos años tiene?

Tiene doce años.

¿Dónde vive?

Vive en Guadalajara.

Relaciona los datos con fantasía. Luego, habla con tu compañero para conocer a sus personajes.

El nombre	La ciudad	Apellidos		La edad
1. Benito	a. Barcelona	Jacinto	Álvarez	1. 11
2. Susana	b. Guadalajara	Santana	Asís	2. 12
3. Ramona	c. Medellín	Martín	Berto	3. 13
4. Amadeo	d. Montevideo	Sarasola	Ramírez	4. 14
5. Agustín	e. Quito	Timoteo	Suárez	5. 15

PREGUNTAR Y DECIR EL NOMBRE

- ¿Cómo te llamas?
- Me llamo Eva, Eva García Gil. ¿Y tú?
- Pedro, Pedro Gómez Beltrán.

EL NOMBRE Eva | García Gil

LOS APELLIDOS

---

7 LOS INTERROGATIVOS

- ¿Quién **eres**?
- ¿Cómo **te llamas**?
- ¿Cuántos **años tienes**?
- ¿Cuántas **amigas tienes**?
- ¿Dónde **vives**?

- Soy José.
- Me llamo Marta.
- Tengo 12 años.
- Tengo 6.
- Vivo en Barcelona.

¿Cuántos + nombre masculino plural?
¿Cuántas + nombre femenino plural?

Las palabras interrogativas llevan un acento escrito.
Las frases interrogativas empiezan con ¿ y terminan con ?

Pista 7

Completa las preguntas con los interrogativos adecuados. Luego, escucha y escribe las respuestas.

1. • ¡Hola! ¿.........Cómo......... te llamas?
2. • ¿.........Dónde......... vive David?
3. • ¿.........Cuántos......... años tienes?
4. • ¿.........Quién......... es Julián?
5. • ¿.........Cuántas......... amigas tienes?

- ....Natalia.
- ....En Barcelona.
- ....Trece.
- ....Es un amigo.
- ....Dos, se llaman Carlota y Marta.

8

Presenta a tu compañero a la clase. Escucha a tus compañeros y toma nota de la información. Haz la lista de los nombres de la clase.

Actúo

Conozco a mis compañeros de clase

9 Aprende a pedir el correo electrónico

A. Escucha y lee.

Marta:	Oye, Teresa, ¿tienes correo electrónico?
Teresa:	Sí, claro.
Marta:	¿Y cuál es?
Teresa:	terehoz@hotmail.com.
Marta:	¿Cómo se escribe?
Teresa:	Te, e, erre, e, hache, o, zeta, arroba, hotmail, punto, com.
Marta:	Vale, gracias.

B. Completa la información sobre la amiga de Marta.

1. El apellido: Hoz
2. El correo electrónico: terehoz@hotmail.com

10 Empieza a deletrear

A. Escucha y repite el nombre de las letras.

Las vocales: a, e, i, o, u.

Las consonantes: be, ce, de, efe...

B. Deletrea tu apellido y anota el de tu compañero.

¿Cuál es tu apellido?

Ortiz.

¿Y cómo se escribe?

O, erre, te, i, zeta.

Teresa: terehoz@hotmail.com

CÓDIGO <@>

La agenda de clase
Anota los nombres, los apellidos y el correo electrónico de todos tus compañeros de clase.

¿Tienes un «blog»?

Irene participa en el «blog»

¡HOLA!
¡BIENVENIDOS A MI «BLOG»!

NOVIEMBRE						
L	M	X	J	V	S	D
					1	2
3	4	5	6	7	8	9
10	11	12	13	14	15	16
17	18	19	20	21	22	23
24	25	26	27	28	29	30
31						

¿Quién soy?

Soy Irene Gómez Mantuano. Soy española, de Cantabria, y vivo en Santander. Tengo doce años y mi cumpleaños es el 29 de noviembre. Voy al instituto José María Pereda y mis asignaturas favoritas son Inglés y Francés porque escucho, hablo, leo y escribo en otras lenguas.

Mi día favorito de la semana es el domingo.

COMENTARIOS

Charly: ¡El sábado es tu cumpleaños! ¡Feliz cumpleaños!
Maaaagic: Mi día favorito de la semana es el martes.
Cyberstar: Mi día favorito de la semana es el sábado, no tengo clase.

ARCHIVOS

- enero
- febrero
- marzo
- abril
- mayo
- junio
- julio
- agosto
- septiembre
- octubre
- noviembre
- diciembre

COMPRENDO

1 Completa el cuadro sobre Irene.

Nombre	Ciudad	Edad	Cumpleaños	Asignaturas favoritas
Irene	Santander	12	29 de noviembre	Inglés y Francés

2 Contesta a las preguntas.

- ¿Qué idiomas estudia en el instituto? Inglés y Francés.
- ¿Cuál es su día favorito de la semana? El domingo.
- ¿Cuántos comentarios tiene? Tres.
- ¿Cuándo es su cumpleaños? El sábado 29 de noviembre.

3 Observa el calendario del «blog» de Irene y completa la fecha.

Hoy es ......27...... de ......noviembre......

PRACTICO Y AMPLÍO

4 — EL CUMPLEAÑOS

A. Encuentra 10 meses. ¿Cuáles no están?

Noviembre
y
diciembre.

S E P T I E M B R E
L N A D I C E M A O
F E B R E R O A G J
R R R O M A R Z O U
J O I V M A Y O S N
J U L I O M A R T I
O C T U B R E S O O

B. Di un número, tu compañero lo escribe en letras.

24   veinticuatro

C. Pon en orden las fechas. Observa la foto. Todos los amigos están en el orden de su cumpleaños. Escribe las frases.

28/09	Ana
05/01	Rafa
14/11	Elena
30/05	Eva
12/12	Jacobo

El cumpleaños de Rafa es el cinco de enero.

D. ¿Cuándo es tu cumpleaños? Habla con tu compañero y toma nota de su cumpleaños.

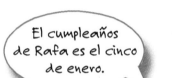

20	veinte	26	veintiséis
21	veintiuno	27	veintisiete
22	veintidós	28	veintiocho
23	veintitrés	29	veintinueve
24	veinticuatro	30	treinta
25	veinticinco	31	treinta y uno

ELENA JACOBO RAFA ANA EVA

5 — LOS POSESIVOS

	Singular	Plural
Yo	mi cumpleaños	mis asignaturas favoritas
Tú*	tu cumpleaños	tus asignaturas favoritas
Él, ella	su cumpleaños	sus asignaturas favoritas

* Tú = vos: tu/tus

Escribe los posesivos.

YO
1. ...Mis... amigos
2. ...Mi... instituto
3. ...Mi... ciudad
4. ...Mis... profesoras

TÚ
5. ...Tu... profesor
6. ...Tus... amigas
7. ...Tu... equipo de fútbol
8. ...Tus... compañeros

ÉL/ELLA
9. ...Su... clase
10. ...Sus... apellidos
11. ...Su... compañera
12. ...Su... correo electrónico

PRACTICO Y AMPLÍO

6 LOS DÍAS DE LA SEMANA

¿Cuál es tu día favorito de la semana?

El jueves.

Completa el calendario de este mes y di qué días son lunes, martes...

- lunes
- martes
- miércoles
- jueves
- viernes
- sábado
- domingo

7 EL MASCULINO Y EL FEMENINO

Son masculinas	Son femeninas
Las palabras terminadas en –o/–or: el amigo, el profesor.	Las palabras terminadas en –a/–ad: la lengua, la edad.
Excepción: la foto, la flor.	Excepciones: el día, el mapa.

Marca M (masculino) o F (femenino).

1. ......M........ compañero
2. ......F........ profesora
3. ......F........ pregunta
4. ......F........ chica
5. ......M........ saludo
6. ......M........ apellido

8 LOS ARTÍCULOS

Indeterminados	masculino	femenino
singular	un	una
plural	unos	unas

Determinados	masculino	femenino
singular	el	la
plural	los	las

Observa estas palabras y escribe «el/un», «la/una».

1. el/un conejo.
2. la/una colonia.
3. el/un videojuego.
4. el/un osito.
5. el/un sombrero.

6. el/un despertador.
7. el/un llavero.
8. la/una hucha.
9. la/una mochila.
10. el/un libro.

Actúo

Sé el día del cumpleaños de mis compañeros

9 Aprende los cumpleaños de tus compañeros y conoce sus regalos preferidos

A. Escucha y completa la frase.

El cumpleaños de Pablo es el .... 10 de octubre. ....

Los regalos de cumpleaños son:
- .... un libro ....,
- .... un videojuego ....,
- .... una hucha ....

B. Ahora, en grupos de 4: habla con tus compañeros y completa la ficha.

- David, ¿qué día es tu cumpleaños?
- El 15 de agosto.
- ¿Cuáles son tus 3 regalos preferidos?
- El videojuego, la...

Nombre	Cumpleaños	3 regalos
David	15 de agosto	el videojuego, la...

C. Informa a la clase del cumpleaños y de los regalos de tus compañeros.

- El cumpleaños de David es el 15 de agosto y sus regalos preferidos son un videojuego, una...

CÓDIGO <R>

Los regalos
¿Cuáles son los 2 regalos favoritos de la clase?
- ....,
- ....

¡Feliz cumpleaños!

Participa en la comunidad de Código ELE

BLOG

Preséntate.
Mira la página 18.

www.edelsa.es

Zona estudiante

EDUCACIÓN PARA LA CIUDADANÍA

Habla con otras personas cortésmente

Dices *tú* en situaciones informales y *usted* en situaciones formales.

Dices *tú* + verbo en 2.ª persona del singular	Dices *usted* + verbo en 3.ª persona del singular
• A un niño, o a un adolescente de tu edad. • A una persona de tu familia, adolescente o adulto, un hermano, tu padre...	• A un adulto que no es de tu familia: El padre de un amigo, una profesora, el entrenador de fútbol, la secretaria del instituto...

En el centro y norte de España, dices *vosotros* o *vosotras* [= *tú* + *tú* (+ *tú*...)] en situaciones informales y *ustedes* [= *usted* + *usted* (+ *usted*...)] en situaciones formales, pero en el sur de España y en Latinoamérica, siempre dices *usted* [tanto formal como informal].

1

Observa a estas personas.
¿Qué tratamiento usas: *tú*, *vosotros*, *vosotras*, *usted* o *ustedes*?

Usted Una profesora	**Tú** Un amigo	**Vosotras** Dos niñas	**Ustedes** Dos amigas de tu abuela	**Usted** Un policía

Ustedes La madre y el abuelo de un amigo	**Usted** La pastelera	**Vosotros** Dos compañeros de clase	**Tú** Una amiga	**Usted** El padre de un amigo

2

Lee estas frases, ¿con quién hablas?

1 ¡Hola! ¿Cómo te llamas?

A un nuevo amigo de clase.

2 ¿Usted es la nueva profesora de Inglés?

A una profesora.

3 ¿Cuántos años tenéis?   Doce.

A dos niñas.

4 ¿Tienes un «blog»?

A un amigo.

5 ¿Tenéis correo electrónico?

A dos compañeros de clase.

6 ¿Cómo se llaman?

A dos amigas de tu abuela o a la madre y al abuelo de un amigo.

7 ¡Buenas tardes!, ¿tienen pasteles de chocolate?

A una pastelera.

ESPACIO INTERDISCIPLINAR

¡ME GUSTA LA GEOGRAFÍA!

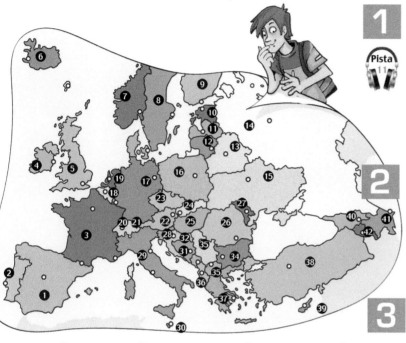

1 ESCUCHA Y LEE EL NOMBRE DE LOS PAÍSES.

Pista 11

Alemania	Bélgica
España	Francia
Grecia	Italia
Portugal	Reino Unido
Suiza	Holanda

2 OBSERVA EL MAPA Y ESCRIBE EL NÚMERO CORRESPONDIENTE EN TU CUADERNO.

Alemania: 17.

3 ¿QUÉ PAÍS ES? ESCRIBE EL NOMBRE.

① .... **②** .... **③** .... **④** .... **⑤** .... **⑥** ....

Australia
Argentina
Brasil
Canadá
China
México

4 ESCRIBE LAS NACIONALIDADES.

1. Johann Sebastian Bach es un músico ....
2. Lisboa es la capital ....
3. La libra esterlina es la moneda ....
4. Leonardo da Vinci es un pintor ....
5. La Acrópolis de Atenas es un monumento ....
6. Bruselas es la capital ....
7. La Torre Eiffel es un monumento ....
8. Barcelona es una ciudad ....
9. Berna es la capital ....
10. Brasilia es la capital ....
11. La hoja de arce es el símbolo ....

LAS NACIONALIDADES

	masculino	femenino
Alemania	alemán	alemana
Bélgica	belga	belga
Brasil	brasileño	brasileña
Canadá	canadiense	canadiense
España	español	española
Francia	francés	francesa
Grecia	griego	griega
Italia	italiano	italiana
Portugal	portugués	portuguesa
Reino Unido	británico	británica
Suiza	suizo	suiza

Comunicación

Saludar y despedirme

1. Escribe los saludos y las despedidas.

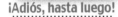

¡Adiós, hasta luego!   ¡Adiós, hasta mañana!   ¡Hola, buenos días!   ¡Hola! ¿Qué tal?

Pedir y dar información personal

2. Escribe las respuestas.

–Hola, soy Juan, y tú, ¿cómo te llamas? ....

–¿Cuántos años tienes? ....

–¿Dónde vives? ....

–¿Qué día es tu cumpleaños? ....

–¿Eres española? ....

–¿Qué idiomas estudias en el instituto? ....

–¿Cuál es tu día favorito de la semana? ....

Gramática

El presente de indicativo

3. Escribe las siguientes formas de estos verbos.

- Usted   ser   ......**es**......   llamarse ....**se llama**......
- Vosotras   vivir   ......**vivís**......   escribir ......**escribís**......
- Yo   estudiar ......**estudio**......   tener   ......**tengo**......
- Tú   llamarse ......**te llamas**......   vivir   ......**vivimos**......
- Ustedes   leer   ......**leen**......   ser   ......**eres**......
- Él   escribir ......**escribe**......   hablar   ......**habla**......
- Ellas   tener   ......**tienen**......   leer   ......**leen**......

Los interrogativos

4. Escribe los interrogativos.

¿...**Cómo**..... se llama el profesor?   ¿....**Dónde**.... viven Juan y Lucía?

¿..**Cuántos**.. años tiene Pedro?   ¿....**Cuáles**.... son tus meses favoritos?

¿..**Cuántos**... idiomas habla Elena?   ¿.**De dónde**. eres? –Mexicana.

La frase negativa

5. Marca si son afirmativas (A) o negativas (N).

	A	N
Vivimos en Mallorca.	X	
Julián no tiene 13 años.		X
Usted no es italiano.		X
Hablas inglés.	X	

Los artículos

6. Clasifica estas palabras.

• amiga • profesor • nombre • ciudad • semana • equipo
• instituto • cumpleaños • chico • mariposa • profesora • capital • edad

• **El** profesor, nombre, equipo, instituto, cumpleaños, chico.

• **La** amiga, ciudad, semana, mariposa, profesora, capital, edad.

7. Escribe las palabras con los artículos un o una.

1. .....un teléfono.....

2. .....un pájaro.....

3. .....una bicicleta.....

4. .....un ordenador.....

5. .....un plátano.....

6. .....un pastel.....

7. .....una pelota.....

8. .....un caracol.....

9. .....una mariposa.....

Léxico

Los números del 16 al 31

8. Escribe estos números con letras.

• 17 .....diecisiete.....   • 21 .....veintiuno.....   • 28 .....veintiocho.....
• 19 .....diecinueve.....   • 26 .....veintiséis.....   • 31 .....treinta y uno.....

Los meses del año y los días de la semana

9. Completa el nombre de los meses con las vocales que faltan.

E N E R O / F E B R E R O / M A R Z O / A B R I L / M A Y O / J U N I O / J U L I O / A G O S T O
S E P T I E M B R E / O C T U B R E / N O V I E M B R E / D I C I E M B R E

10. Rodea los nombres de los días de la semana.

NÚMERO LUNES AO MARTES TREINTA MIÉRCOLES GEOGRAFÍA BLOG JUEVES NACIONALIDAD MES VIERNES SÁBADO EU-
ROPA DÓNDE DOMINGO MAPA

LEO

1. Completa el texto con las palabras de la lista.

| Liverpool | mayo | francesa | tienen | español | febrero | cumpleaños | vive | griego | 22 |

Paola, John, Caroline y Dimitri son cuatro estudiantes de .....**español**...., como tú. Los cuatro .....**tienen**...... 11 años. Paola es italiana y ....**vive**........ en Milán, su **cumpleaños**. es el 14 de noviembre. John es británico y vive en ...**Liverpool**....., su cumpleaños es el ....**22**............... de agosto. Caroline es ......**francesa**..... y vive en París, su cumpleaños es el 26 de .....**febrero**..... . Dimitri es ......**griego**....... y vive en Atenas, su cumpleaños es el 31 de .....**mayo**........ .

2. Ordena cronológicamente a los 4 estudiantes por su fecha de cumpleaños.

ESCUCHO

Pista 12

Elena te presenta a los amigos extranjeros de su «blog». Escucha y relaciona la información. Atención, en cada columna hay 2 intrusos.

Nombre	País	Edad	Cumpleaños
María	Alemania	12 años	25/04
Carlos	Bélgica	10 años	20/03
Marco	Portugal	11 años	21/12
David	Francia	14 años	15/05
Marta	Grecia	15 años	15/11
Laura	Italia	13 años	20/01

ESCRIBO

Confecciona tu «blog». Copia el modelo en tu cuaderno y escribe las frases. Completa con tus datos.

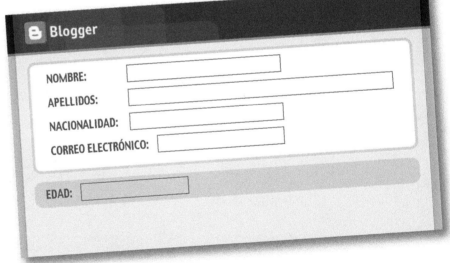

B Blogger

NOMBRE:

APELLIDOS:

NACIONALIDAD:

CORREO ELECTRÓNICO:

EDAD:

HABLO

Habla con tu compañero y completa las fichas.

A
- Nombre: Marta
- Cumpleaños: 08/12
- Ciudad: **Madrid**

- Nombre: José
- Cumpleaños: **15 de junio**
- Ciudad: Sevilla

- Nombre: Alicia
- Cumpleaños: 28/02
- Ciudad: **Salamanca**

¿Dónde vive Marta?

¿Qué día es el cumpleaños de Marta?

B
- Nombre: Marta
- Cumpleaños: **8 de diciembre**
- Ciudad: Madrid

- Nombre: José
- Cumpleaños: 15/06
- Ciudad: **Sevilla**

- Nombre: Alicia
- Cumpleaños: **28 de febrero**
- Ciudad: Salamanca

Describe tu instituto

Estamos en el comedor del instituto.

En esta unidad aprendes a...

- Describir los materiales de clase.
- Hablar de las asignaturas.
- Situar objetos.
- Indicar la existencia.
- Mencionar las actividades.

¿Qué llevas en la mochila?

Los materiales de clase

Marta:	A ver... una mochila, ¿dónde están las mochilas?
La madre:	¡Aquí!, están al lado de los libros.
Marta:	¡Qué bonitas! Necesito también tres cuadernos, una regla y un estuche.
La madre:	¿Un estuche? Tienes dos en casa.
Marta:	Sí, vale, vale.
La madre:	¿Y una goma, no necesitas una goma?
Marta:	No, tengo cuatro, pero para la clase de Plástica necesito dos bolígrafos, unas tijeras, un lápiz y siete rotuladores.
La madre:	¿Y una calculadora para los ejercicios de Matemáticas?
Marta:	No, calculadora no. Ah, también unos archivadores.
La madre:	¿Cuántos?
Marta:	Dos, uno para la clase de Geografía y otro para la clase de Francés, mi asignatura favorita.
La madre:	Bueno, ¿ya está?
Marta:	Sí... ¡No, no! Necesito también una barra de pegamento.

COMPRENDO

 ¿Verdadero o falso? Marta y su madre compran...

	V	F
una mochila	X	
libros		X
tres cuadernos	X	
dos reglas		X
un estuche		X
cuatro gomas		X
dos bolígrafos	X	
unas tijeras	X	
un lápiz	X	
cinco rotuladores		X
una calculadora		X
dos archivadores	X	
una barra de pegamento	X	

PRACTICO Y AMPLÍO

2 IDENTIFICAR OBJETOS

¿Qué es?

Es un libro./Es una regla. Son unas tijeras./Son unos libros.

Habla con tu compañero.

- La casilla B3, ¿qué es?
- Es un archivador. Y la casilla A2, ¿qué es?
- Es una...

	A	B	C	D
1	La mochila	La regla	El cuaderno	El bolígrafo
2	La goma	El sacapuntas	El libro	El estuche
3	El rotulador	El archivador	Las tijeras	La barra de pegamento

3 EL PLURAL

SINGULAR	PLURAL
Terminadas en vocal: chica, nombre, equipo	+ -s: chicas, nombres, equipos
Terminadas en consonante: ordenador, ciudad	+ -es: ordenadores, ciudades
Terminadas en -z: lápiz	> -ces: lápices

el sacapuntas > los sacapuntas/el cumpleaños > los cumpleaños
la barra de pegamento > las barras de pegamento
las tijeras: siempre en plural

A. Escucha y escribe las palabras en plural.

1. los institutos; 2. los despertadores; 3. unas semanas; 4. las nacionalidades; ....
5. unos llaveros; 6. unas mochilas; 7. las ilustraciones; 8. unos archivadores; ....
9. los sacapuntas; 10. unos días. ....

B. Escucha a Juan, ¿qué lleva en la mochila y en el estuche?
   Relaciona con una flecha. Hay 3 intrusos.

3 cuadernos   mochila   1 lápiz
1 archivador   2 libros
1 calculadora   1 regla
1 goma   estuche   1 sacapuntas
                                tijeras

PRACTICO Y AMPLÍO

4 ASIGNATURAS FAVORITAS

A. Escribe la asignatura favorita de cada compañero de Marta.

¿Cuál es tu asignatura favorita?

La Tecnología.

Matemáticas   Inglés   Música

La asignatura favorita de Elena es el Inglés.

Jorge   Elena   Marta   Inés

Educación Plástica y Visual

 Lengua Castellana y Literatura

 Matemáticas

 Geografía

Historia

Ciencias de la Naturaleza

 Inglés

 Educación Física

 Francés

 Tecnología

 Música

 Educación Plástica y Visual

B. Y tú, ¿tienes las mismas asignaturas que Marta? ¿Cuál es tu preferida?

C. ¿Qué materiales necesitas para la clase de...?

Para la clase de Inglés necesito un cuaderno y también un diccionario.

(Repaso del verbo Estar)

5 LOCALIZAR EN EL ESPACIO

¿Dónde está mi libro?

Está sobre la mesa.

LA GOMA ESTÁ...

detrás de   delante de   debajo de   sobre

al lado de   entre

¿Dónde está el lápiz?

2. Detrás de la goma.
....

3. Al lado de la regla.
....

1. Al lado de las tijeras.
....

5. Al lado del sacapuntas.
....

7. Delante de las tijeras.
....

6. Sobre el cuaderno.
....

4. Delante del bolígrafo.
....

ACTÚO

Describo mi mesa

6 Tu escritorio

Observa la mesa de Raúl y di una frase. Tus compañeros dicen si es verdad o mentira.

La mochila está detrás del ordenador.

Es verdad.

CÓDIGO \<**S**\>

Las similitudes

Describe tu mesa de trabajo. Luego, compara con tu compañero: ¿tenéis las mismas cosas?

Hablo de las asignaturas y de las notas

7 Tus mejores notas

A. Observa el sistema de notas en España.

0 – 4	Insuficiente
5	Suficiente
6	Bien
7 – 8	Notable
9 – 10	Sobresaliente

B. Observa las notas de Raúl y forma frases, como en el ejemplo.

En Música tiene un insuficiente.

BOLETÍN DE NOTAS

Música:	3
Francés:	4,5
Inglés:	5
Tecnología:	8
Geografía:	9

Educación Física:	6
Historia:	2
Matemáticas:	4
Ciencias de la Naturaleza:	7
Educación Plástica y Visual:	3,5

CÓDIGO \<**N**\>

Tus notas

Y tú, ¿en qué asignaturas sacas las mejores notas?

4 El instituto

La web del Instituto Lope de Vega

Instituto Lope de Vega

Somos un pequeño centro con:
- 25 aulas (en el aula de idiomas, hay ordenadores conectados a Internet y una pizarra digital)
- 2 patios, para jugar al fútbol o al baloncesto
- 1 biblioteca con muchos libros
- 1 gimnasio para hacer deporte
- 1 pequeño comedor (los alumnos comen con los profesores)
- 1 cafetería abierta durante el recreo

Actividades

Las actividades extraescolares del centro:
- Fomento de la lectura: leer y comentar libros.
- Internet: cómo buscar información segura.
- Intercambio con institutos ingleses y franceses: taller para escribir, escuchar diálogos, ver la tele inglesa y francesa y hablar por videoconferencia con los alumnos extranjeros.
- Actividades deportivas: hacer gimnasia o yudo, jugar al baloncesto o al fútbol.

a b c d e f

COMPRENDO

1 Contesta a las preguntas.

- ¿Qué deportes extraescolares practican?
  Gimnasia, yudo, fútbol y baloncesto.
- ¿Con quién comen los alumnos?
  Con los profesores.
- ¿Qué hacen en el taller de idiomas?
  Escribir, escuchar diálogos, ver la tele y hablar por videoconferencia.

2 Relaciona los espacios con las fotos.

- Aula de idiomas [d]
- Patio [c]
- Biblioteca [f]
- Gimnasio [b]
- Cafetería [e]
- Comedor [a]

PRACTICO Y AMPLÍO

3 LAS ACTIVIDADES DE AULA

Pista 16

A. Escucha y marca las actividades preferidas de Beatriz.

¿Qué haces en clase de Inglés?

Hablar, leer, ver vídeos, escribir... Y escuchar canciones...

X	Hablar con el profesor y los compañeros.
	Escribir textos.
	Leer textos.
X	Escuchar canciones, diálogos, conversaciones.
X	Ver DVD y vídeos.
	Hacer ejercicios de vocabulario, de gramática.
	Jugar con los compañeros.
	Buscar información en Internet.
	Navegar por Internet.

B. ¿Cuáles son tus 4 actividades preferidas?

1. ....
2. ....
3. ....
4. ....

4 EL PRESENTE DE INDICATIVO

- hablar, pasear, explicar, estudiar, escuchar, buscar, navegar
- comer, beber, leer
- escribir

Son verbos regulares.

(yo)
(tú)*
(él, ella, usted)
(nosotros, nosotras)
(vosotros, vosotras)
(ellos, ellas, ustedes)

*(vos)

	VER	HACER	JUGAR
	veo	hago	juego
	ves	haces	juegas
	ve	hace	juega
	vemos	hacemos	jugamos
	veis	hacéis	jugáis
	ven	hacen	juegan
	ves	hacés	jugás

Pista 17

A. Escucha estas 10 formas verbales e indica el pronombre sujeto y el infinitivo, como en el ejemplo.

1.	2.	3.	4.	5.
nosotros, ver	tú, escribir	ellos, jugar	yo, hacer	él, pasear

6.	7.	8.	9.	10.
vosotros, beber	yo, comer	tú, explicar	nosotros, buscar	ellos, leer

B. Completa con los verbos en presente, como en el ejemplo.

1. Lucas y Elena (comer) .....comen..... un bocadillo y (beber) .....beben..... un zumo de naranja.
2. (Escuchar, yo) .....Escucho.... música en el patio o (leer) ....leo........ .
3. (Escribir, vosotros) ....Escribís..... SMS.
4. El profesor (explicar) .....explica..... la lección en la pizarra digital.
5. (Escribir, nosotros) .....Escribimos.. en la pizarra.
6. (Hablar, tú) .....Hablas..... con un amigo.
7. Antonio (estudiar) .....estudia..... en la biblioteca y (buscar) .....busca..... información en Internet.
8. Los alumnos (pasear) .....pasean..... por el instituto.
9. (Jugar, yo) .....Juego..... al fútbol.
10. Y tú, ¿qué (hacer) .....haces..... en el recreo?

a + el > al

5   INDICAR LA EXISTENCIA

Concurso de observación: ¿Quién encuentra más objetos en esta aula en 2 minutos?

- Hay una pizarra digital.
- Hay un ordenador.
- Hay un...

¿Qué hay en el aula?

Hay una pizarra digital.

1. la mesa del profesor	f
2. el pupitre	j
3. la silla	m
4. la puerta	h
5. la ventana	d
6. la pizarra digital	e
7. la papelera	i
8. los libros	k
9. el estante	c
10. la calefacción	a
11. el ordenador	n
12. la calculadora	l
13. la planta	b
14. el póster	g

6   OPOSICIONES «HAY/ESTÁ(N)»

«HAY»: PARA INDICAR LA EXISTENCIA	«ESTAR»: PARA SITUAR EN EL ESPACIO
Se usa con uno, una, un, dos, tres...	Se usa con el, la, los, las, los posesivos...
• ¿Cuántas ventanas hay en el aula? • Hay una/dos/tres...	• ¿Dónde están los alumnos? • Los alumnos están en el patio.
• ¿Cuántos libros hay sobre la mesa? • Hay uno/dos/tres...	• ¿Dónde están tus compañeros? • Mis compañeros están en el comedor.
• ¿Qué hay en el aula? • Hay un estante, dos ventanas...	• ¿Estáis en el gimnasio? • No, estamos en el aula de idiomas.

Completa las frases con «hay» o «estar» en la forma correcta.

1. ¿Dónde ......**está**...... el rotulador de Maite?
2. En el aula de Francés ......**hay**...... 15 ordenadores.
3. Mis libros ......**están**...... en mi mochila.
4. En mi instituto ......**hay**...... una biblioteca muy grande.
5. Marina y José ......**están**...... en el patio.
6. ¿Dónde (tú) ......**estás**......? – ......**Estoy**...... en el comedor, con mis compañeros.
7. ......**Hay**...... dos gatos en el árbol del patio.
8. La profesora ......**está**...... delante de la pizarra.
9. (Nosotros) ...**Estamos**... en el gimnasio, tenemos Educación Física.
10. ¿Cuántas ventanas ......**hay**...... en el aula?

ACTÚO

Conozco las actividades del recreo de mis compañeros

7

Pista 18

Natalia habla de las actividades de sus compañeros en el recreo

A. Observa las ilustraciones y completa su texto con los verbos adecuados. Luego, escucha y comprueba.

En el recreo, mis compañeros hacen muchas actividades. Raúl y sus amigos (1) ...**juegan**... al baloncesto. Marta (2) ...**escucha**... música en su MP3. Laura (3) ...**corre**... por el patio. Belén y Pilar (4) ...**hablan**... en la biblioteca. Alicia (5) ...**navega**... por Internet. Marcos (6) ...**estudia**... si tiene un examen. Beatriz (7) ...**lee**... un libro y Julia (8) ...**escribe**... su diario.

Pista 19

B. Escucha a Óscar e indica los intrusos, como en el ejemplo.

Óscar no escucha música.

❶

❷

❸

Óscar no come un bocadillo.

❹

Óscar no juega con las videoconsolas.

❺

❻

C. En grupos de 4: haz una encuesta a tus compañeros: ¿Qué haces en el recreo? Indica 3 actividades que realizas y 2 que no. Anota las respuestas.

Laura, ¿qué haces en el recreo?

En el recreo hablo con las compañeras... No juego al fútbol...

Laura	– Habla con las compañeras. – .... –	– No juega al fútbol. – ...

Extensión digital

www.edelsa.es

Zona estudiante

Participa en la comunidad de **Código ELE**

B L O G

Describe tu instituto. Mira la página 32.

CÓDIGO <A>

Las actividades
Ahora, presenta los resultados a la clase. ¿Cuál es la actividad favorita de la clase?

EDUCACIÓN PARA LA CIUDADANÍA

La convivencia en el centro escolar

1

Observa las ilustraciones. ¿Está bien o está mal?

1
Está mal.

2
Está mal.

3
Está mal.

4
Está bien.

5
Está mal.

6
Está mal.

2

Lee las frases, relaciona cada una con la imagen correspondiente del ejercicio anterior y di si está «bien» o «mal».

	B	M
- La chica toma, sin permiso, la regla de su compañero.		3
- El chico come y bebe en la biblioteca.		5
- El chico juega con la calculadora y no escucha al profesor.		1
- Los chicos se saludan.	4	
- El chico tira un papel al suelo.		6
- El chico corre dentro del colegio.		2

3

Hablas con educación
Completa las frases con las palabras del recuadro.

> por favor, gracias, perdone (para el profesor)/perdona (para el compañero)

Hablas con tu profesor de español.
- _Perdone_, no entiendo. ¿Puede repetir?
- ¿Qué significa «abuelo», _por favor_?
- _Perdone_, ¿cómo se escribe «100» en español?

Hablas con tu compañero:
- _Perdona_, ¿tienes un sacapuntas?
- Sí.
- ¿Me lo prestas, _por favor_?
- ¡Claro!
- _Gracias_.

ESPACIO INTERDISCIPLINAR

¡ME GUSTA LA EDUCACIÓN PLÁSTICA!

1 OBSERVA.

LOS COLORES	
MASCULINO	FEMENINO
amarillo / amarillos	amarilla / amarillas
blanco / blancos	blanca / blancas
negro / negros	negra / negras
rojo / rojos	roja / rojas

verde / verdes
marrón / marrones
azul / azules
gris / grises
rosa / rosas
naranja / naranjas
violeta / violetas

2 DI UN NÚMERO, LA CLASE DICE LOS COLORES DE LA ESTRELLA Y DEL CÍRCULO.

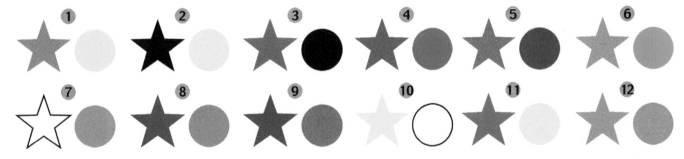

3 ESCUCHA Y PINTA EL CÍRCULO DEL COLOR INDICADO.

Pista 20

4 ENSEÑA OBJETOS A TUS COMPAÑEROS. ELLOS CONTESTAN, COMO EN LOS EJEMPLOS.

¿Qué es? — Un sacapuntas verde.

¿Qué es? — Un estuche amarillo.

AHORA YA SÉ

Identificar objetos

1. Contesta a la pregunta, como en el ejemplo.

¿Qué es?　　Es un libro.

1. Son unas tijeras.
2. Es un videojuego/ Es una consola.
3. Es una vela.
4. Es una hucha.
5. Son unas llaves.

Decir su asignatura favorita

2. ¿Cuál es la asignatura favorita de cada alumno?

Historia	Inglés	Música	Geografía	Educación Física	Francés
Elena	Eva	Jorge	Luis	Beatriz	Rafael

Hablar de las actividades del instituto

3. Relaciona con flechas y forma 10 frases.

1. Natalia habla
2. El profesor escribe
3. En clase de Inglés, escuchamos
4. Haces un ejercicio
5. En el aula de informática, navegamos
6. ¿Leéis poesías
7. Los alumnos ven
8. En la biblioteca, Julia busca
9. En el patio, jugamos
10. Comes un bocadillo

a. canciones.
b. información en una enciclopedia.
c. al baloncesto.
d. en la cafetería.
e. en clase de Francés?
f. con el profesor de Inglés.
g. de gramática.
h. un texto en la pizarra.
i. por Internet.
j. un vídeo.

El plural

4. Pon las palabras en plural, como en el ejemplo.

el cuaderno .... los cuadernos ....
1. el lápiz .... los lápices ....
2. el archivador .... los archivadores ....
3. la alumna .... las alumnas ....
4. la nacionalidad .... las nacionalidades ....
5. el sacapuntas .... los sacapuntas ....

6. la canción .... las canciones ....
7. el bolígrafo .... los bolígrafos ....
8. el estuche .... los estuches ....
9. el móvil .... los móviles ....
10. el sombrero .... los sombreros ....

Los colores: el género y el número

5. Escribe el color de cada objeto, como en el ejemplo.

El libro es  ......*azul*......
1. Los cuadernos son ......**rojos**......
2. La mochila es ......**naranja**......
3. La hucha es ......**verde**......
4. Los gatos son ......**negros**......
5. El pupitre es ......**rosa**......

6. El sombrero es ......**amarillo**......
7. Los ratones son ......**blancos**......
8. Los llaveros son ......**violetas**......
9. La puerta es ......**marrón**......
10. Las sillas son ......**azules**......

Las expresiones de lugar

6. ¿Dónde están los animales?

El pájaro

El pájaro está entre
1. las pelotas.

El hámster

El hámster está
2. debajo de la pelota.

El ratón

El ratón está
3. delante de la pelota.

El conejo

El conejo está
sobre la pelota.
4. ....

El perro

El perro está detrás
de la pelota.
5. ....

El gato

El gato está al lado
de la pelota.
6. ....

«Hay/está(n)»

7. Completa con hay, está o están.

En el patio del instituto ......*hay*...... 3 árboles.
1. El profesor ......**está**...... en el aula.
2. La profesora ......**está**...... a la derecha de la pizarra.
3. La ventana ......**está**...... enfrente de la puerta.
4. ¿Cuántos alumnos ......**hay**...... en la biblioteca?
5. ¿En tu instituto ......**hay**...... un comedor?
6. El móvil ......**está**...... detrás del estuche.
7. Las mochilas ......**están**...... debajo de los pupitres.
8. ¿Qué ......**hay**...... sobre la mesa del profesor?
9. En el aula 9 ......**hay**...... tres ventanas verdes.
10. ¿Dónde ......**está**...... el archivador amarillo?

El presente

8. Pon los verbos en presente.

hablar, yo ......*hablo*......
1. escribir, nosotros ......**escribimos**......
2. ver, tú ......**ves**......
3. leer, vosotros ......**leéis**......
4. comer, Julián ......**come**......
5. jugar, ellos ......**juegan**......
6. escribir, tú ......**escribes**......
7. hacer, yo ......**hago**......
8. comer, Ud. ......**come**......
9. escuchar, Beatriz ......**escucha**......
10. ver, yo ......**veo**......

Las asignaturas

9. Separa las palabras.

educaciónplásticayvisualcienciasdelanaturalezaingléslenguacastellanayliteratura
matemáticasgeografíahistoriafrancésmúsicatecnologíaeducaciónfísica

El instituto y el aula

10. Clasifica las palabras.

• la mesa del profesor • el ordenador • la cafetería • el comedor • la ventana • el gimnasio • la pizarra digital
• el profesor • el diccionario • la biblioteca • la silla • el patio • la puerta • la papelera • el alumno • el estante
• el pupitre • la alumna • el aula

Personas	Lugares	Objetos para estudiar	Muebles	Elementos
el profesor, el alumno, la alumna.	la cafetería, el comedor, el gimnasio, la biblioteca, el patio, el aula.	el ordenador, el diccionario.	la mesa, la silla, el estante, el pupitre.	la ventana, la pizarra digital, la puerta, la papelera.

LEO 1. Lee el texto.

cuatro delante normal izquierda

Hola, me llamo Andrés y estoy en primero de la ESO. Mi aula de idiomas es grande, tiene dos puertas y tres ventanas. La mesa del profesor es marrón y está a la izquierda de la pizarra digital. A la derecha de la mesa del profesor hay un ordenador. Los pupitres y las sillas de los alumnos son verdes. Sobre mi mesa hay un libro, un cuaderno, bolígrafos y una regla. Mi mochila está debajo de mi silla.

2. Observa la ilustración y localiza los 4 errores. ¿Cuál es la mesa de Andrés?

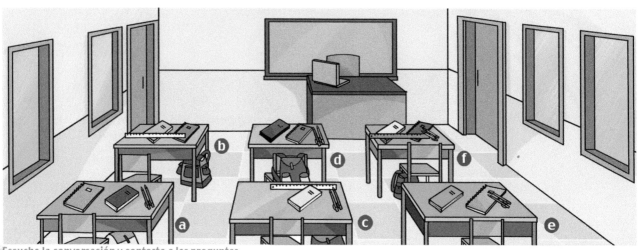

ESCUCHO Escucha la conversación y contesta a las preguntas.

 Pista 21

1. ¿Cuántas personas hablan? **Dos.**
2. ¿Cómo se llaman? **Pedro y Lucas.**
3. ¿Dónde están? **En el patio.**
4. ¿Qué hacen? **Juegan al baloncesto.**

5. ¿Cuál es la asignatura favorita de Lucas? **Geografía.**
6. ¿Qué hace Pedro los martes, después del recreo? **Estudia en la biblioteca.**
7. ¿Quién es Patricia? **Una compañera.**
8. ¿Cuándo tienen Pedro y Patricia un examen de Inglés? **El jueves.**

ESCRIBO Chatea con un nuevo amigo español. Contesta a sus preguntas.

1. ¿En qué curso estás?
2. ¿Cómo se llama tu instituto?
3. ¿Qué hay en tu instituto?
4. ¿Cuántas horas de clase tienes por semana?

5. ¿Cómo se llama tu profesor de español?
6. ¿Cuál es tu asignatura favorita?
7. ¿Cuántos alumnos hay en tu clase?
8. ¿Qué haces en el recreo?

HABLO Habla con tu compañero y escribe en tu cuaderno el nombre de los objetos.

¿Qué h...
la moch...
Pedr...

Hay un cuaderno.

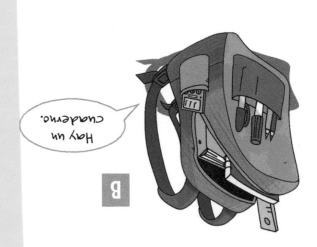

B

Presenta a tu gente

Mira, esta es mi familia: mis padres, mis hermanos, mi hermana y yo.

En esta unidad aprendes a...

- Hablar de los miembros de tu familia.
- Utilizar los posesivos.
- Describir a las personas por su aspecto y por su personalidad.
- Expresar tus gustos.

Fotos de familia

Las fotos de familia

Pista 22

Gemma:	Abuelo, ¿eres tú en la foto?
El abuelo:	Sí, con tu abuela Lola.
Gemma:	¡Qué guapa! Me gusta mucho la foto.
El abuelo:	Mira, otra foto, en el salón.
Gemma:	A ver, a ver...
El abuelo:	El día de mi cumpleaños. Tu padre, tu madre...
Gemma:	¿Y la mujer detrás de papá es la tía Alicia?
El abuelo:	Sí, con tu tío y con tu prima Elena.
Gemma:	Y el bebé, ¿soy yo?
El abuelo:	No, es tu hermano Javier.
Gemma:	Y yo... ¿Dónde estoy?
El abuelo:	Espera, espera... Mira, estás aquí.
Gemma:	Esta foto también me gusta.
El abuelo:	Toma, para ti las dos.

COMPRENDO

1 Observa el árbol genealógico y complétalo.

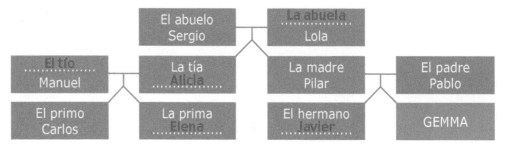

El abuelo Sergio		La abuela Lola	
El tío Manuel	La tía Alicia	La madre Pilar	El padre Pablo
El primo Carlos	La prima Elena	El hermano Javier	GEMMA

2 Completa las frases.

1. Lola es la abuela de ......Carlos......, ...Elena......, ...Javier...... y ......Gemma...... .
2. La madre de Gemma se llama ......Pilar...... y es la ....hermana.... de Alicia.
3. Javier tiene 2 primos, se llaman ......Carlos...... y ....Elena...... .
4. Sergio es el padre de ......Alicia........ y ......Pilar........ .

3 Relaciona las 3 partes de cada frase. Puedes formar 9 frases.

1. Lola es
2. Javier es
3. Alicia es
4. Elena es
5. Pablo es

a. la hermana de
b. la sobrina de
c. la madre de
d. el hermano de
e. la abuela de
f. la prima de
g. el padre de
h. el hijo de
i. la tía de

I. Gemma
II. Pilar

> **LA FAMILIA**
>
> **Los abuelos:** el abuelo, la abuela
> **Los padres:** el padre, la madre
> **Los hermanos:** el hermano, la hermana
>
> **El tío, la tía**
> **El primo, la prima**

PRACTICO Y AMPLÍO

4 HABLAR DE LA FAMILIA

¿Cuántos hermanos tienes?

No tengo, soy hijo único (hija única).

¿Cómo se llama tu padre?

Antonio.

¿Dónde viven tus abuelos?

Viven en Vitoria.

Pista 23 Escucha a José y corrige los 5 errores.

• Su madre no se llama Carmen, se llama Amelia.

1. Sus padres se llaman Carlos y Carmen. **Amelia**
2. Sus abuelos viven en Barcelona y en Granada. **Madrid**
3. Tiene 5 tíos y 6 tías.
4. Tiene 8 primos y 7 primas. **5**
5. Tiene 1 hermano y 1 hermana.
6. El cumpleaños de su hermano es el 16 de enero. **6**
7. Su cumpleaños es el 25 de marzo. **agosto**

5

LOS ADJETIVOS POSESIVOS	
MASCULINO	FEMENINO

	MASCULINO	FEMENINO
yo	mi hermano mis hermanos	mi hermana mis hermanas
tú, vos	tu abuelo tus abuelos	tu abuela tus abuelas
él, ella, usted	su sobrino sus sobrinos	su sobrina sus sobrinas
nosotros/as	nuestro tío nuestros tíos	nuestra tía nuestras tías
vosotros/as	vuestro primo vuestros primos	vuestra prima vuestras primas
ellos/as, ustedes	su nieto sus nietos	su nieta sus nietas

Escribe frases, como en el ejemplo.

Mi cuaderno, mis...

Yo

Mis lápices y mi llavero.

Tú

Tu papel, tus tijeras y tu calculadora.

Ellos

Vosotros

Su pastel y su libro.

Él

Su móvil, su pelota y su consola.

Nosotros

Nuestra manzana, nuestros libros y nuestro sombrero.

Vuestros abuelos y vuestro sacapuntas.

6 EL PLURAL

Palabras terminadas en –ón/–ín > –ones/–ines
El acento escrito desaparece.

el balcón, el jardín > los balcones, los jardines

Escribe el plural o el singular.

1. la lección .... **las lecciones**
2. el ratón .... **los ratones**
3. los salones .... **el salón**
4. los calcetines .... **el calcetín**
5. la ilustración .... **las ilustraciones**
6. los camiones .... **el camión**
7. marrón .... **marrones**
8. el delfín .... **los delfines**

7 EXPRESAR GUSTOS

¿Te gusta el teatro?

¡Sí!

(A mí)	me		
(A ti, vos)	te	gusta	el cine/la música/leer
(A él, ella, usted)	le		
(A nosotros/as)	nos		
(A vosotros/as)	os	gustan	las fresas
(A ellos, ellas, ustedes)	les		los perros

Acuerdo	• Me gustan los perros.	• A mí también.
	• No me gusta leer.	• A mí tampoco.
Desacuerdo	• Me gustan los perros.	• A mí no.
	• No me gusta leer.	• A mí sí.

A. Completa las frases con «gusta» o «gustan».

1. ¿Te ....**gusta**.... escuchar música?

2. A ellos no les ....**gustan**.... los ratones.

3. A mí me ....**gusta**.... el chocolate.

4. A Sonia no le ....**gusta**.... la piña.

5. A usted le ....**gustan**.... las serpientes.

6. A nosotros nos ....**gusta**.... comer *pizza*.

7. A Pedro le ....**gustan**....  las patatas fritas.

8. A ti no te ....**gustan**.... las arañas.

9. A mí me ....**gusta**.... beber zumo.

10. A vosotros no os ....**gusta**.... el circo.

11. A usted le ....**gustan**.... los caramelos.

12. A Cristina le ....**gustan**.... las galletas.

 B. Escucha y marca la casilla correcta: a = le gusta(n), b = no le gusta(n). Luego, forma 6 frases, como en el ejemplo.

A Natalia le gusta ver la tele.

a. **X**   b. ☐

a. ☐   b. **X**

a. ☐   b. **X**

a. **X**   b. ☐

a. **X**   b. ☐

a. **X**   b. ☐

a. **X**   b. ☐

C. Completa el cuadro con cuatro cosas o actividades en cada casilla. Luego, compara tus gustos con los de tu compañero.

Me gusta	No me gusta	Me gustan	No me gustan

Me gusta ir al cine. ¿Y a ti, Cristina?

A mí también.

CTÚO

Descubro cómo son las familias de mis compañeros

 8

Fíjate en las preguntas

A. Observa.

HACER PREGUNTAS
• ¿Cómo se llama tu padre? • ¿Dónde viven tus abuelos? • ¿Cuándo es tu cumpleaños? • ¿Cuántos hermanos tienes?

¿«CUÁNTOS/CUÁNTAS»?
¿«Cuántos» + nombre masculino plural? ¿Cuántos libros tienes? ¿«Cuántas» + nombre femenino plural? ¿Cuántas hermanas tienes?

B. Contesta a las preguntas.

1. ¿Cómo se llaman tus padres?
   ....

2. ¿Cuántos hermanos tienes?
   ....

3. ¿Cuántas primas tienes?
   ....

4. ¿Tienes tíos o tías? ¿Cuántos?
   ....

5. ¿De dónde son tus abuelos?
   ....

9

Conoce la familia de tus compañeros y sus gustos

A. Ahora, habla con tus compañeros y anota sus respuestas. Después, contesta a estas preguntas.

• ¿Quién tiene más primos?
• ¿Quién tiene más hermanos?
• ¿Quién tiene una familia más grande?

B. Compara tus gustos con los de tus compañeros.

• David, ¿a tu hermano le gusta ver la tele?
• Sí, ¿y a ti?
• A mí también.

ADVERBIOS DE CANTIDAD	
Mucho	Me gusta mucho el fútbol.
Poco	Me gusta poco leer.
Nada	No me gusta nada ver la tele.

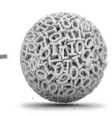

CÓDIGO <F>

La familia
Escribe un informe sobre las familias de tu clase.

6 Cuestión de personalidad

Me gusta el teatro

El club de teatro del instituto prepara una obra sobre la vida de una familia española y busca alumnos para representar el papel de Borja y Esther, en tu clase. Lee el texto e infórmate.

COMPRENDO

1 Identifica quién es.

1. Tiene setenta y tres años. .....El abuelo.....
2. Tiene cuarenta y siete años. .....El padre.....

3. Tiene sesenta y ocho años. .....La abuela.....
4. Tiene cuarenta y dos años. .....La madre.....

2 ¿Verdadero o falso?

	V	F
1. El abuelo tiene el pelo liso.	X	
2. La abuela es alta.		X
3. La madre es castaña.	X	

	V	F
4. El padre tiene el pelo rizado.	X	
5. La madre tiene el pelo largo.	X	
6. El abuelo tiene barba.	X	

RACTICO Y AMPLÍO

3 DESCRIBIR PERSONAS

A. Lee este diálogo. ¿Quién es el abuelo?

- ¿Cómo es tu abuelo?
- Tiene los ojos marrones.
- ¿Cómo tiene el pelo?
- Tiene el pelo corto, blanco y un poco rizado.
- ¿Y lleva barba?
- No.
- ¿Y gafas?
- No, tampoco. Lleva bigote.

ADJETIVOS PARA DESCRIBIR PERSONAS

Es alto ≠ bajo. Es gordo ≠ delgado.	Es alta ≠ baja. Es gorda ≠ delgada.	Tiene el pelo	corto = largo. rizado = liso.

Es rubio/castaño/moreno.   Es rubia/castaña/morena.

- ¿De qué color son sus ojos?
- Sus ojos son/Tiene los ojos verdes/azules/negros/marrones.

 Pista 25

B. Un chico y una chica llaman al director. Escucha la conversación y completa las fichas. ¿Corresponden al perfil?

	Chico	Chica
¿Cómo se llama?	José	Natalia
¿Cómo tiene el pelo?	Moreno, corto y liso	Rubia, liso y largo
¿Es alto o bajo?	Alto	Baja
¿De qué color son sus ojos?	Verdes	Azules

C. Y en tu clase, ¿quién puede representar el papel de Borja y Esther?

> Yo, porque soy castaña, tengo el pelo...

 Pista 25

D. Vuelve a escuchar y encuentra a los dos chicos en la ilustración.

E. Ahora, describe a una persona de la clase. Tus compañeros dicen quién es.

PRACTICO Y AMPLÍO

4 EL CARÁCTER

A. Observa las imágenes e indica qué adjetivo corresponde a cada una.

¿Trabajadora o vaga?

① Ella es vaga.

② Ella es trabajadora.

¿Tímida o romántica?

③ Ella es tímida.
④ Ella es romántica.

¿Graciosa o simpática?

⑤ Ella es graciosa.
⑥ Ella es simpática.

¿Educado o testaruda?

⑦ Él es educado.
⑧ Ella es testaruda.

¿Inteligente o sociable?

⑨ Ella es inteligente.
⑩ Ella es sociable.

¿Cariñosa o generosa?

⑪ Ella es cariñosa.
⑫ Ella es generosa.

¿Desordenada o habladora?

⑬ Ella es habladora.
⑭ Ella es desordenada.

LOS ADJETIVOS

MASCULINO	FEMENINO
Terminados en –o: vago	–o>–a: vaga
Terminados en –or: trabajador	+ –a: trabajadora
Terminados en –e: sociable	–e: sociable

B. Observa el test.

Indica qué colores te gustan y cuáles no y descubre tu personalidad

- ☺ Eres hablador, habladora.
- ☺ Eres tímido, tímida.
- ☺ Eres gracioso, graciosa.
- ☺ Eres vago, vaga.
- ☺ Eres cariñoso, cariñosa.
- ☺ Eres educado, educada.
- ☺ Eres sociable, sociable.

- ☹ Eres desordenado, desordenada.
- ☹ Eres romántico, romántica.
- ☹ Eres simpático, simpática.
- ☹ Eres trabajador, trabajadora.
- ☹ Eres generoso, generosa.
- ☹ Eres testarudo, testaruda.
- ☹ Eres inteligente, inteligente.

 Pista 26

C. Escucha a estos dos estudiantes que hacen el test e indica su carácter.

Juan es...   Celia es...

A Juan le gustan el azul y el violeta.
Es hablador y vago. A Juan no le gusta el verde.
Es romántico; A Celia le gusta el rosa.
Es graciosa. A Celia no le gusta el violeta. Es trabajadora.

D. En grupos de 4: por turnos, habla con tus compañeros y di los resultados del juego.

- David, ¿qué colores te gustan?
- Eres sociable y hablador. ¿Qué colores no te gustan?
- Eres testarudo y generoso.

- El naranja y el azul.
- El marrón y el rojo.

ACTÚO

Pongo un anuncio para hacer nuevos amigos

5 Busco amigos

A. Lee los anuncios de la sección Busco amigos **de una revista para adolescentes.**

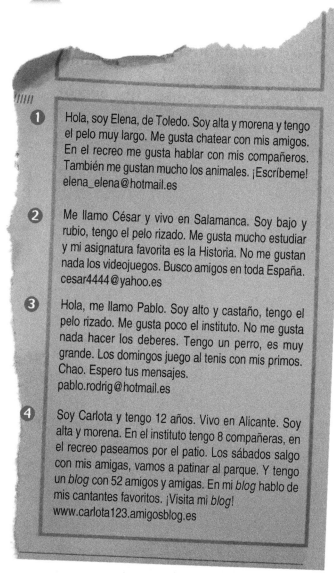

❶ Hola, soy Elena, de Toledo. Soy alta y morena y tengo el pelo muy largo. Me gusta chatear con mis amigos. En el recreo me gusta hablar con mis compañeros. También me gustan mucho los animales. ¡Escríbeme! elena_elena@hotmail.es

❷ Me llamo César y vivo en Salamanca. Soy bajo y rubio, tengo el pelo rizado. Me gusta mucho estudiar y mi asignatura favorita es la Historia. No me gustan nada los videojuegos. Busco amigos en toda España. cesar4444@yahoo.es

❸ Hola, me llamo Pablo. Soy alto y castaño, tengo el pelo rizado. Me gusta poco el instituto. No me gusta nada hacer los deberes. Tengo un perro, es muy grande. Los domingos juego al tenis con mis primos. Chao. Espero tus mensajes. pablo.rodrig@hotmail.es

❹ Soy Carlota y tengo 12 años. Vivo en Alicante. Soy alta y morena. En el instituto tengo 8 compañeras, en el recreo paseamos por el patio. Los sábados salgo con mis amigas, vamos a patinar al parque. Y tengo un *blog* con 52 amigos y amigas. En mi *blog* hablo de mis cantantes favoritos. ¡Visita mi *blog*! www.carlota123.amigosblog.es

B. ¿Quién es...?

> Pablo es vago. No le gusta estudiar.

Vago
Hablador
Estudioso
Sociable

Elena es habladora.
César es estudioso.
Carlota es sociable.

C. Observa.

LA CANTIDAD

- **Muy + adjetivo.**
  Es muy tímido.

- **verbo +** mucho/poco/nada
  Me gusta mucho el fútbol.
  Me gusta poco leer.
  No estudia nada.

D. Completa las frases con muy, mucho, poco **o** nada**.**

1. Alberto es .....muy..... trabajador, estudia .....mucho... .
2. Marta tiene el pelo .... largo.
3. Carlos es .....muy...... tímido, habla ....poco..... .
4. A Lucas no le gusta .....nada.... ver la tele.
5. Mi perro come ....mucho...., es ....muy..... comilón.
6. Beatriz juega .....poco.... al baloncesto, no le gusta.

www.edelsa.es
Zona estudiante

Participa en la comunidad de **Código ELE**

Escribe tu anuncio.

CÓDIGO <H>

Humano
Escribe tú también un anuncio para la revista. Indica cómo eres (físico y carácter) y tus gustos. No indiques tu nombre. Luego, tu profesor lee los anuncios y la clase adivina quién es.

> Soy alto y rubio. Tengo el pelo muy corto y liso. Soy goloso y simpático. No soy tímido. Me gustan los animales, la música y leer. No me gusta nada...

EDUCACIÓN PARA LA CIUDADANÍA

Los apellidos españoles

1

Observa el carné de identidad y contesta las preguntas.
1. ¿Cómo se llama? (nombre y apellidos) **Carmen González Garaicoechea.**
2. ¿Qué día es su cumpleaños? **El uno de diciembre.**

2

¿Qué nombres y apellidos españoles conoces?
Piensa en un deportista, un cantante, un actor...

3

Lee el texto sobre los apellidos españoles.

Los españoles tienen dos apellidos. Normalmente, el primer apellido es el primer apellido del padre; el segundo es el primer apellido de la madre. Pero también puede ser el primer apellido materno en primer lugar, y el paterno en segundo lugar.
La mujer casada no toma el apellido de su marido.
Según el INE (Instituto Nacional de Estadísticas de España):
- Los 10 apellidos más frecuentes son: García, González, Fernández, Rodríguez, López, Martínez, Sánchez, Pérez, Martín y Gómez.
- Los 10 nombres de chica y chico nacidos a partir de 2000 más populares son: María, Lucía, Paula, Laura, Andrea, Marta, Alba, Sara, Ana y Nerea para las chicas y Alejandro, Daniel, David, Pablo, Adrián, Javier, Álvaro, Sergio, Carlos e Iván para los chicos.

a. Completa este árbol genealógico con los apellidos (el primer apellido es el primer apellido del padre; el segundo es el primer apellido de la madre).

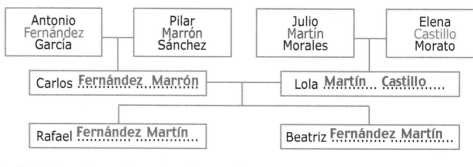

b. De la lista de nombres de chicos y chicas, ¿cuáles te gustan más?

c. Aquí tienes más nombres de chico y chica, ¿existen también en tu país?

Chicas: Alejandra, Beatriz, Sandra, Elsa, Julia, Estefanía, Alicia, Carolina, Verónica, Cristina, Isabel, Leticia, Matilde, Natalia, Yolanda.
Chicos: Alfonso, Pedro, Manuel, Antonio, Gabriel, Ramón, Víctor, Eduardo, Rafael, Hugo, Lucas, Juan, Marcos, Vicente.

ESPACIO INTERDISCIPLINAR

¡ME GUSTAN LAS MATEMÁTICAS!

1 ESCUCHA Y LEE LOS NÚMEROS.

30	treinta	50	cincuenta
31	treinta y uno	51	cincuenta y uno
32	treinta y dos	52	cincuenta y dos
...		...	
40	cuarenta	60	sesenta
41	cuarenta y uno	70	setenta
42	cuarenta y dos	80	ochenta
...		90	noventa
		100	cien

2 ¿CÓMO DICES ESTOS NÚMEROS?   33   48   56   67   79   82   89   91   95

Treinta y tres; Cuarenta y ocho; Cincuenta y seis; Sesenta y siete; Setenta y nueve; Ochenta y dos; Ochenta y nueve; Noventa y uno; Noventa y cinco.

3 INDICA EL CAMINO CORRECTO. SOLO PUEDES PASAR POR LOS NÚMEROS DIVISIBLES POR 3.

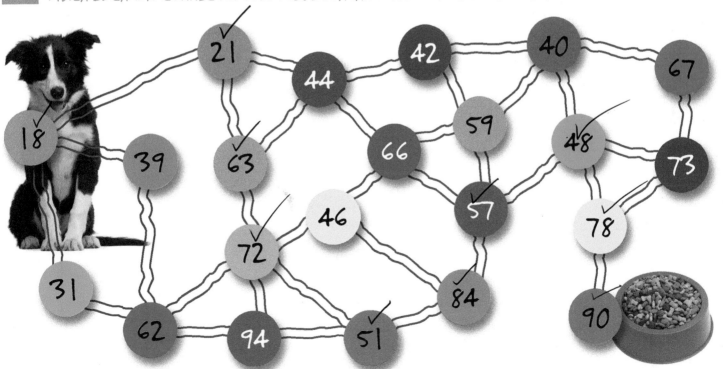

Comunicación

Hacer preguntas

1. Completa las frases con cuántos o cuántas.

1. ¿**Cuántos**.............. amigos tienes en el instituto?
2. ¿**Cuántas**.............. primas tienes?
3. ¿**Cuántos**.............. lápices hay en tu estuche?
4. ¿**Cuántos**.............. perros tiene tu abuela?
5. ¿**Cuántas**.............. ventanas hay en el aula?
6. ¿**Cuántos**.............. alumnos hay en el patio?
7. ¿**Cuántas**.............. profesoras tienes?
8. ¿**Cuántos**.............. estantes hay en tu habitación?

Describir personas

2. Escribe las preguntas correspondientes sobre Patricia.

1. ¿**Cómo es Patricia?**... Patricia es baja y delgada.
2. ¿**De qué color son sus ojos?**................................. Sus ojos son verdes.
3. ¿**Cómo tiene el pelo?**... Tiene el pelo corto.
4. ¿**Cuánto mide?**.. Mide 1,61 metros.

Expresar acuerdo o desacuerdo

3. Completa con a mí también, a mí tampoco, a mí sí, a mí no.

Me gusta el deporte.
Me gustan las fiestas.
No me gusta el baloncesto.
Me gusta bailar.
No me gustan los videojuegos.

 ACUERDO

1. **A mí también.**
2. **A mí también.**
3. **A mí tampoco.**
4. **A mí también.**
5. **A mí tampoco.**

 DESACUERDO

6. **A mí no.**
7. **A mí no.**
8. **A mí sí.**
9. **A mí no.**
10. **A mí sí.**

Gramática

Los posesivos

4. Transforma como en el ejemplo.

1. Yo/la bici — *Mi bici*
2. Olga y José/la profesora — **Su profesora**
3. Tú/las tijeras — **Tus tijeras**
4. Vosotros/el ordenador — **Vuestro ordenador**
5. Elena/la mochila — **Su mochila**
6. Mis padres/la casa — **Su casa**
7. Yo/los libros — **Mis libros**
8. Nosotros/el instituto — **Nuestro instituto**
9. Mi hermano/el rotulador — **Su rotulador**
10. Tú/el bolígrafo — **Tu bolígrafo**
11. Julio/el estuche — **Su estuche**
12. Los alumnos/el diccionario — **Su diccionario**
13. Tú/los lápices — **Tus lápices**
14. Yo/el cuaderno — **Mi cuaderno**
15. Vosotros/los padres — **Vuestros padres**
16. Nosotros/los abuelos — **Nuestros abuelos**
17. Carlos/las gomas — **Sus gomas**
18. Mis primos/las llaves — **Sus llaves**

El verbo «gustar»

5. Completa con gusta o gustan.

1. Me ....gusta........ el deporte.
2. Me ....gustan........ los animales.
3. Me ....gusta........ leer.
4. No me ....gusta........ chatear.
5. No me ....gusta........ la natación.
6. Le ....gustan........ la música y el cine.

«También» y «tampoco»

6. Relaciona.

1. A mí me gusta mucho el chocolate. — d.
2. A mí no me gusta el fútbol. — a.
3. No me gusta nada leer. — b.
4. No me gustan los exámenes. — c.

a. A mí tampoco, prefiero el baloncesto.
b. A mí sí, especialmente los libros de aventuras.
c. A mí tampoco. Los odio.
d. A mí también. ¡Qué rico!

Los pronombres de complemento indirecto

7. Completa con los pronombres personales: me, te, le, nos, os, les.

1. A Juan ....le........ gustan los perros.
2. A mí no ....me........ gusta ver la tele.
3. A mis padres ....les........ gusta el cine.
4. A vosotros ....os........ gustan las galletas.
5. A mí ....me........ gustan los libros.
6. A ti ....te........ gusta el chocolate.
7. A mis amigos ....les........ gusta navegar por Internet.
8. A nosotros ....nos........ gustan los caramelos.
9. A ti ....te........ gusta escribir SMS.
10. A Elena ....le........ gusta la habitación de Sonia.

Léxico

La familia

8. Escribe los femeninos.

1. el abuelo — la abuela
2. el tío — la tía
3. el padre — la madre
4. el nieto — la nieta
5. el hijo — la hija
6. el sobrino — la sobrina
7. el hermano — la hermana

Los adjetivos para describir

9. Escribe los plurales. Luego, elige 3 y forma una frase.

1. graciosa — graciosas
2. vaga — vagas
3. moreno — morenos
4. desordenado — desordenados
5. azul — azules
6. marrón — marrones
7. verde — verdes
8. delgado — delgados
9. cariñosa — cariñosas
10. trabajador — trabajadores
11. sociable — sociables
12. habladora — habladoras
13. rizado — rizados
14. bajo — bajos
15. romántica — románticas

Preparo mi examen

Lee el texto. Luego indica quién es cada amigo por el adjetivo.

¡Hola, buenos días! ¿Qué tal estás?

Me llamo Eduardo y estoy en primero de la ESO. En mi clase tengo cinco amigos.

Julián: No le gusta estudiar.

Carmen: Estudia mucho y saca buenas notas. Sus asignaturas favoritas son la Historia y el Francés.

Patricia: No le gusta mucho hablar. En clase no le gusta salir a la pizarra.

César: Durante el recreo, habla con todos los compañeros, ¡y en su «blog» tiene 80 amigos!

Bea: Sus frases favoritas son: «¿Dónde está mi cuaderno?», «¿Y mi estuche?», «¿Dónde están mis lápices?».

¡Adiós!

1. trabajador/trabajadora **Carmen**
2. educado/educada **Eduardo**
3. sociable/sociable **César**
4. desordenado/desordenada **Bea**
5. tímido/tímida **Patricia**
6. vago/vaga **Julián**

ESCUCHO
Escucha y localiza a Elena en la ilustración.

ESCRIBO
Redacta un anuncio de una persona para un «casting» de cine.

HABLO
Marca tus actividades de tiempo libre preferidas. Compara tus actividades con las de tu compañero.

Me gusta ver la tele. ¿Y a ti?

Habla de tus costumbres

¿Qué hora es?

En esta unidad aprendes a...

- Hablar de tus costumbres y hábitos.
- Preguntar y decir la hora.
- Hacer planes y hablar de ellos.
- Proponer actividades, aceptarlas y poner excusas.

Mi rutina diaria

Un foro intercultural: conoce otras costumbres

FORO JUVENIL

Participa en este foro intercultural
Queremos conocer las costumbres de estudiantes de la misma edad en todo el mundo. Participa en este foro y conoce las formas de vida de otros estudiantes como tú en todo el mundo.

Hola, me llamo Rodrigo y estas son mis rutinas diarias. Todos los días me levanto a las siete y me ducho, me visto y desayuno en la cocina con mi hermana. Salgo de casa a las ocho de la mañana y voy al instituto a pie, con un amigo. Llego a las ocho y veinte. Las clases empiezan a las ocho y media. Vuelvo a casa a las dos de la tarde y como con mi hermana y mi abuela. Hago los deberes en mi habitación. Meriendo por la tarde y, después, juego al fútbol con mis amigos. Ceno con mi familia a las nueve y me acuesto a las diez y media.

COMPRENDO

1 Ordena las acciones de Rodrigo.

5 Salir de casa	**9** Volver a casa	**14** Acostarse
7 Llegar al instituto	**3** Vestirse	**8** Empezar las clases
2 Ducharse	**4** Desayunar	**13** Cenar
10 Hacer los deberes	**11** Merendar	**12** Jugar al fútbol
1 Levantarse	**6** Ir al instituto	

2 Observa las imágenes y escribe una frase debajo con lo que hace Rodrigo.

....

....

3 Contesta a las preguntas sobre Rodrigo.

1. ¿Con quién desayuna? **Con su hermana.**
2. ¿Cómo va al instituto? **A pie.**
3. ¿A qué hora empiezan las clases? **A las 8:30.**
4. ¿Dónde come y con quién? **En su casa, con su hermana y su abuela.**
5. ¿Ve a sus amigos por la tarde? **Sí.**
6. ¿Cena solo? **No, con su familia.**

PRACTICO Y AMPLÍO

4   LA HORA

¿Qué hora es?

Es la una y media.

Son las dos.

en punto

y cinco

menos cinco

y diez

menos diez

menos cuarto

y cuarto

12 11 10 9 8 7 6 5 4 3 2 1

y veinte

menos veinte

menos veinticinco

y veinticinco

y media

A. Escucha y elige las respuestas adecuadas.

Pista 29

1. ¿A qué hora se levanta?   2. ¿A qué hora empiezan sus clases?

a. ☐   b. ☒   a. ☒   b. ☐

3. ¿Cuándo sale del instituto?   4. ¿A qué hora come?

a. ☒   b. ☐   a. ☐   b. ☒

5. ¿Cuándo tiene yudo los miércoles?   6. ¿Qué hora es?

a. ☒   b. ☐   a. ☒   b. ☐

B. Di una hora, tu compañero indica el reloj.

❶   ❷   ❸   ❹   ❺   ❻

5   LA RUTINA COTIDIANA

¿A qué hora te levantas?

Me levanto a las siete.

¿Cómo vas al instituto?

Voy en bici.

¿Qué haces cuando vuelves a casa?

Meriendo, hago los deberes y juego al fútbol.

Relaciona: ¿Cuándo haces estas actividades?

merendar •
llegar al instituto •
cenar •
ducharse •
levantarse •
hacer los deberes •
ir al instituto •
acostarse •
desayunar •
volver a casa •

Por la mañana

Por la tarde

Por la noche

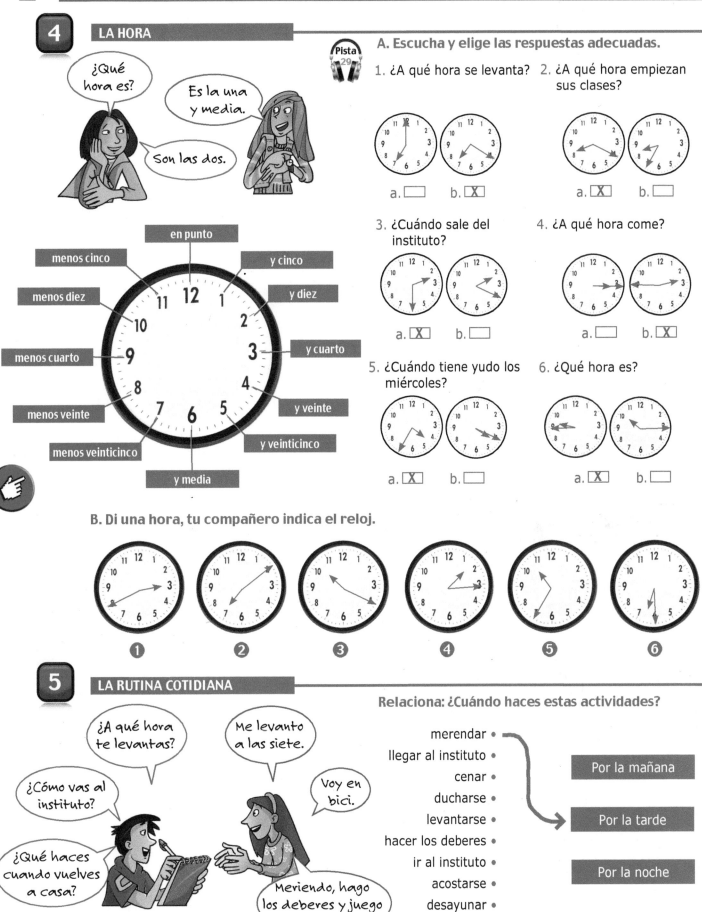

PRACTICO Y AMPLÍO

6 **EL PRESENTE DE INDICATIVO**

LEVANTARSE	SALIR	IR	HACER	VOLVER	EMPEZAR	VESTIRSE
me **levanto**	**sal**g**o**	**voy**	**hag**o	**v**uel**vo**	**empie**zo	me **visto**
te **levantas**	**sal**es	**vas**	**hac**es	**v**uel**ves**	**empie**zas	te **vistes**
se **levanta**	**sal**e	**va**	**hac**e	**v**uel**ve**	**empie**za	se **viste**
nos **levantamos**	**sal**imos	**vamos**	**hac**emos	**vol**vemos	**empez**amos	nos **vestimos**
os **levantáis**	**sal**ís	**vais**	**hac**éis	**vol**véis	**empez**áis	os **vestís**
se **levantan**	**sal**en	**van**	**hac**en	**v**uel**ven**	**empie**zan	se **visten**
te **levantás**	**sal**ís	**vas**	**hac**és	**vol**véis	**empez**ás	te **vestís**

A. Localiza las formas en la sopa de letras.

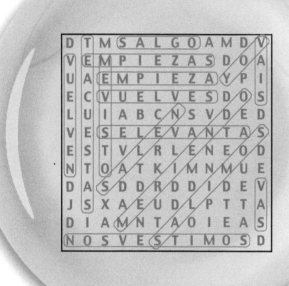

1. salir, yo .... *salgo*
2. volver, ellos .... vuelven
3. ir, vosotros .... vais
4. empezar, tú .... empiezas
5. vestirse, yo .... me visto
6. salir, nosotros .... salimos
7. ir, tú .... vas
8. levantarse, él .... se levanta
9. merendar, yo .... meriendo
10. acostarse, tú .... te acuestas
11. empezar, usted .... empieza
12. vestirse, nosotros .... nos vestimos
13. volver, tú .... vuelves
14. ir, yo .... voy
15. salir, ustedes .... salen

B. Escucha y marca la forma oída.

1. [X] nosotros / [ ] tú
2. [ ] nosotros / [X] vosotros
3. [X] yo / [ ] usted
4. [ ] él / [X] ellos
5. [X] yo / [ ] tú
6. [X] yo / [ ] ellos
7. [ ] ella / [X] ellas
8. [X] tú / [ ] ellos
9. [ ] nosotros / [X] usted
10. [ ] ellos / [X] tú

C. Di un pronombre y una letra como en el ejemplo, tus compañeros conjugan el verbo.

Yo, i.

Me acuesto.

a. comer
b. volver
c. merendar
d. ir
e. salir
f. vestirse
g. desayunar
h. hacer
i. acostarse

Yo	d e i
Tú	a f g
Él	c g h
Nosotros	d c f
Vosotros	b e i
Ellas	g c d

Actúo

Participio en el foro intercultural

7 Formula preguntas sobre las rutinas diarias

A. Escucha la conversación y marca las respuestas correctas. Luego, explica las actividades de Belén.

> Todos los días, Belén se levanta a las siete y cuarto.

Pista 31

❶
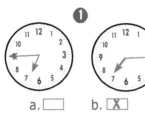
a. ☐   b. ☒

❷

a. ☒   b. ☐   c. ☒

❸

a. ☒   b. ☐

❹

a. ☐   b. ☒   c. ☐

❺

a. ☒   b. ☐

❻
  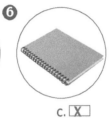 
a. ☐   b. ☒   c. ☒   d. ☒

❼

a. ☐   b. ☒

B. Escucha de nuevo y escribe las 7 preguntas del profesor.

> ¿A qué hora te levantas todos los días?

CÓDIGO ‹I›

Interculturalidad
Y tú, ¿a qué hora desayunas, comes, meriendas y cenas normalmente? Escribe un texto.

> Normalmente, desayuno a las...

Extensión digital
www.edelsa.es
Zona estudiante

Participa en la comunidad de **Código ELE**

B L O G

Cuelga tus horarios en el «blog».

¿Qué vas a hacer?

Los planes de Camila

Camila:	Hola.
Celia:	Hola, ¿qué vas a hacer hoy?
Camila:	Esta mañana voy a dibujar en mi habitación y voy a jugar con el perro en el jardín. Y esta tarde voy a patinar en el parque con Cristina.
Celia:	¿Vamos a la piscina?
Camila:	Vale. ¿Con quién vas?
Celia:	Con Raquel.
Camila:	¿A qué hora?
Celia:	A las cinco y media.
Camila:	¡¡Oh, no!! A las cinco tengo que merendar en casa de mi abuela con mis primas. Y mañana, ¿qué vas a hacer?
Celia:	Mañana voy a una fiesta de cumpleaños con David, vamos a bailar y participar en un karaoke, canto fatal , pero es genial. ¿Esta tarde a qué hora vas a patinar?
Camila:	A las tres.
Celia:	¡Genial! Me apunto.
Camila:	Vale, a las tres menos diez en mi casa. Chao.
Celia:	Chao.

COMPRENDO

1 ¿A qué verbo corresponde cada foto?

2. jugar; 3. patinar; 4. nadar; 5. cantar; 6. bailar.

La foto número 1 es el verbo «dibujar».

2 Vuelve a leer la conversación y completa el cuadro.

	Actividad	Cuándo	Con quién	Dónde
Camila	dibujar			
Celia				

PRACTICO Y AMPLÍO

3 EXPRESAR PLANES

¿Qué vas a hacer este fin de semana?

El sábado voy a escuchar música y el domingo voy a ver la tele.

A. Relaciona y forma 4 frases.

¿Qué vas •
Voy •
Vamos •
¿A qué hora vas •

a

• bailar.
• dibujar.
• patinar?
• hacer?

EL TIEMPO LIBRE

 montar en bici

 cantar

 ver la tele

escuchar música

 patinar

 dibujar

 jugar con la consola

jugar o pasear con el perro

 nadar o ir a la piscina

 leer

 ir al cine

 jugar al fútbol

 jugar al baloncesto

«IR A» + INFINITIVO

Voy	a	patinar en el parque.
Vas	a	bailar en una fiesta.
Va	a	leer una revista.
Vamos	a	estudiar para el examen.
Vais	a	cantar en un karaoke.
Van	a	chatear con un amigo.

¿CUÁNDO?
• esta mañana/esta tarde/esta noche
• este fin de semana
• hoy/mañana
• a la una/a las tres y media...
• el lunes/el martes...

B. Escucha y adivina qué va a hacer cada persona este fin de semana.

 Pista 33

Va a montar en bicicleta.

1. Miguel .... Va a montar en bici.
2. Nosotros .... Vamos a jugar al baloncesto.
3. Bea y Carlos .... Van a nadar en la piscina.
4. Carlota .... Va a tocar la guitarra.
5. José .... Va a jugar al tenis.
6. Mis amigos .... Van a jugar con los videojuegos.
7. Tú .... Vas a pasear con el perro.
8. Vosotros .... Vais a jugar al fútbol.

C. Di el nombre de una persona o un pronombre, la clase dice qué va a hacer esta tarde.

 Tú

 Vosotros

 Lola y María

 Yo

 Belén

 Nosotros

D. Y tú, ¿qué planes tienes para este fin de semana?

El sábado voy a estudiar y voy a patinar con unos amigos. El domingo voy a...

PRACTICO Y AMPLÍO

4 EXPRESAR OBLIGACIÓN

LA OBLIGACIÓN		
«Tener que» + obligación		
Tengo	que	salir.
Tienes*	que	estudiar.
Tiene	que	hacer el ejercicio.
Tenemos	que	llamar a Camila.
Tenéis	que	escribir un «e-mail».
Tienen	que	hacer los deberes.

* (vos)   tenés que

A. Completa las frases con «tener que» y los verbos de la lista.

ir - cenar - jugar - pasear - estudiar - merendar

1. Este fin de semana (nosotros) ....**tenemos que**.... ....**jugar**.......... al fútbol.
2. A las cinco (vosotros) .....**tenéis que**...... ....**pasear**........ con el perro.
3. Esta noche (yo) .....**tengo que**...... ....**cenar**......... con mis abuelos.
4. El sábado (tú) .....**tienes que**...... ....**ir**............. al cine con tus padres.
5. Esta tarde (Julián y Marta) .....**tienen que**...... ......**merendar**...... a las cinco.
6. Hoy (Pablo) ......**tiene que**...... ....**estudiar**....... para el examen de Inglés.

B. Borja llama a Celia. Relaciona las preguntas de Borja con las respuestas de Celia.

1 ¿No tienes que hacer los deberes?

4 ¿Vamos a montar en bici el domingo a las diez?

2 ¿El sábado vamos a una fiesta?

5 Adiós, voy a ver una película en casa de Pablo.

3 ¿Esta tarde jugamos con la consola?

6 ¿Chateamos esta noche?

- Vale, pero tengo que volver a las once.

- No, esta tarde solo tengo que estudiar.

- ¡Imposible! A las nueve y media tengo que ir a la piscina con Pilar.

- ¿A casa de Pablo? ¡Qué bien!

- No, tengo que cenar con mi abuela.

- No, no puedo. Es que esta tarde tengo que leer mucho.

C. Con tu compañero, imagina los diálogos, elige una excusa, como en el ejemplo.

INVITACIONES
- Ir a la piscina esta tarde.
- Jugar al baloncesto el sábado.
- Montar en bici a las once.
- Ir a nadar el domingo.

¿Vamos a la piscina esta tarde?

No, tengo que pasear a mi perro.

Actúo

Quedo con mis compañeros el sábado por la tarde

5 Forma frases

Tira el dado 4 veces y escribe las actividades, como en el ejemplo.

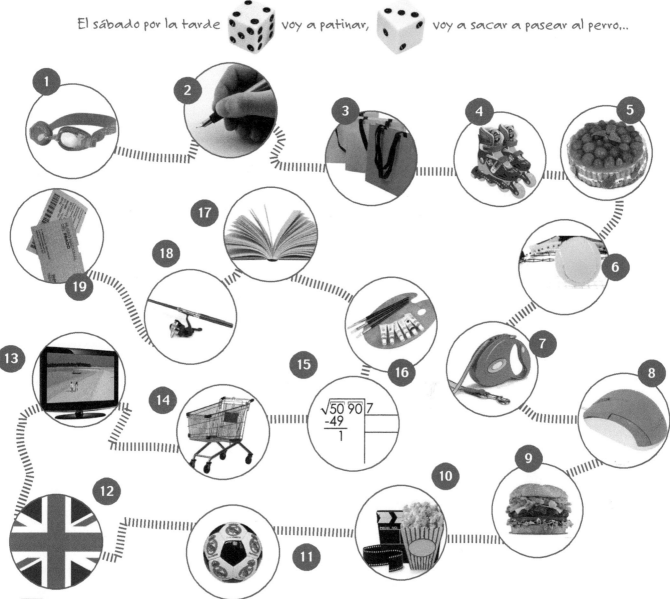

El sábado por la tarde [dado] voy a patinar, [dado] voy a sacar a pasear al perro,...

6 Invita a tus compañeros

A. Tu compañero tiene la misma actividad.
- ¿Patinamos el domingo?
- Vale, ¡genial! ¿A qué hora?
- A las cinco.

B. Tu compañero no tiene la misma actividad.
- ¿Patinamos el domingo?
- No, tengo que jugar al tenis. Luego voy a jugar al fútbol, a pintar y ver la tele.

CÓDIGO <C>

Las citas
Anota las citas: el lugar, la hora y con quien te encuentras.

EDUCACIÓN PARA LA CIUDADANÍA

La pirámide del estilo de vida saludable

1

Lee el texto e infórmate. Luego, marca las opciones correctas.

Consejos para vivir mejor

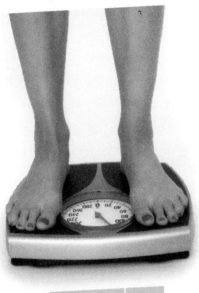

GOBIERNO DE ESPAÑA   MINISTERIO DE SANIDAD Y CONSUMO

Es evidente científicamente que las enfermedades crónicas se establecen en la infancia y la adolescencia. Por eso, es importante tener una vida equilibrada y saludable. Para conseguirlo, un equipo de médicos y especialistas realiza y revisa todos los años la pirámide de estilo de vida con cuatro caras:

1. La alimentación diaria.
2. Las actividades diarias.
3. La pirámide de la alimentación.
4. La higiene y la salud.

Estos son algunos consejos importantes para ti, que tienes entre 12 y 14 años:

- Hacer 60 minutos de deporte o actividad física, mejor en equipo.
- Dormir y descansar entre 8 y 10 horas diarias.
- Comer despacio y variado.
- Hacer cinco comidas al día: desayuno, almuerzo, comida, merienda y cena.
- Dedicar entre 5 y 8 horas diarias al instituto, los deberes y actividades tranquilas, como leer o pintar.
- Escuchar música, ir a un concierto o tocar un instrumento.
- Como máximo dedicar solo dos horas diarias a otras actividades tranquilas como ver la televisión o estar delante del ordenador.
- Tomar mucho líquido (agua, zumos).

Es bueno dormir: ☐ 4 horas ☐ 6 horas ☒ 10 horas.
Deportes recomendados: ☐ montar a caballo ☒ jugar al fútbol ☐ nadar ☐ jugar al tenis.
Las actividades menos recomendadas:
☐ tocar un instrumento ☐ cantar ☒ ver la televisión ☐ bailar ☒ chatear.
Es mejor estudiar: ☒ todos los días un poco ☐ antes de un examen mucho.

2

Explica si tú tienes una vida saludable y por qué.

3

Entrevista a dos personas sobre sus hábitos diarios y semanales y di si tienen una vida saludable.

ESPACIO INTERDISCIPLINAR

¡ME GUSTA LA EDUCACIÓN FÍSICA!

1 OBSERVA ESTOS DEPORTES.

el baloncesto

el balonmano

el fútbol

el voleibol

el tenis

el ciclismo

el atletismo

la natación

el esquí

el yudo

la equitación

2 ¿QUÉ DEPORTES ACONSEJAS A ESTAS PERSONAS?

Antonio: Soy muy sociable, y me gusta estar con mis amigos.
Carolina: Me gusta mucho el mar. **Hacer natación.**
Manuel: Me gustan los animales y la naturaleza. **Hacer equitación.**
Alicia: Me gusta mucho la montaña. **Hacer esquí y hacer ciclismo.**

Los deportes de equipo como jugar al baloncesto, jugar al fútbol, jugar al balonmano, hacer ciclismo.

3 CONTESTA A LAS PREGUNTAS.

1. ¿Qué deportes te gustan y practicas?
2. ¿Qué deportes te gustan, pero no practicas?
3. ¿Qué deportes practicas en el instituto?
4. ¿Conoces deportistas españoles famosos?

Comunicación

Hablar de planes

1. Indica qué van a hacer.

1. Beatriz **va a tocar la guitarra.**

2. Tú **vas a ver el fútbol.**

3. Yo **voy a hablar por teléfono/ voy a mandar SMS.**

4. Mis hermanos **van a leer.**

5. Nosotros **vamos a jugar al baloncesto.**

6. Vosotros **vais a montar en bici.**

Hablar de actividades cotidianas

2. Completa las preguntas con los interrogativos del recuadro.

> • Cómo • Qué • Dónde • qué • quién
> • Cuántos • Dónde • Cómo • Qué • Cómo

1. ¿A **qué** hora llegas al instituto?   7
2. ¿**Dónde** viven tus abuelos?   1
3. ¿**Cómo** se llama tu gato?   8
4. ¿**Qué** haces cuando vuelves a casa?   5
5. ¿**Cuántos** libros hay en tu mochila?   6
6. ¿**Cómo** es tu casa?   10
7. ¿**Dónde** está el perro?   3
8. ¿**Qué** hora es?   4
9. ¿Con **quién** comes?   9
10. ¿**Cómo** va tu hermano al instituto?   2

3. Ahora, escribe el número de la respuesta.
1. En Madrid.
2. En bici.
3. En su caseta.
4. Las tres y media.
5. Meriendo y hago los deberes.
6. Cuatro.
7. A las ocho y cuarto.
8. Copito.
9. Con dos amigas del instituto.
10. Es grande.

Gramática

Los verbos en presente
4. Escribe las formas en presente.

yo
1. empezar **empiezo**
2. salir **salgo**
3. ir **voy**

tú
1. vestirse **te vistes**
2. volver **vuelves**
3. merendar **meriendas**

él
1. ir **va**
2. desayunar **desayuna**
3. acostarse **se acuesta**

nosotros
1. vestirse **nos vestimos**
2. salir **salimos**
3. jugar **jugamos**

vosotros
1. levantarse **os levantáis**
2. empezar **empezáis**
3. volver **volvéis**

ellos
1. lavarse **se lavan**
2. volver **vuelven**
3. llegar **llegan**

5. Completa las frases con los verbos de la lista en presente.
1. Todos los días (yo) ....**voy**........ al instituto en bici.
2. Cuando volvemos a casa, merendamos y ......**jugamos**........ al fútbol.
3. Marina y Carlos ....**salen**........ a las dos del instituto.
4. Pedro cena a las nueve y ......**se acuesta**...... a las diez.
5. ¿A qué hora (tú) ....**haces**........ los deberes?
6. Todos los días ......**me levanto**...... a las siete, me ducho y me visto.

acostarse
hacer
ir
jugar
levantarse
salir

«Tener que» + infinitivo
6. Escribe las formas del verbo tener.
1. Este fin de semana (nosotros) ....**tenemos**........ que estudiar.
2. Hoy (Pablo) ....**tiene**........ que llamar a sus abuelos.
3. A las cinco (vosotros) ....**tenéis**........ que pasear al perro.
4. Esta noche (yo) ....**tengo**........ que volver a casa a las diez.
5. Mañana (tú) ....**tienes**........ que ir a la piscina.
6. Esta tarde (Julián y Marta) ....**tienen**........ que hacer los ejercicios de inglés.

Léxico

El tiempo libre
7. Completa las expresiones con a, con, al o en.
1. Montar ....**en**........ bici.
2. Ir ....**al**........ cine.
3. Jugar ....**con**........ el perro.
4. Jugar ....**al**........ baloncesto.
5. Ir ....**a**........ la piscina.

Preparo mi examen

LEO Lee el texto y complétalo con las palabras que faltan. Luego, escribe tres actividades tuyas que son diferentes a las de Berta.

Hola. Yo ...me... llamo Berta y estoy ...en... primero de la ESO en ...un... instituto de Bilbao. Todos los días ...me... levanto ...a... las siete y media, me visto, desayuno y salgo ...de... casa a ...las... ocho y cinco. Voy a mi instituto ...en... autobús. Llego a las ocho y media. Tenemos clases hasta ...las... dos. Vuelvo a casa y como ...con... mi abuela y mis dos hermanos pequeños a las dos ...y... media. Descanso un poco y, después, hago ...los... deberes y estudio. A las cinco y media meriendo y voy a clases de inglés ...los... lunes y los miércoles. Los martes y los jueves ...tengo... clase de tenis a ...las... seis. En casa cenamos a las nueve y, después, ...veo... un poco la tele o chateo con mis amigos. A las diez y media me voy ...a... la cama y hasta el día siguiente.

ESCUCHO Escucha a Nuria, pon en orden los relojes y escribe qué hace en cada hora.

a. 1   b. 3   c. 2   d. 4   e. 5

Se levanta   **Termina los deberes**   **Sale del instituto**   **Cena**   **Se va a dormir**

ESCRIBO Chatea con un nuevo amigo español. Contesta a sus preguntas.

¿A qué hora te levantas todos los días? ....

¿Con quién desayunas? ....

¿Cómo vas al instituto? ....

¿A qué hora llegas al instituto? ....

¿Cuántas horas de clase tienes los lunes? ....

¿A qué hora comes? ....

¿A qué hora haces los deberes? ....

¿A qué hora te acuestas? ....

HABLO Habla con tu compañero de la vida cotidiana de Borja y escribe las horas.

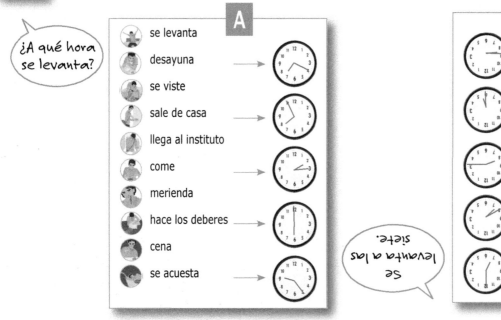

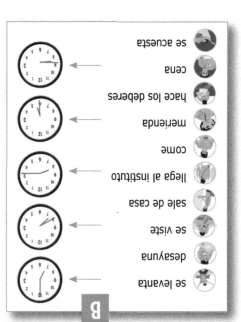

Muévete por la ciudad

¿Vienes conmigo?
Vamos a conocer mi casa,
mi ciudad y mi barrio. Mira,
yo vivo en esta calle.

En esta unidad aprendes a...

- Describir tu casa o piso.
- Hablar del lugar donde vives.
- Situar e identificar objetos.
- Dar y preguntar una dirección postal.
- Describir la ciudad.
- Indicar los medios de transporte que usas.
- Entender direcciones.

¿Dónde vives?

Casas ecológicas

ECOCASA

Una casa ideal es una casa en un entorno hermoso, con un buen clima, que utiliza energía gratis y natural, y que está construida con materiales de la zona. Parece una idea de un libro de ciencia ficción, pero es hoy una realidad, es la casa ecológica.

Las casas bioclimáticas (casas ecológicas) son aquellas que están diseñadas inteligentemente, donde la energía para calentar el agua o las habitaciones procede de la naturaleza y es gratis, donde se usa el agua de la lluvia, y está construida con materiales no tóxicos, es decir, una casa más humana.

COMPRENDO

1 Marca, según el texto, qué aspectos definen una casa ecológica.

[X] Utiliza energías naturales.
[X] Está construida con materiales tradicionales.
[ ] Está hecha de materiales reciclados.

[ ] Es una casa de estilo tradicional.
[ ] No usa agua natural.
[ ] No es bonita, pero es cómoda.

2 Relaciona.

1. Entorno hermoso
2. Buen clima
3. Materiales de la zona
4. De ciencia ficción
5. Diseñada
6. Procede de
7. Construida de

a. Calor y buena temperatura
b. Del futuro
c. Elementos naturales
d. Es de
e. Hecha de
f. Lugar bonito
g. Pensada

3 Escribe tu definición de una casa ecológica.

PRACTICO Y AMPLÍO

4 — DESCRIBIR SU CASA

A. Di un número. Un compañero dice qué es.

LA CASA
la cocina
el salón
el pasillo
la escalera
el baño
la habitación
el jardín

El 6.

El pasillo.

No, el baño.

B. Escucha a Ricardo y responde. ¿Verdadero o falso?

 Pista 35

	V	F
1. La casa no tiene piscina.		X
2. La cocina es grande.	X	
3. El baño está en la planta baja.		X

	V	F
4. La habitación tiene balcón.	X	
5. El pasillo es pequeño.	X	
6. El salón tiene balcón.		X

C. Ahora, completa el texto de Ricardo. Fíjate en la primera letra.

Vivo en una casa con mis padres...

Vivo en una c.asa........ con mis padres y mi h.ermana... . Mi casa tiene dos plantas. En la planta baja hay un pequeño p.asillo......, una cocina g.rande..... y un s.alón...... con una terraza. El b.año........., mi h.abitación, la habitación de mis p.adres...... y la habitación de mi h.ermana... están en la segunda p.lanta....... . La h.abitación de mis padres tiene balcón. La casa tiene una p.iscina............. .

5 — HABLAR DE LA VIVIENDA

- ¿Dónde vives?
- Vivo en un piso/una casa.
- ¿Cómo es tu casa/tu piso?
- Mi casa es grande ≠ pequeña.
- Mi piso es grande ≠ pequeño.
- ¿Qué hay en tu casa/tu piso?
- Hay una cocina, un comedor...

Habla con tu compañero y contesta a las preguntas.

1. ¿Dónde vive?
....
2. ¿Cómo es su casa o piso? ¿Cuántas habitaciones tiene?
....
3. ¿Cuántas personas viven allí?
....
4. ¿Tiene garaje, piscina, jardín...?
....

6 SITUAR

A. Escribe el nombre de los muebles.

¿Tienes televisor?

Sí, en mi casa hay dos. Uno está en la cocina y el otro en el salón.

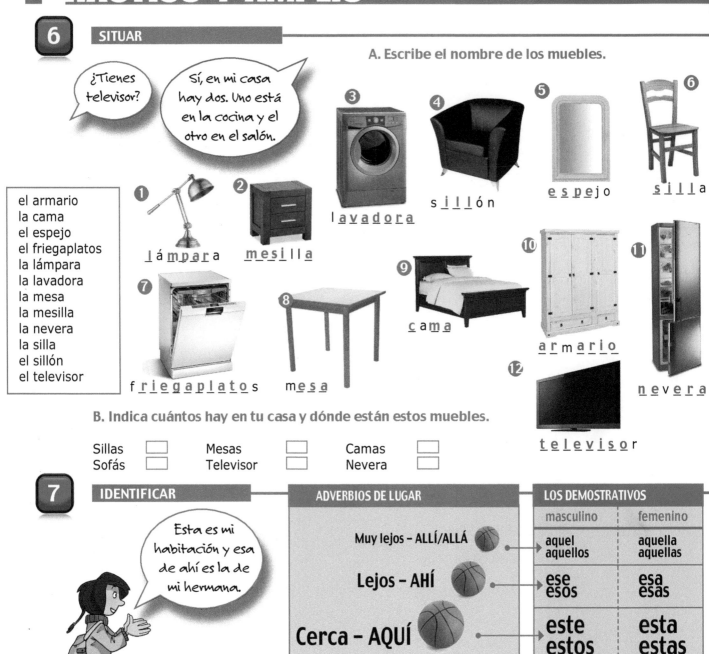

el armario
la cama
el espejo
el friegaplatos
la lámpara
la lavadora
la mesa
la mesilla
la nevera
la silla
el sillón
el televisor

1 l**á**m**p**a**r**a
2 m**e**si**l**la
3 l**a**v**a**d**o**r**a
4 s**ill**ó**n
5 e**s**p**e**jo
6 s**ill**a
7 f**r**ie**g**a**p**l**a**t**o**s
8 m**e**s**a
9 c**a**m**a
10 a**r**m**a**r**io
11 n**e**v**e**r**a
12 t**e**l**e**v**i**s**o**r

B. Indica cuántos hay en tu casa y dónde están estos muebles.

Sillas ☐   Mesas ☐   Camas ☐
Sofás ☐   Televisor ☐   Nevera ☐

7 IDENTIFICAR

Esta es mi habitación y esa de ahí es la de mi hermana.

ADVERBIOS DE LUGAR	LOS DEMOSTRATIVOS	
	masculino	femenino
Muy lejos – ALLÍ/ALLÁ	aquel aquellos	aquella aquellas
Lejos – AHÍ	ese esos	esa esas
Cerca – AQUÍ	este estos	esta estas

David y su madre están comprando un regalo. Completa con los demostrativos.

• Mamá, mira ......**este**...... jarrón amarillo, es muy bonito. Y ......**ese**...... rojo también.
• Sí, son bonitos, pero mejor ......**aquel**...... cuadro de allá.
• ¿......**Aquel**......? Es feísimo. ¿Y ......**aquella**...... planta? ¿No te gusta?
• Sí, pero no sé. ¿Y ......**ese**...... reloj?
• Uy, sí, es precioso.

 ACTÚO

Anota las direcciones postales de tus compañeros

 8 Aprende a dar direcciones postales

A. Observa.

HACER PREGUNTAS

- ¿Dónde vives, en una casa o en un piso?
- ¿Con quién vives?
- ¿Cómo es tu casa/tu piso?
- ¿Qué hay en tu casa/tu piso?
- ¿Dónde está tu habitación?

B. Relaciona las cartas con los textos.

1. Yo vivo en una casa, en la avenida de los Cipreses.
2. Pues yo vivo en un piso en Barcelona, en el quinto.
3. Yo vivo en una calle importante, en el tercer piso.
4. Y yo vivo en un pueblo pequeño, en la plaza más importante.

Pablo Gómez Bermudo
C/ Mayor, 5 - 3.º
28015 Madrid

3

0,34€
España
Pilar Muñoz Puig
P.º Caballero de Gracia, 9 5.º B
08003 Barcelona

2

CORREO AEREO

Sara García Ruiz   4
Pza. Mayor, 3
40200 Cerezos (Segovia)

Antonio López Sanz
Avda. de los Cipreses, 2
28043 Madrid

ESPAÑA 0,34€

1

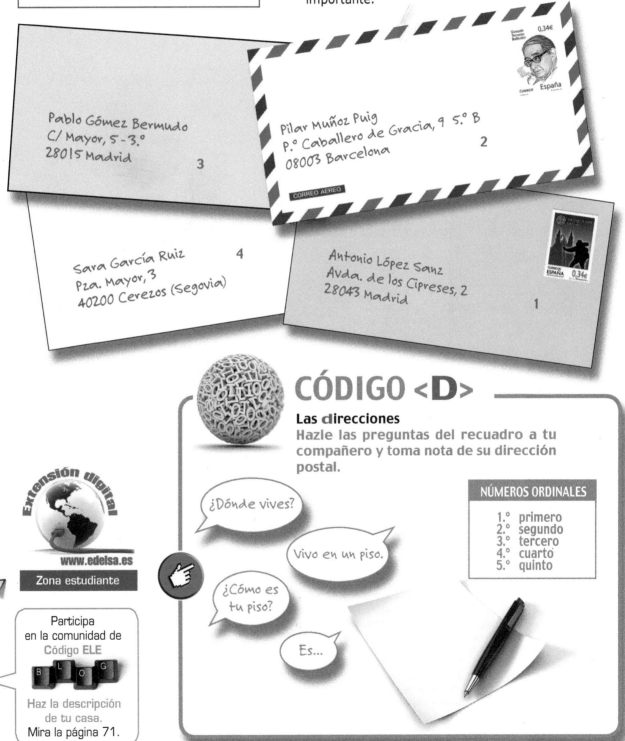

CÓDIGO <D>

Las direcciones
Hazle las preguntas del recuadro a tu compañero y toma nota de su dirección postal.

¿Dónde vives?

Vivo en un piso.

¿Cómo es tu piso?

Es...

NÚMEROS ORDINALES

1.º	primero
2.º	segundo
3.º	tercero
4.º	cuarto
5.º	quinto

Extensión digital
www.edelsa.es
Zona estudiante

Participa
en la comunidad de
Código ELE
BLOG

Haz la descripción
de tu casa.
Mira la página 71.

10 Tu barrio

Un anuncio de un perro

Pista 36

Sonia: Mira, ¡qué bonito! ¿Llamamos?

Hugo: Espera... Y tus padres, ¿están de acuerdo?

Sonia: Sí, sí. A mi madre le gustan mucho los perros.

Marta: ¿Diga?

Sonia: Hola, llamo por el perro.

Marta: Ah, sí. Mira, tiene 6 meses y es... ¿por qué no vienes a verlo?

Sonia: Vale, ¿dónde vives?

Marta: En la calle San Miguel, número 4.

Sonia: ¿Y dónde está? Yo ahora estoy en el instituto Guillén.

Marta: Pues es muy fácil: ve todo recto, gira la segunda a la derecha y la cuarta a la izquierda.

Sonia: ¡Vale! Ahora mismo voy.

Marta: Muy bien. Hasta ahora.

Sonia: Chao.

Hugo: Espera... Primero ve a tu casa y pide permiso a tus padres.

> Sonia, ¡mira el anuncio!

Doy perro.
Es negro y marrón.
Tiene 6 meses.
Teléfono:
652 14 88 32.

COMPRENDO

1 **Contesta a las preguntas.**

1. ¿Dónde están los dos amigos? **Están en el instituto.**
2. ¿De qué animal habla el anuncio? ¿Cómo es? **De un perro. Es negro y marrón.**
3. ¿Cuál es la dirección de Marta? **Calle San Miguel, 4.**
4. ¿Qué tiene que hacer Sonia antes de ir a ver al perro? **Pedir permiso a sus padres.**

> Los dos amigos están en...

PRACTICO Y AMPLÍO

2 DESCRIBIR LA CIUDAD

A. Relaciona los establecimientos con su nombre.

LA CIUDAD

 la panadería 11

 la tienda de ropa 4

 la farmacia 13

 la librería 12

 el restaurante 7

 el instituto 3

 el cine 9

 el parque 5

 la peluquería 10

 la piscina 6

 el supermercado 8

 la frutería 1

 la carnicería 14

 el polideportivo 2

el instituto
la frutería
la tienda de ropa
el cine
el polideportivo
el parque
el supermercado
la peluquería
el restaurante
la piscina
la panadería
la librería
la farmacia
la carnicería

B. Clasifica las palabras.

Tiendas	Espacio para el deporte	Otros
la panadería, la tienda de ropa, la farmacia, la librería, el supermercado, la frutería y la carnicería.	el parque, el polideportivo y la piscina.	el restaurante, el instituto, el cine y la peluquería.

3 LOS VERBOS «IR» Y «VENIR»

A. Observa.

(yo)	**VENIR**
(tú)*	vengo
(él, ella, usted)	vienes
(nosotros, nosotras)	viene
(vosotros, vosotras)	venimos
(ellos, ellas, ustedes)	venís
	vienen
*(vos)	venís

IR AL/A LA

ir al + nombre masculino
ir a la + nombre femenino

• ¿Adónde vais?
• Vamos al cine y a la piscina.

VENIR DEL/DE LA

venir del + nombre masculino
venir de la + nombre femenino

• ¿De dónde vienes?
• Vengo del parque y de la librería.

B. Completa las frases y conjuga los verbos, como en el ejemplo.

1. (Venir, nosotros) ......_Venimos_...... 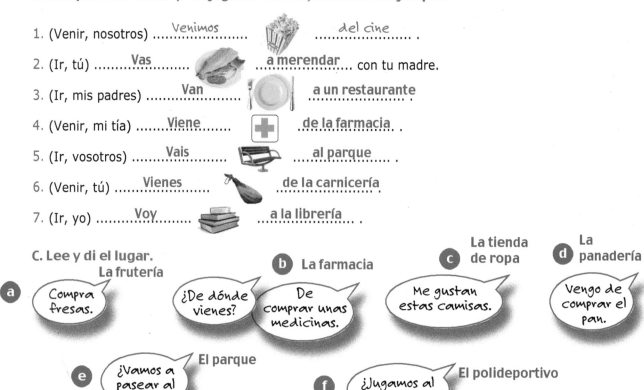 ......_del cine_...... .
2. (Ir, tú) ......_Vas_...... ......_a merendar_...... con tu madre.
3. (Ir, mis padres) ......_Van_...... _a un restaurante_ .
4. (Venir, mi tía) ......_Viene_...... _de la farmacia_ .
5. (Ir, vosotros) ......_Vais_...... _al parque_ .
6. (Venir, tú) ......_Vienes_...... _de la carnicería_ .
7. (Ir, yo) ......_Voy_...... _a la librería_ .

C. Lee y di el lugar.

La frutería
a Compra fresas.

b La farmacia
¿De dónde vienes? De comprar unas medicinas.

La tienda de ropa
c Me gustan estas camisas.

La panadería
d Vengo de comprar el pan.

El parque
e ¿Vamos a pasear al perro?

El polideportivo
f ¿Jugamos al baloncesto?

D. Relaciona los lugares con los bocadillos anteriores.

1. Está en esas tiendas de ropa de allí, de detrás de la plaza. **c**
2. Se van allá, a aquel parque tan bonito. **e**
3. Va a ir a aquella frutería que está allá lejos. **a**
4. Viene de la farmacia que está aquí cerca, junto a mi casa. **b**
5. Van al polideportivo ese que está allí, junto a su instituto. **f**
6. Viene de comprar el pan de esa panadería. **d**

E. ¿Adónde van para...? Forma frases, como en el ejemplo.

1. (Yo) Comprar pan. **Voy a comprar a la panadería.**
2. (Nosotros) Pasear al perro. **Vamos a pasear al parque.**
3. (Ellos) Ver una película. **Van a ver una película al cine.**
4. (Tú) Jugar al fútbol. **Vas a jugar al polideportivo.**
5. (Vosotros) Comprar un libro. **Vais a comprar a la librería.**
6. (Sonia) Comer con sus padres. **Va a comer al restaurante.**

Voy a comprar a la panadería.

4 **LOS MEDIOS DE TRANSPORTE**

Indica cómo vas a estos lugares y escríbelo.

El autobús

La bicicleta

El coche

El metro

1. Al instituto.
2. A casa de tus abuelos.
3. Al centro social.
4. Al parque más cercano a tu casa.

CTÚO

Aprende a dar direcciones

5 Descubre cómo llegar a casa de tus amigos

A. Escucha y lee las frases y los ordinales.

¿Cómo se va a tu casa?

Primero vas todo recto. Giras la primera a la derecha y cruzas la plaza. Luego, giras a la izquierda.

Vas todo recto

Cruzas la plaza

LOS ORDINALES

primero, primera
segundo, segunda
tercero, tercera
cuarto, cuarta
quinto, quinta
sexto, sexta
séptimo, séptima
octavo, octava
noveno, novena
décimo, décima

Giras la segunda
a la izquierda

Giras la primera
a la derecha

B. Mira el plano en el ordenador de Sonia. Escucha de nuevo cómo ir a casa de Marta y traza el camino en el plano con tu dedo desde la casa de Sonia.

Instituto

CÓDIGO <P>

Los planos y los mapas

Explica cómo ir del instituto a tu casa.

Primero, vas todo recto. Luego, giras...

EDUCACIÓN PARA LA CIUDADANÍA

El respeto y el cuidado de los animales

1

Lee y contesta a las preguntas de la encuesta.

ENCUESTA

MASCOTAS

1 ¿Te gustan los animales?
- ☐ Sí, mucho.
- ☐ Un poco.
- ☐ No.

3 ¿Tu mascota es un miembro de la familia más?
- ☐ Sí.
- ☐ No.

2 ¿Qué haces para tener una mascota?
- ☐ Vas a una tienda.
- ☐ Contestas a un anuncio.
- ☐ Buscas en Internet.

4 ¿Quién da de comer a tu mascota todos los días?
- ☐ Yo.
- ☐ Mis padres.

2

Lee este extracto.

Declaración universal de los derechos del animal

Artículo 2
a) Todo animal tiene derecho al respeto.
b) El hombre es una especie animal, y no tiene el derecho de exterminar a los otros animales o de explotarlos. Tiene la obligación de poner sus conocimientos al servicio de los animales.
c) Todos los animales tienen derecho a la atención, a los cuidados y a la protección del hombre.

Artículo 3
Ningún animal debe ser maltratado ni sufrir actos crueles.

Artículo 6
[…]
El abandono de un animal es un acto cruel y degradante.

Artículo 11
Todo acto que implique la muerte de un animal sin necesidad es un biocidio, es decir, un crimen contra la vida.

Artículo 12
a) Todo acto que implique la muerte de un gran número de animales salvajes es un genocidio, es decir, un crimen contra la especie.

Artículo 13
a) Un animal muerto debe ser tratado con respeto.
b) Las escenas de violencia en las cuales los animales son víctimas deben ser prohibidas en el cine y en la televisión, excepto si tienen un valor educativo para mostrar que no se puede hacer.
c) Los derechos del animal deben ser defendidos por la ley, como lo son los derechos del hombre.

Extracto adaptado

3

Marca con una cruz si es verdadero o falso.

	V	F
1. El hombre pertenece a la especie animal.	X	☐
2. Abandonar un animal está permitido.	☐	X
3. El hombre como el animal debe ser tratado con respeto.	X	☐
4. En el cine y la televisión se pueden utilizar los animales para escenas de violencia.	☐	X
5. El genocidio se aplica solo a los hombres.	☐	X
6. Un biocidio es un crimen contra la vida.	X	☐
7. Un genocidio es un crimen contra la especie.	X	☐

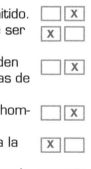

ESPACIO INTERDISCIPLINAR

¡ME GUSTA LA BIOLOGÍA!

1 LEE ESTE ARTÍCULO SOBRE MASCOTAS DE UNA REVISTA PARA ADOLESCENTES.

MASCOTAS

LOS ESPAÑOLES Y LOS ANIMALES DOMÉSTICOS

En España, 8,5 millones de familias tienen una mascota.
- 6 millones de pájaros.
- 5 millones de perros.
- 4 millones de gatos.
- 4 millones de peces.
- 2 millones de pequeños mamíferos, roedores y reptiles.

MAMÍFEROS

El hurón   El perro   El gato

ROEDORES

El conejo   El ratón   El hámster   El conejillo de Indias

PÁJAROS

El canario   El periquito

OTROS

La tortuga   El pez

2 CONTESTA A ESTAS PREGUNTAS.

1. ¿Cuál es el animal preferido de los españoles? **El pájaro**
2. ¿Cuántos animales tienen los españoles en total? **21 millones**
3. Escribe el nombre de:
   3 roedores: <u>el conejo</u>, <u>el ratón</u>, <u>el hámster/conejillo de indias</u>
   1 reptil: <u>la tortuga</u>.

LOS ADJETIVOS	
MASCULINO	FEMENINO
cariño**so**, bonit**o**, buen**o** fiel	cariño**sa**, bonit**a**, buen**a** fiel
juguet**ón**, dormil**ón**	juguet**ona**, dormil**ona**
obediente, inteligente	obediente, inteligente

3 ¿VERDADERO O FALSO?

	V	F
1. El periquito es más grande que el canario.	☐	☒
2. La tortuga es menos rápida que el conejo.	☒	☐
3. El gato es más inteligente que el hámster.	☒	☐
4. El perro es menos fiel que el ratón.	☐	☒
5. El gato es tan juguetón como el perro.	☒	☐
6. El pez es más obediente que el perro.	☐	☒
7. El hámster es más pequeño que el pez.	☐	☒

LOS COMPARATIVOS

= Tomi es tan bueno como Lulú.
+ Lulú es más juguetón que Tomi.
– Lulú es menos dormilón que Tomi.

Comunicación

Describe tu casa

1. Responde a las preguntas.

1. ¿Cuántas habitaciones tiene? ....
2. ¿Es una casa o un piso? ....
3. ¿Dónde está? ....
4. ¿Cuál es la dirección? ....
5. ¿Cuántas personas viven en la casa? ¿Quiénes son? ....

Gramática

Ir al/a la

2. Conjuga el verbo ir en presente, escribe al o a la y el nombre del lugar.

1. (Yo) ....Voy a.... la farmacia.

4. (Nosotros) ...Vamos al... ..parque..

2. (Vosotras) ...Vais al... ...cine..

5. Mis amigos ...van al... polideportivo.

3. Pedro ....va a.... la librería.

6. (Tú) ...Vas a... la piscina.

Venir del/de la

3. Conjuga el verbo venir en presente, escribe del o de la y el nombre del lugar.

1. (Yo) Vengo del instituto.

4. (Nosotros) Venimos de la peluquería.

2. (Vosotras) Venís de la panadería.

5. Mis amigos vienen de la frutería.

3. Pedro viene del restaurante.

6. (Tú) Vienes de la tienda de ropa.

Los ordinales

4. Ordena las palabras. Luego, escribe todas las formas en femenino.

MASCULINO		FEMENINO
.....4.º..... cuarto		.....cuarta.....
.....10.º..... décimo		.....décima.....
.....9.º..... noveno		.....novena.....
.....8.º..... octavo		.....octava.....
.....1.º..... primero		.....primera.....
.....5.º..... quinto		.....quinta.....
.....2.º..... segundo		.....segunda.....
.....7.º..... séptimo		.....séptima.....
.....6.º..... sexto		.....sexta.....
.....3.º..... tercero		.....tercera.....

Léxico

Los muebles

5. Escribe los nombres de los muebles.

1. la lámpara

2. la lavadora

3. el sillón

4. el espejo

5. la mesa

6. la mesilla

7. el televisor

8. la nevera

9. el friegaplatos

10. la cama

11. el armario

La casa y los muebles

6. Relaciona según están los muebles en tu casa.

1. el armario
2. la cama
3. el espejo
4. el friegaplatos
5. la lavadora
6. la mesa grande
7. la mesa baja
8. la mesilla
9. la nevera
10. la silla
11. el sillón
12. el sofá
13. el televisor

a. la cocina
b. el salón
c. el pasillo
d. el baño
e. la habitación

Preparo mi examen

LEO

Abel nos describe su casa. Señala cuál de las dos imágenes corresponde a la descripción.

Tenemos una casa nueva. Bueno, no es totalmente nueva. Es la casa de mis abuelos, que está reformada. Tiene siete ventanas, dos cuartos de baño, la habitación de mis padres y la habitación de mi hermano y mía, una cocina, un salón comedor grande, el despacho de papá y un saloncito en el pasillo. Es muy bonita, pero nuestra habitación es pequeña.

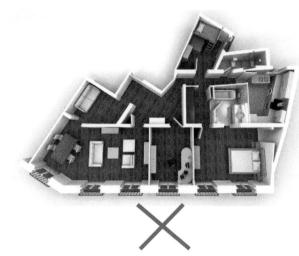

ESCUCHO

Escucha a estos tres chicos que te dan su dirección y escríbela.

Pista 38

1. **Pilar García Gil – C/ del Barco, 16 2.º – 30065 Zaragoza**
2. **Raúl Álvarez – Pza. Grande, 5 3.º dcha. – 28502 Galapagar**
3. **Teresa Sans – C/ Larga, 7 1.º – 08012 Barcelona**

ESCRIBO

Chatea con un nuevo amigo español. Contesta a sus preguntas.

¿Cómo se llama tu barrio? ....
¿Qué tiendas hay en tu barrio? ....
¿Cuál es tu dirección? ....
¿Cómo vas al instituto? ....

HABLO

Elige un lugar y explica a tu compañero cómo llegar. Luego, escucha a tu compañero y marca el camino.

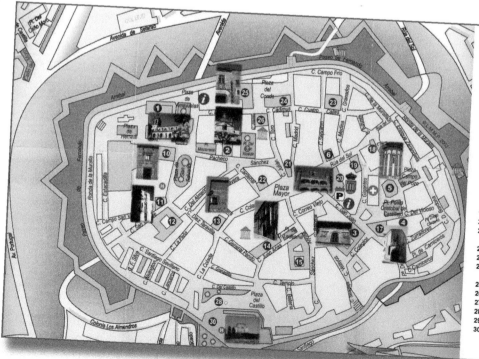

1. Catedral
2. Capilla de Cerralbo
3. Iglesia de San Agustín
4. Capilla de las Franciscanas Descalzas
5. Iglesia de San Isidoro
6. Capilla de la Orden Tercera
7. Ruinas del convento de San Francisco
8. Iglesia de San Andrés
9. Convento de las Claras
10. Casa de los Miranda
11. Palacio de la Marquesa de Cartago
12. Palacio Episcopal
13. Casa de la Cadena
14. Palacio del Príncipe
15. Cuartel de Artillería
16. Hospital de la Pasión
17. Casa de los Vázquez
18. Casa del Cañón
19. Casa de los Gómez de Silva
20. Casa Consistorial
21. Casa del Primer Marqués de Cerralbo
22. Antigua Audiencia y Cárcel
23. Casa de las Cuatro Calles
24. Palacio del Conde de Alba de Yeltes
25. Palacio de los Castro
26. Palacio de Moctezuma
27. Tres Columnas
28. Verraco
29. Puente Antiguo
30. Castillo

Expresa tus deseos

> Yo tengo un deseo y es que quiero tener muchos amigos. Y tú, ¿qué quieres?

En esta unidad aprendes a...

- Expresar deseos.
- Indicar los gustos y las preferencias.
- Contar una biografía.
- Narrar las actividades pasadas.
- Describir a tus héroes.

¡Pide un deseo!

Tengo un sueño

Pista 39

Elena: Tengo un sueño: quiero nadar con los delfines del parque de atracciones. Y vosotros, ¿también tenéis un sueño? ¿Qué queréis hacer?

Vicente: Jugar al baloncesto con Pau Gasol (1), es mi jugador favorito.

Bea: Yo quiero ir a un concierto de Shakira (2), me gustan mucho sus canciones.

Tomás: Yo prefiero Ricky Martín (3).

Bea: ¿Y cuál es tu deseo?

Tomás: Quiero subir a un coche de carreras con Fernando Alonso (4).

Bea: Tengo otro deseo: entrevistar a Pedro Duque (5) y viajar en un cohete para ver las nubes y La Tierra desde el espacio.

Elena: Y yo quiero ver un desfile de Agatha Ruiz de la Prada (6) y... sacarme una foto con Antonio Banderas (7) o con Rafa Nadal (8). ¡Hace calor! ¿Vamos a mi casa a tomar algo?

Todos: ¡Vale!

COMPRENDO

1 ¿Conoces a las personas de las fotos?

Conozco a Shakira.

2 Observa las fotos y relaciona los textos con las personas.

1. Es un astronauta
2. Es un jugador de baloncesto
3. Es un cantante
4. Es una diseñadora de moda
5. Es un jugador de tenis
6. Es una cantante
7. Es un conductor de Fórmula 1
8. Es un actor

a. Pedro Duque
b. Rafa Nadal
c. Shakira
d. Agatha Ruiz de la Prada
e. Antonio Banderas
f. Pau Gasol
g. Fernando Alonso
h. Ricky Martin

PRACTICO Y AMPLÍO

3 | DESEOS Y PREFERENCIAS

Quiero aprender a mon-tar a caballo.

Yo prefiero hacer un viaje en barco.

A. Lee de nuevo el diálogo y completa estas frases.

1. .... Quiero .... nadar con los delfines del parque de atracciones.
2. ¿Qué .... queréis .... hacer?
3. Yo .... quiero .... ir a un concierto de Shakira.
4. Yo .... prefiero .... Ricky Martin.
5. .... Quiero .... subir a un coche de carreras.

«QUERER/PREFERIR» + INFINITIVO

Deseo		Otra preferencia		
quiero quieres quiere queremos queréis quieren	• navegar por Internet. • ver la tele. • escribir un SMS.		prefiero prefieres prefiere preferimos preferís prefieren	• pasear por el parque. • hacer deporte. • salir con mis amigos.

Verbos con pronombre: El pronombre concuerda con la persona en la que va conjugado el verbo.
• Con querer, el pronombre va antes de querer o después del infinitivo formando una sola palabra.
• Con preferir, el pronombre va después del infinitivo formando una sola palabra.

B. Completa las frases con un pronombre: «me», «te», «se», «nos», «os», «se».

1. yo   Quiero levantar.me...... ./...Me.... quiero levantar.
2. tú   Prefieres quedar.te........ en casa.
3. él, ella, Ud.   Natalia quiere vestir.se......... ./Natalia ..se...... quiere vestir.
4. nosotros/as   Preferimos acostar.nos..... más tarde.
5. vosotros/as   ¿Queréis ir.os....... ahora?/¿..Os.... queréis ir ahora?
6. ellos, ellas, Uds. Mis amigos prefieren duchar.se........ en su casa.

C. Forma frases, como en el ejemplo.

1. Álex quiere adoptar un perro ...., pero sus padres prefieren adoptar un gato ....

2. (Yo) Quiero comer un bocadillo ...., pero tú prefieres beber un zumo ....

3. (Nosotros) Queremos estudiar/leer ...., pero vosotros preferís patinar ....

4. (Tú) Quieres ir al cine/ver una película ...., pero tus amigos prefieren ir al teatro ....

5. Carlos quiere ver la tele ...., pero su hermano prefiere navegar por Internet ....

6. Mis amigas quieren jugar al baloncesto ...., pero yo  prefiero jugar al fútbol ....

4 EL TIEMPO

A. Observa.

¿QUÉ TIEMPO HACE?

Hace **bueno** **calor** **frío**
sol **viento**

Hay **niebla** **nubes** **tormenta**

Está **lloviendo** **nevando**

Pista 40

B. Escucha. ¿Qué le gusta hacer a Inés en cada situación? Escribe el número.

a 4
b 2
c 1
d 2
e 1
f 4
g 5
h 1
i 2
j 3
k 3

1. Hace calor. 2. Está lloviendo. 3. Hace bueno. 4. Hace frío. 5. Hay tormenta.

C. Y a ti, ¿qué te gusta hacer en cada situación? Habla con tus compañeros.

· Cristina, ¿qué te gusta hacer cuando hace bueno?
· Me gusta ir a la piscina y bañarme. Y a ti, Carlos, ¿qué te gusta hacer cuando hace frío?
· Pues... Me gusta...

D. ¿Qué tiempo hace en cada estación? Relaciona con flechas. Luego forma una frase.

La primavera   El verano   El otoño   El invierno

E. Ahora, di el nombre de una estación, la clase dice palabras.

· El verano.
· El sol, las vacaciones, el calor, los melocotones...
· El mar...

ACTÚO

Hago una estadística sobre los deseos de la clase

5 Y tú, ¿qué sueños tienes?

A. En grupos de 4. Completa las listas con tus compañeros.

Conocer a una persona famosa (del cine, del deporte, de la música, de la tele...).

Ir a un parque temático, un concierto, una fiesta gigante...

Hacer un viaje (indica los países y los medios de transporte: avión, tren, coche, barco, moto...).

Aprender a hacer una actividad (un deporte, tocar un instrumento, fotografía...).

Ver un museo.

Visitar una ciudad.

Comprar algo muy especial para ti.

Hacer algo extraordinario: jugar con un cachorro de león, nadar con un delfín, montar en globo, hacer un safari en África, visitar el fondo del mar...

B. Elige 5 actividades. Luego, compara tus respuestas con las de tus compañeros.

- Yo quiero montar en una moto de carreras, jugar con un cachorro de león...
- Pues yo prefiero montar en globo, en primavera, cuando hace bueno y...
- Y yo quiero practicar espeleología, aprender a tocar la guitarra...
- Yo también quiero montar en una moto de carreras, pero no me gusta la espeleología, prefiero el submarinismo. Cuando hace calor, me gusta hacer surf.

Extensión digital

www.edelsa.es
Zona estudiante

Participa
en la comunidad de
Código ELE

B L O G

Escribe la actividad
que más te gusta.

CÓDIGO <T>

Tus deseos
Ahora, presenta a la clase las 4 actividades más mencionadas en tu grupo. ¿Cuál es la actividad preferida de la clase?

12 Un trabajo sobre Pedro Duque

Un astronauta español en las nubes

El astronauta Pedro Duque

3. Datos personales

Pedro Duque nació el 14 de marzo de 1963 en Madrid.

5. Estudios

Es ingeniero aeronáutico (1986) por la Universidad Politécnica de Madrid.

2. Formación y experiencias

Después de la universidad, completó su formación en centros especializados de Alemania, Rusia y EE. UU., se entrenó en la Ciudad de las Estrellas de Moscú y participó en diferentes programas espaciales.

1. Sus principales vuelos

Hizo diferentes vuelos al espacio, por ejemplo:
- En octubre de 1998, salió al espacio a bordo del transbordador Discovery.
- En octubre de 2003, trabajó en la Estación Espacial Internacional para la realización de la Misión Cervantes.

6. Sus experimentos en el espacio

Realizó un extenso programa experimental en las áreas de Biología, Fisiología, Física, la observación de La Tierra, el estudio del Sol, las nuevas tecnologías…

4. Trabajo actual

Actualmente es presidente de una empresa dedicada a la explotación de datos obtenidos por satélites de observación de La Tierra.

7. Su sueño

En el futuro, quiere viajar a Marte, porque está convencido de que la vida del hombre de forma estable en el espacio es posible.

COMPRENDO

1 El trabajo de Bea está incompleto, no tiene títulos. Escríbelos sobre los párrafos correspondientes.

1. Sus principales vuelos

2. Formación y experiencias

3. Datos personales

4. Trabajo actual

5. Estudios

6. Sus experimentos en el espacio

7. Su sueño

PRACTICO Y AMPLÍO

2 HABLAR DEL PASADO

¿Cuándo terminaste el trabajo sobre Duque?

Ayer.

En el texto hay un nuevo tiempo: el pretérito perfecto simple. Escribe las formas correspondientes junto a estos 6 infinitivos.

1. nacer .... nació ....
2. participar .... participó ....
3. entrenarse .... se entrenó ....
4. hacer .... hizo ....
5. salir .... salió ....
6. realizar .... realizó ....

3 EL PRETÉRITO PERFECTO SIMPLE

CONTAR ACTIVIDADES

- **¿Qué hiciste el sábado?**
- **Visité el zoo. ¿Y tú?**
- **Jugué al fútbol con unos amigos.**

CUÁNDO
- **ayer**
- **el lunes, el martes... (pasado)**
- **el año pasado, el verano pasado, el mes pasado, la semana pasada**
- **en enero, en febrero, en marzo...**

(yo)
(tú, vos)
(él, ella, usted)
(nosotros, nosotras)
(vosotros, vosotras)
(ellos, ellas, ustedes)

HABLAR	COMER	ESCRIBIR
hablé	comí	escribí
hablaste	comiste	escribiste
habló	comió	escribió
hablamos	comimos	escribimos
hablasteis	comisteis	escribisteis
hablaron	comieron	escribieron

A. Completa las frases con los verbos de la lista en pretérito perfecto simple.

- pasar
- levantarse
- escuchar
- montar
- escribir
- salir
- ver
- hablar
- leer
- llegar
- volver
- pasear

1. Ayer (nosotros) montamos en bici por el parque, luego paseamos. al perro.
2. El miércoles (yo) ...hablé.... con mis amigos y les ...escribí... unos SMS.
3. El verano pasado César ....pasó.... las vacaciones en la playa con sus primos.
4. La semana pasada (tú) ...leíste.... un libro muy interesante.
5. El jueves (vosotros) ...visteis... una película muy bonita.
6. Ayer (yo) .....salí..... para ir al instituto a las ocho y ....volví.... a las tres.
7. El miércoles, Beatriz se levantó a las ocho y ....llegó.... tarde al instituto.
8. Ayer, mis padres escucharon música en el salón.

B. Observa las ilustraciones y escribe qué hizo Miguel el domingo pasado. Las ilustraciones están ordenadas, pero hay 4 intrusas. Luego, escucha y comprueba. ¿Cuántas actividades correctas tienes?

Pista 41

a Se levantó a las diez y diez.

b

c Jugó con la consola.

d Hizo los deberes.

e

f Paseó al perro.

g Comió con sus padres.

h Montó en bici.

i

j

k Chateó con una amiga.

C. Y tú, ¿qué hiciste el domingo pasado?

PRACTICO Y AMPLÍO

UNA CLASE DE CIENCIAS

 A. Escucha y lee.

Carlos: Hicimos experimentos en la sala de la electricidad.

Sonia: Y realizamos un taller sobre los volcanes, me gustó mucho.

Carlos: En el planetario, nos sentamos en unos sofás muy grandes y observamos el cielo en una pantalla gigante. ¡Alucinante! Luego, vimos un documental en 3D sobre el sistema solar y aprendimos a localizar las estrellas. También vimos una exposición sobre la Estación Espacial Internacional.

Cristina: Mi sala preferida fue la sala dedicada al cuerpo humano. Una monitora nos explicó el funcionamiento del cerebro. Luego, montamos un esqueleto humano.

B. Observa las ilustraciones y añade los verbos que faltan en pretérito perfecto simple, en la forma «ellos».

1. ..**Hicieron**.. experimentos eléctricos.

2. **Realizaron** un taller sobre los volcanes.

3. **Montaron** un esqueleto humano.

4. **Observaron** el cielo en una pantalla gigante.

5. ...**Vieron**... un documental sobre la Estación Espacial Internacional.

C. Observa y completa las frases con uno de los verbos.

	JUGAR	LEER	ESTAR	HACER	IR	VER
(yo)	jugué	leí	estuve	hice	fui	vi
(tú)	jugaste	leíste	estuviste	hiciste	fuiste	viste
(él, ella, usted)	jugó	leyó	estuvo	hizo	fue	vio
(nosotros, nosotras)	jugamos	leímos	estuvimos	hicimos	fuimos	vimos
(vosotros, vosotras)	jugasteis	leísteis	estuvisteis	hicisteis	fuisteis	visteis
(ellos, ellas, ustedes)	jugaron	leyeron	estuvieron	hicieron	fueron	vieron

1. Ayer (nosotros) ..**fuimos**... en bici por el parque, luego ..**jugamos**.. con el perro.
2. Anoche (él) .....**vio**...... una película en la tele y luego ....**leyó**..... un libro.
3. Ayer (yo) ..**estuve**.... en el instituto hasta las cinco, luego .....**hice**.... los deberes.
4. El lunes por la tarde (yo) ...**jugué**.... con la consola en mi habitación.
5. El verano pasado nosotros ..**fuimos**... a la playa, a casa de unos tíos.
6. La semana pasada Inés no .....**fue**..... al instituto por una gripe.
7. Y tú, ¿qué ...**hiciste**.... el fin de semana?

ACTÚO

Descubre los ídolos de la clase

5 ¿Sabes quiénes son estos personajes famosos?
A. Lee una tarjeta, la clase adivina quién es y dice el número de la foto.

Descubrió América en 1492.
Cristóbal Colón –5

Escribió la ley de la relatividad.
Albert Einstein –8

Inventó el teléfono.
Graham Bell –6

Pisó la Luna por primera vez en 1969.
Neil Armstrong –3

Pintó *La Gioconda.*
Leonardo da Vinci –2

Cantó el himno de la Copa del Mundo de Fútbol de 2010.
Shakira –1

Escribió las aventuras de Harry Potter.
Joanne Rowling –4

Escribió *Romeo y Julieta.*
William Shakespeare –7

mpañero,
tas.

CÓDIGO <L>

Las adivinanzas
Juega con la clase. Di una frase, el resto de la clase adivina.

Cantante de pop americano. Vendió CD en el mundo entero. Murió en junio de 2009.

EDUCACIÓN PARA LA CIUDADANÍA
La Tierra, un planeta frágil

Tu pequeña contribución para preservar el planeta: aprende a seleccionar la basura

En España, hay 5 tipos de contenedores de basura, se diferencian por su color, para facilitar el reciclaje.

Contenedor verde: para el vidrio.
Contenedor amarillo: para el metal, el plástico y los «tetrabriks».
Contenedor azul: para el papel y el cartón.
Contenedor gris: para los restos de comida.
Contenedores especiales: para pilas.

1

Clasifica cada basura en el contenedor correspondiente.

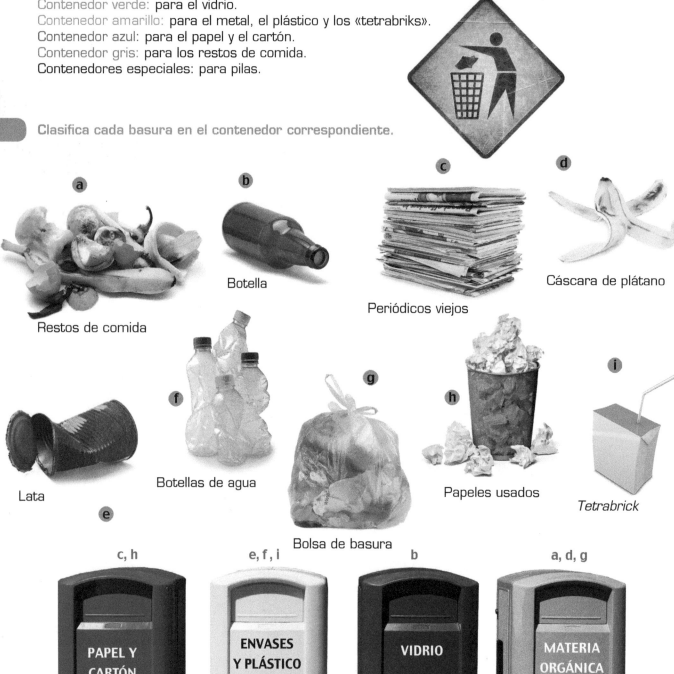

a Restos de comida

b Botella

c Periódicos viejos

d Cáscara de plátano

e Lata

f Botellas de agua

g Bolsa de basura

h Papeles usados

i Tetrabrick

c, h — PAPEL Y CARTÓN
e, f, i — ENVASES Y PLÁSTICO
b — VIDRIO
a, d, g — MATERIA ORGÁNICA

ESPACIO INTERDISCIPLINAR

¡ME GUSTAN LAS CIENCIAS!

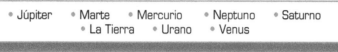

- Júpiter
- Marte
- Mercurio
- Neptuno
- Saturno
- La Tierra
- Urano
- Venus

1 LEE LAS FRASES E INDICA LA POSICIÓN DE CADA PLANETA CON RELACIÓN AL SOL.

- El último planeta es Neptuno.
- Venus es el segundo planeta.
- El nombre del quinto planeta tiene el acento tónico en la antepenúltima sílaba.
- El nombre del primer planeta empieza por "M" y no contiene la "a".
- Entre Júpiter y Neptuno hay 2 planetas, uno de ellos es enorme y se llama «Saturno».
- Nuestro planeta está entre Venus y Marte, que es el planeta de color rojo.
- El séptimo planeta tiene 5 letras (3 vocales y 2 consonantes).

2 CINCO DE LOS SIETE NOMBRES DE LOS DÍAS DE LA SEMANA VIENEN DE LOS NOMBRES DE LOS PLANETAS. CON TU COMPAÑERO, ADIVINA CUÁLES SON, FÍJATE EN EL EJEMPLO.

La Luna.
Lunes.

Marte – martes
Mercurio – miércoles
Júpiter – jueves
Venus – viernes

3 ADIVINA Y RELACIONA LOS PLANETAS CON LA DESCRIPCIÓN.

a. ¿Cuál es el más grande? **Júpiter**

b. ¿Cuál es el más próximo al Sol? **Mercurio**

c. ¿Cuál es el planeta azul? **La Tierra**

d. ¿Cuál es el planeta más parecido a La Tierra? **Venus**

e. ¿Cuál es el tercero en tamaño? **Urano**

f. ¿Cuál es el último? **Neptuno**

g. ¿Cuál es rojo? **Marte**

h. ¿Cuál tiene unos anillos de satélites? **Saturno**

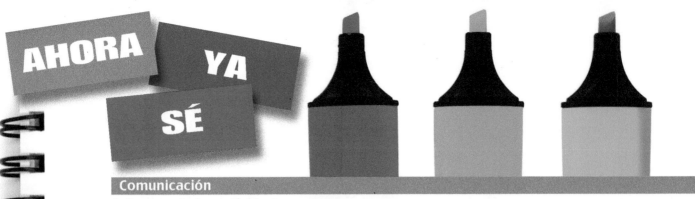

Comunicación

Informar de las actividades pasadas

1. Relaciona las preguntas con las respuestas.

1. ¿Qué hiciste ayer?
2. ¿Dónde comiste el viernes pasado?
3. ¿Quién ganó el partido del fin de semana?
4. ¿Con quién escribiste este trabajo para la clase de Ciencias?
5. ¿Por qué saliste de casa tan temprano?

a. Porque me invitaron mis abuelos a desayunar en su casa.
b. Nosotros, no, perdimos.
c. Estudié con Marisa, pero lo escribí yo solo.
d. En el instituto.
e. Paseé con mi perro por el campo y por la tarde vi una película.

Hablar de tus actividades

2. Responde a las preguntas.

1. ¿Qué comiste ayer? ....
2. ¿Viste la televisión? ....
3. ¿En qué año naciste? ....
4. ¿Dónde conociste a tu mejor amigo o amiga? ....

Los verbos «ser» e «ir» en pasado

3. Relaciona y forma frases.

1. Mi equipo, el año pasado, fue
2. Nosotros fuimos al
3. Tú fuiste a una
4. Mi abuelo fue

a. cine y vimos una película muy buena.
b. pizzería, pero comiste una ensalada.
c. médico y trabajó en un hospital.
d. el campeón de la competición.

Gramática

El presente: «conocer», «querer», «preferir»

4. Escribe las formas en presente.

1. ¿(Conocer, tú) ....**Conoces**......... al hermano de Pedro?
2. (Querer, yo) ....**Quiero**......... ir a la piscina con mis amigos.
3. Alberto (preferir) ....**prefiere**......... ver una película.
4. No (conocer, nosotros) ....**conocemos**......... a tus padres.
5. ¿(Querer, tú) ....**Quieres**......... jugar al tenis el miércoles?
6. (Querer, ellos) ....**Quieren**......... escuchar música.
7. (Preferir, nosotros) ....**Preferimos**......... ver la tele.
8. ¿(Conocer, vosotros) ....**Conocéis**......... al nuevo profesor?
9. (Preferir, yo) ....**Prefiero**......... merendar a las cinco.
10. (Querer, nosotros) ....**Queremos**......... llamar a José.

El pretérito perfecto simple

5. Escribe las formas del pretérito perfecto simple.

yo
1. jugar **jugué**
2. estar **estuve**
3. llegar **llegué**

tú
1. ser **fuiste**
2. hacer **hiciste**
3. ver **viste**

él
1. leer **leyó**
2. hacer **hizo**
3. jugar **jugó**

nosotros
1. estar **estuvimos**
2. ser **fuimos**
3. hacer **hicimos**

vosotros
1. ir **fuisteis**
2. ver **visteis**
3. leer **leísteis**

ellos
1. ser **fueron**
2. leer **leyeron**
3. estar **estuvieron**

6. Escribe las formas en pretérito perfecto simple y relaciona las dos partes de cada frase.

1. Ayer (ir, nosotros) ....**fuimos**.... a una fiesta...
2. El verano pasado (visitar, José) .....**visitó**..... el Museo...
3. El lunes (pasear, yo) ....**paseé**..... al perro...
4. La semana pasada (ver, ellos) ....**vieron**.... una película...
5. El domingo (jugar, tú) ...**jugaste**.... al fútbol...
6. Ayer (salir, Esther) ......**salió**...... del instituto...
7. El sábado (nadar, vosotros) ..**nadasteis**.. durante una hora...
8. Ayer (escribir, yo) ....**escribí**.... un «e-mail»...
9. El domingo (comer, nosotros) ...**comimos**... con nuestra abuela...
10. El viernes (escuchar, mi padre) ..**escuchó**... música...

a. por el parque.
b. en la piscina.
c. a las cuatro y media.
d. clásica en el salón.
e. de cumpleaños.
f. de ciencia ficción.
g. en el polideportivo.
h. de la Ciencia.
i. en un restaurante.
j. a una amiga.

Momentos de la vida

7. Relaciona los verbos con las imágenes. Luego, escribe frases con las expresiones sobre ti mismo.

> 2 · nacer • 1 aprender a montar en bici • 3 ganar un partido • 6 hacer nuevos amigos
> • 5 comer en un restaurante exótico • 4 viajar

1.
2.
3.
4.
5.
6.

Preparo mi examen

LEO Escribe los verbos en pretérito perfecto simple.

El sábado (ir, yo) ....**fui**....... a casa de Carlos. (Llegar, yo) ....**Llegué**....... a las once. (Hacer, nosotros) ....**Hicimos**....... los deberes. (Comer, yo) ....**Comí**....... con sus padres. Por la tarde, (venir, ellos) ....**vinieron**....... otros amigos y (ver, nosotros) ....**vimos**....... un vídeo. Luego, (llamar, yo) ....**llamé**....... a Lola y (ir, nosotros) ....**fuimos**....... todos a su casa. (Merendar, nosotros) ....**Merendamos**....... en el jardín. (Volver, yo) ....**Volví**....... a casa a las ocho. Después de cenar, (leer, yo) ....**leí**....... y (acostarse, yo) ....**me acosté**....... a las diez.

ESCUCHO El profesor de Ciencias quiere ir al Museo de la Ciencia con sus alumnos y llama por teléfono. Escucha la conversación. Luego, elige la opción correcta.

Pista 43

1. En el planetario hay
   a. un documental sobre el sistema solar.
   X b. una exposición sobre el sistema solar.

2. Los alumnos pueden montar
   a. un esqueleto de delfín con ordenador.
   X b. un esqueleto de dinosaurio con ordenador.

3. En el laboratorio van a
   X a. hacer experimentos con la electricidad.
   b. ver un documental sobre la electricidad.

4. Van a ver un documental
   X a. sobre los delfines.
   b. sobre los bosques de España.

5. También pueden ver
   a. fotos de los océanos sacadas desde el cielo.
   X b. fotos de los bosques sacadas desde el cielo.

ESCRIBO Chatea con un nuevo amigo español. Contesta a su pregunta.

¿Qué hiciste el fin de semana pasado?

HABLO Habla con tu compañero.

A

Explica a tu compañero qué quiere hacer Nuria este fin de semana.

Sábado

Domingo

Ahora, escucha a tu compañero. ¿Qué actividades en común tienen Nuria y Fran?

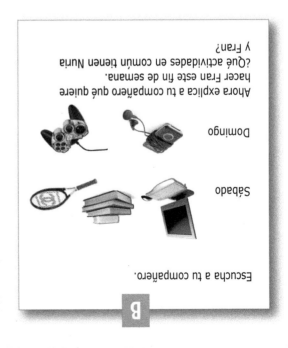

B

¿Qué actividades en común tienen Nuria y Fran?

Ahora explica a tu compañero qué quiere hacer Fran este fin de semana.

Domingo

Sábado

Escucha a tu compañero.

Carpeta de actividades
complementarias

Contiene:

6 proyectos interculturales
1. ¿Qué es ser «ciudadano del mundo»?
2. Los hábitos españoles
3. ¿Cómo es la Navidad?
4. Descubre Buenos Aires
5. Descubre Madrid
6. El Parque Natural de Doñana

3 lecturas (una por trimestre)

3 juegos
1. Descubre México
2. Descubre Argentina
3. Descubre España

Proyecto
intercultural

¿Qué es ser «ciudadano del mundo»?

1. Lee las definiciones siguientes.

❶

Una persona es «ciudadana del mundo» si viaja mucho, trabaja y vive en varios países, y tiene experiencias interculturales: asimila varias culturas.

❷

Ciudadano del mundo

Un **ciudadano del mundo** o **cosmopolita** (del griego κοσμοπολίτης, y este de κόσμος, 'universo ', 'orden', y πόλις, 'ciudad') es una persona que considera que la división actual de los países y estados es geopolítica. Es decir, artificial. Los ciudadanos del mundo son ciudadanos de La Tierra, del mundo, o del cosmos.
Son seres humanos.
Ellos responden que primero son internacionales y, luego, son de su país.

(Texto adaptado de Wikipedia)

Séneca

Filósofo estoico. Nace en Córdoba (España, 4 a.C. - 65). Senador del Imperio Romano con los emperadores Tiberio, Calígula, Claudio y Nerón.

2. Según los textos anteriores, marca si es verdadero o falso.

El ciudadano del mundo...

		V	F
1. admite las fronteras.		☐	☒
2. considera que su patria es su país.		☐	☒
3. vive en muchos países y asimila varias culturas.		☒	☐
4. es ciudadano de La Tierra antes que de su país.		☒	☐

3. ¿Qué diferencias hay entre la definición 1 y la 2?

Escribe las 2 frases de cada definición que marcan las diferencias.

Un ciudadano del mundo es...

4. Hispanos por el mundo.

a. Lee lo que dicen estos hispanos conocidos en todo el mundo y di de dónde son y dónde viven.

b. ¿Cuál es la capital de España? ¿Recuerdas los nombres de los países hispanos?

Madrid

¡Hola!, me llamo Lionel Messi y soy argentino, de Rosario. Ahora vivo en Barcelona.

¡Hola! ¿Qué tal? Soy Alejandro Sanz. Soy un cantante español. Vivo en Miami, en los Estados Unidos.

1, 3 y 6

2 y 6

5

¡Hola! Yo soy futbolista, como Lionel, pero vivo en Alemania. Soy de Madrid. Ah, me llamo Raúl, Raúl González.

Yo soy escritor y soy de Arequipa, al sur de Perú, pero vivo en España. Soy español y peruano. Me llamo Mario Vargas Llosa.

Yo también soy cantante, pero soy colombiana. ¿Me conoces? Soy Shakira y vivo en Barranquilla (Colombia).

Y yo soy actor. Me llamo Antonio Banderas. Ahora vivo en Los Ángeles, pero soy de Málaga, en el sur de España.

c. ¿Qué personajes famosos de tu país viven o trabajan en otros países? ¿Cuáles son los personajes de tu país más internacionales?

Proyecto

intercultural

Hábitos españoles

---

1. Los adolescentes españoles y el tiempo libre.

Lee el documento y responde.
1. ¿Cuál es la principal actividad de los jóvenes? Salir con amigos.
2. ¿Están en las redes sociales? Sí.
3. ¿Para qué usan las redes? Contactar con amigos, buscar información, escribir correos electrónicos...
4. Mira la lista de actividades de los jóvenes españoles, confecciona la tuya y preséntala al resto de la clase.

Jóvenes de hoy

Los adolescentes españoles y el tiempo libre

Según diferentes estudios realizados entre alumnos de 1.º a 4.º de la Educación Secundaria Obligatoria (ESO), las actividades de tiempo libre preferidas de los adolescentes españoles son, en este orden:
- salir con amigos,
- escuchar música,
- bailar,
- practicar deporte,
- ir al cine,
- ver la tele,
- navegar por Internet y usar las redes sociales,
- jugar con el ordenador o la consola,
- leer.

Pero la principal actividad cotidiana de los adolescentes de la ESO es el uso de las nuevas tecnologías, especialmente las redes sociales.
Usan las redes para:
- estar en contacto con amigos,
- subir, compartir y comentar las fotos de los amigos,
- mandar mensajes privados,
- conocer gente nueva,
- expresar sus intereses y opiniones.
Los aparatos tecnológicos como los móviles (para hablar, sacar fotos, escuchar música), los ordenadores y los MP4 son instrumentos esenciales en sus vidas.

2. El sistema escolar.

a. ¿A qué corresponden las siglas ESO? Educación Secundaria Obligatoria.

b. Mira el sistema escolar español. Compáralo con el de tu país.

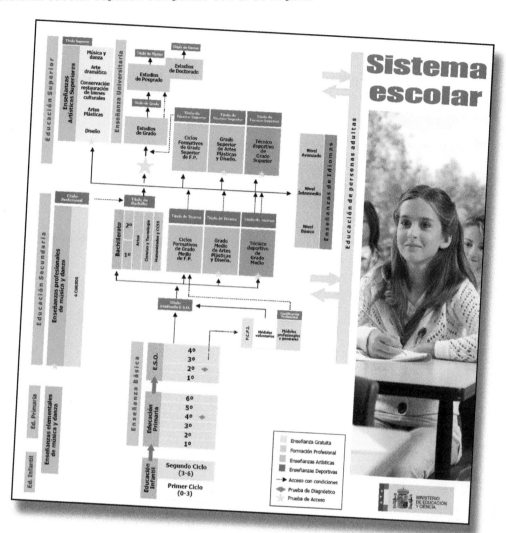

3. Los horarios de los españoles.

a. Lee el texto.

Los horarios españoles

Los horarios de los españoles son diferentes a los horarios de los otros países de la Unión Europea. En general, en un día normal, las actividades cotidianas se realizan más tarde.

Las comidas

- El desayuno: los españoles toman un café o un café con leche a las 8 y toman otro desayuno a las 11; en los institutos, los alumnos comen un bocadillo a la hora del recreo.
- La comida: comen entre las 2 y las 3 de la tarde.
- La merienda: los chicos españoles meriendan a las 5 de la tarde, normalmente un bocadillo de jamón, chorizo o queso.
- La cena: cenan a las 9 o a las 10 de la noche.

Las tiendas

Por las mañanas abren a las 9 o a las 10 y cierran a las 2.

Por las tardes abren a las 5 y cierran a las 8.

b. Dibuja con los horarios españoles.

Desayuno   Comida   Cena

c. Haz lo mismo con los horarios de tu país.

Proyecto
intercultural

¿Cómo es la Navidad en España?

Se puede decir que las fiestas de Navidad tienen 6 momentos importantes.

Por costumbre, se dice que las fiestas navideñas empiezan el 22 de diciembre con la lotería. Los niños de San Ildefonso *cantan* los números que salen de grandes bombos. Toda España respira al son de estos *cantos* y cada uno espera que le toque «el Gordo», es decir, el premio más importante. Juega todo el mundo, se juega en empresas, en institutos; se intercambian y ofrecen a los amigos billetes de lotería.

Luego, el 24 de diciembre, Nochebuena, las familias se reúnen y cenan juntos. Pueden cantar villancicos, que son canciones típicas navideñas. Lo común es cenar mariscos y tomar los típicos dulces de Navidad: turrones, polvorones y mazapán. El día 25, las familias se reúnen de nuevo para comer juntos. En muchas familias es tradicional comer cordero.

El día de la lotería

Billete de lotería

Turrón y mazapán

Polvorón

Belén

El día 31 es Nochevieja. La gran tradición es tomar uvas, toda la familia, al son del reloj de la Puerta del Sol de Madrid: una uva por cada golpe de campana. Luego se felicita el año nuevo.

El día 1, el día de Año Nuevo, hay una nueva comida familiar.

Y, por fin, para grandes y pequeños, el mejor momento: la llegada de los Reyes Magos, porque ellos traen todos los regalos. El día 5 sobre las 18:00 de la tarde en muchas ciudades y pueblos, se organizan desfiles, llamados «cabalgatas»: se ven carrozas, músicos, se tiran caramelos a los niños y al final cierran la cabalgata los Reyes en sus carrozas. Al día siguiente por la mañana, el día 6 de enero, encuentran los regalos y se come el roscón.

La vuelta al colegio tiene lugar dos días después.

Reloj de la Puerta del Sol

Las 12 uvas

Cabalgata de los Reyes Magos

Roscón de Reyes

Árbol de Navidad con regalos

1. Enumera los momentos claves de las fiestas navideñas con su nombre.

El sorteo de la Lotería Nacional, el 22 de diciembre – la Nochebuena, el 24 de diciembre – el día de Navidad, el 25 de diciembre – la Nochevieja, el 31 de diciembre – el día de Año Nuevo, el 1 de enero – la cabalgata de los Reyes Magos, el 5 de enero – el día de los Reyes Magos, el 6 de enero.

2. Di tres costumbres que se hacen en España.

3. Escribe un texto para explicar estas fiestas en tu país. ¿Qué diferencias hay con España?

Proyecto
intercultural

1. Observa el mapa de América Latina.

a. Rodea Argentina.
b. ¿Cuál es la capital? Buenos Aires.
c. Sitúala en el mapa.
d. Di los países que tienen frontera común con Argentina.
Brasil, Bolivia, Chile, Paraguay y Uruguay.
e. Sitúa el Estrecho de Magallanes y la Patagonia en el mapa.

2. Completa el texto con las palabras de la lista.

- La Boca
- mar
- turistas
- tres millones
- tango
- clima
- cuarta

Buenos Aires está situada en la costa del río de la Plata -tan ancho que muchos viajeros lo confunden con el ....**mar**...-, tiene un ......**clima**..... templado y muchos días de sol por año. La ciudad -con ...**tres millones** de habitantes- tiene 48 barrios. Las zonas más visitadas, por ....**turistas**... nacionales y extranjeros, son el Abastos, Puerto Madero, San Telmo, Recoleta, Palermo, ...**La Boca**..... y las avenidas del Centro, como Corrientes.
Es la ....**cuarta**.... ciudad para el teatro mundial y tiene más salas que Nueva York. Los museos porteños son famosos. El ....**tango**..., música y danza están por todas partes.

3. Observa las fotos.

¿Cuál es la característica principal de cada barrio?

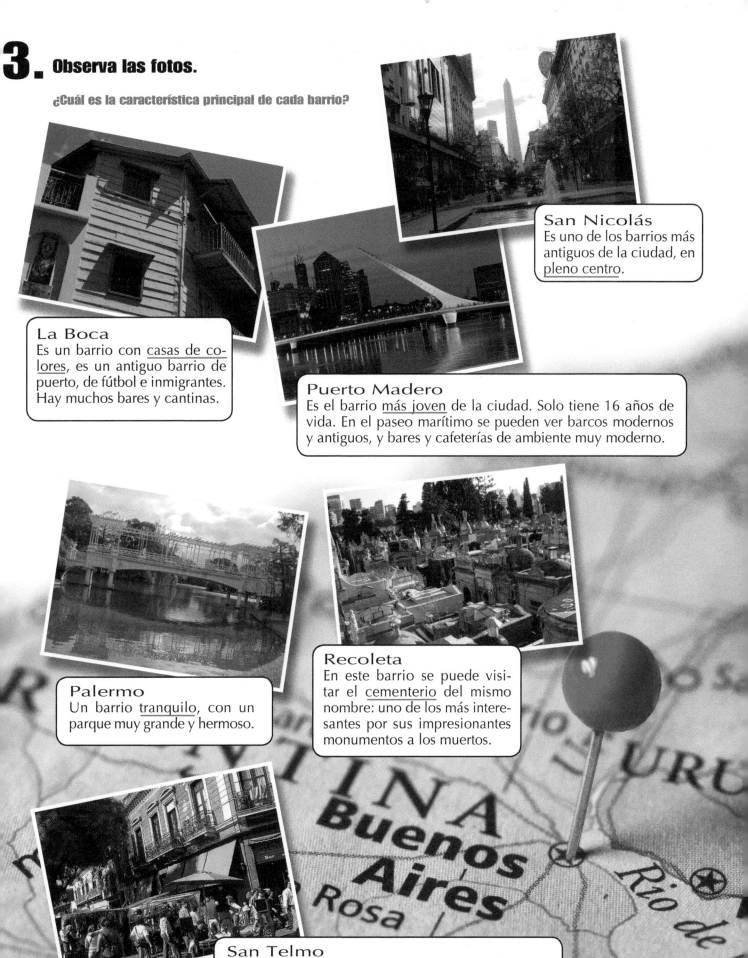

San Nicolás
Es uno de los barrios más antiguos de la ciudad, en <u>pleno centro</u>.

La Boca
Es un barrio con <u>casas de colores</u>, es un antiguo barrio de puerto, de fútbol e inmigrantes. Hay muchos bares y cantinas.

Puerto Madero
Es el barrio <u>más joven</u> de la ciudad. Solo tiene 16 años de vida. En el paseo marítimo se pueden ver barcos modernos y antiguos, y bares y cafeterías de ambiente muy moderno.

Recoleta
En este barrio se puede visitar el <u>cementerio</u> del mismo nombre: uno de los más interesantes por sus impresionantes monumentos a los muertos.

Palermo
Un barrio <u>tranquilo</u>, con un parque muy grande y hermoso.

San Telmo
Con su plaza central, sus <u>mercadillos</u>, sus tiendas de antigüedades y con un ambiente festivo y de tangos.

Proyecto
intercultural

Descubre Madrid, la capital de España

1. **Observa el mapa y contesta a las preguntas.**
  a. ¿Cuántas comunidades hay? Enuméralas.
  b. ¿Cuál es la capital de España? ¿Cómo se llama su comunidad autónoma? Madrid. Comunidad de Madrid.
  c. Mira la escala y calcula las distancias:
     - **Madrid/Barcelona.** 618 km
     - **Madrid/Sevilla.** 532 km
     - **Madrid/Bilbao.** 395 km

17. Andalucía, Aragón, Canarias, Cantabria, Castilla–La Mancha, Castilla y León, Cataluña, Comunidad Valenciana, Extremadura, Galicia, La Rioja, Madrid, Murcia, Navarra, País Vasco, Principado de Asturias y Baleares.

2. **Completa el texto con las palabras de la lista.**

Madrid se encuentra en el centro de la península ......**ibérica**...... a una altura sobre el nivel del ......**mar**........ de 667 metros. Tiene 3 300 000 de ......**habitantes**..: los madrileños y las ....**madrileñas**. . Es la tercera ......**capital**...... más poblada de la Unión ....**Europea**...., detrás de París y ....**Londres**.... . Es la capital de España y de la ...**Comunidad**.. de Madrid. En ella están las sedes del Gobierno y la residencia oficial de los ....**reyes**..... de España, don Juan Carlos y doña Sofía. Es una .....**ciudad**...... muy cosmopolita, y tiene una gran variedad de .....**monumentos**..., parques, museos y otros lugares de ocio.

- Comunidad
- habitantes
- ibérica
- Londres
- monumentos
- reyes
- capital
- madrileñas
- ciudad
- mar
- Europea

3. Observa las fotos. ¿Adónde puedes ir si te gusta/n...?

- **Ver monumentos** Parque del Retiro, la Cibeles, Museo del Prado, estación de Atocha, la Puerta del Sol, la Plaza Mayor, la catedral de la Almudena y el Palacio Real.
- **Los animales** Faunia, la Casa de Campo, Zoo–Aquarium.
- **Pasear** El parque del Retiro y la Casa de Campo.
- **La pintura** El Museo del Prado y el Museo Reina Sofía.
- **Las sensaciones fuertes** El parque de atracciones y el parque Warner.
- **La astronomía** El planetario.

Madrid visual

Parque del Retiro
Faunia
La Cibeles
Parque de atracciones
La Casa de Campo
Parque Warner
Museo del Prado
Estación de Atocha
La Puerta del Sol
Zoo-Aquarium
Museo Reina Sofía
Plaza Mayor
Catedral de la Almudena
Palacio Real
Planetario

Proyecto
intercultural

El Parque Nacional de Doñana

El Parque Nacional de Doñana tiene 50 720 hectáreas. Está al sudoeste de España. Es Patrimonio de la Humanidad por la Unesco. Es la mayor reserva ecológica de Europa.

El parque de Doñana tiene un clima suave, de tipo mediterráneo. En él hay playas, dunas, bosques de pinos y marismas. En ellas viven durante el invierno unas 200 000 aves acuáticas.

Hay 20 especies de peces de agua dulce, 11 de anfibios, 21 de reptiles, 37 de mamíferos no marinos y 360 aves. Aquí viven especies únicas, algunas en peligro de extinción como el águila imperial y el lince ibérico. También hay tortugas, cigüeñas, ranas, gamos, culebras, patos...

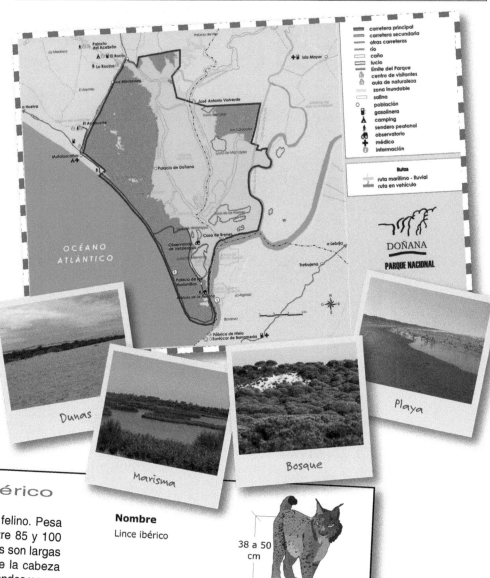

Dunas

Marisma

Bosque

Playa

El lince ibérico

El lince ibérico es un felino. Pesa doce kilos y mide entre 85 y 100 centímetros. Sus patas son largas y su cola, corta. Tiene la cabeza redonda con orejas grandes y puntiagudas, ojos grandes y largos bigotes. Vive en los bosques mediterráneos y en el Parque Natural de Doñana, en Andalucía. Come conejos. Es un animal solitario y vive entre diez y quince años.
Está en vías de extinción (existen menos de mil ejemplares) y es una especie protegida.

Nombre
Lince ibérico

38 a 50 cm

6 cm

5 cm

85 a 100 cm

Cráneo
El cráneo de un lince apenas se diferencia del de un gato, excepto por el tamaño.

1. Lee el texto sobre el parque.

a. Completa el cuadro.

superficie	situación	clima	paisajes
50 720 ha	sudoeste	mediterráneo	pinar y marismas

b. Mira las fotos y clasifica los animales del parque.

Mamíferos	lince y gamo
Aves	pato, cigüeña, águila y flamenco
Reptiles	lagartija y culebra

Lagartija

Lince

Pato

Culebra

Cigüeña

Flamenco

Águila imperial

Gamo

2. Lee el texto sobre el lince ibérico.

a. Escribe el nombre de cada parte del cuerpo.

b. Completa la información.

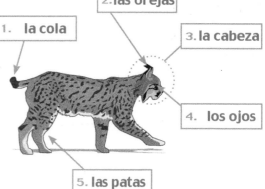

1. la cola
2. las orejas
3. la cabeza
4. los ojos
5. las patas

Hábitat:	bosque mediterráneo
Número de ejemplares:	1 000
Peso:	12 kg
Altura:	entre 38 y 50 cm
Longitud:	entre 85 y 100 cm
Alimentación:	conejos
Costumbres:	solitario
Esperanza de vida:	15 años
Problemas:	está en peligro de extinción

3. Construye una página presentando un parque nacional o la fauna de tu país.

Los protagonistas de *Aventuras para 3*

Hola, soy Andrés. Soy primo de Juan (mi padre y el padre de Juan son hermanos) y soy también amigo de Rocío. Soy delgado y no muy alto. Soy serio, tranquilo, calculador y tengo un gran sentido de la orientación. Me gustan los ordenadores y la informática. Estudio en un colegio de la ciudad de Valladolid.

Hola, yo soy Juan, el primo de Andrés. También soy muy amigo de Rocío. Soy alto, fuerte y muy ágil. Tengo un carácter alegre e impulsivo. Estudio en un instituto. Mi padre se llama Esteban y es profesor de Educación Especial. Mi madre se llama Carmen y es fisioterapeuta.

Buenas, amigos. Soy Rocío, la amiga de Juan y Andrés. Soy alta y delgada. Tengo mucha imaginación. Me gustan las aventuras. Mi padre se llama Fernando y trabaja en un banco. Mi madre se llama Inés y es veterinaria.

Hola a todos. Yo soy Más, la gatita encontrada en una cueva por Andrés, Juan y Rocío. Me han adoptado y vivo en casa de Rocío.

Estos tres personajes y su gata están de vacaciones de verano con los abuelos de Rocío y en su pueblo. Allí encuentran una llave misteriosa. Con ella van a vivir una serie de aventuras. Te invitamos a leer algunas.

1. Lee el texto.
Escribe las palabras nuevas y tradúcelas (puedes usar el diccionario o Internet).

....
....
....
....

2. Completa el cuadro sobre los protagonistas (si la información no está en el texto, pon una X).

	 Andrés	 Juan	 Rocío
Nombre	Andrés	Juan	Rocío
Descripción física	Delgado y bajito	Alto, fuerte y ágil	Alta y delgada
Carácter	Serio, tranquilo y calculador	Alegre e impulsivo	Imaginativa
Gustos	Ordenadores e informática		Aventuras
Dónde estudia	Valladolid	Instituto	
Nombre del padre		Esteban	Fernando
Nombre de la madre		Carmen	Inés

3. Contesta a las preguntas.
¿De qué animal habla?   Una gata.
¿Cómo se llama?   Más.
¿Dónde vive?   En casa de Rocío.

4. ¿Verdadero o falso?

	V	F
1. Estamos en verano.	X	
2. Los tres amigos pasan las vacaciones en Valladolid.		X
3. Están en casa de los abuelos de Juan.		X

5. Mira, esta es la llave misteriosa.
Imagina qué puerta abre.

una llave

Al día siguiente todos se levantan cuando canta el gallo. Están felices y nerviosos. Tienen su propia cueva, su propia casa. Y además tienen un misterio que descubrir.

Entran, pero no usan las linternas. Tienen cerillas y encienden unas velas: les gusta su luz misteriosa…

-¡Qué bonita es nuestra cueva! -dice Andrés.

-¡Anda! Otra habitación.

-¡Con camas!

-Una, dos, tres y cuatro… -Juan las cuenta y exclama: ¡Para cuatro personas o más!

Andrés abre un cajón de una mesilla y encuentra una foto.

-¿Y esto?

-Pues…

Acercan la luz. En la foto hay cinco chicos jóvenes…

En otro cajón Rocío encuentra una insignia.

-Y esto… ¡pero si es una insignia del diablo! ¡Madre mía!…

El aire apaga las velas. Los chicos tienen miedo. Salen corriendo hasta la puerta.

¿Qué va a pasar?

un gallo

Extracto de **El secreto de la cueva**
Colección «*Aventuras para tres*»

1. Lee el texto.
Escribe las palabras nuevas y tradúcelas (puedes usar el diccionario o Internet).

....
....
....

2. Contesta a las preguntas.

1. Al día siguiente, ¿se levantan temprano o tarde?
Se levantan temprano.

2. ¿Cómo están? ¿Por qué?
Están nerviosos porque van a una cueva.

3. ¿Qué hacen cuando llegan a la cueva?
Entran y encienden velas.

4. ¿En qué habitación están?
En un dormitorio.

5. ¿Qué hay en los cajones?
Una foto y una insignia.

6. ¿Quién encuentra cada cosa?
Andrés encuentra la foto y Rocío, la insignia.

7. ¿Qué hace el aire?
Apaga las velas.

8. ¿Por qué salen corriendo de la cueva?
Porque tienen miedo.

3. Escribe los nombres en los recuadros.

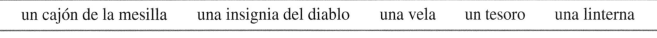

un cajón de la mesilla   una insignia del diablo   una vela   un tesoro   una lintera

un tesoro

una insignia del diablo

una lintera

una vela

un cajón de la mesilla

Para leer (texto para el tercer trimestre)

Los tres chicos tienen una llave con una etiqueta que marca «bodega». Buscan la bodega y finalmente abren una puerta con la llave.

… Los tres entran. Todo está oscuro y abren mucho los ojos, sobre todo Juan y Rocío. En la entrada ven una mesa y unas sillas. En la mesa hay platos y vasos. Hay velas por todas partes. Nadie habla.

-A ver -dice Rocío que mira por todas partes-, en esta bodega no hay ni una sola botella de vino y en ella vive gente.

-Ahora no vive nadie, Rocío -contesta Andrés.

-Ya, pero antes sí.

-¿Y qué?

-Que hay varios misterios, ¿no? Por lo menos cuatro: ¿Quién es esta gente?, ¿cuándo está aquí?, ¿por qué está aquí?, y ¿por qué se va?

-Cinco, son cinco misterios -sigue Andrés-, ¿por qué se va tan rápidamente?

-¿Cuándo? Pues hace mucho porque todo está muy sucio. ¿Por qué? Pues no lo sabemos -dice Juan…

En una pared ven un crucifijo colocado al revés.

Juan lo baja y salen a verlo fuera de la cueva.

-¡Qué bonito! Tiene cuatro piedras preciosas… Quieren seguir en la cueva, pero las linternas están ya descargadas y no ven bien.

-Vamos a cerrar nuestra cueva y venimos mañana.

-Bueno, Andrés, pero nos llevamos el crucifijo, ¿no? -pregunta Rocío.

-Sí, si quieres.

-Y no les decimos ni una palabra de esto a los abuelos -afirma Juan.

Los tres están de acuerdo en guardar el secreto de su cueva.

¿Qué más van a descubrir?

*Extracto de **El secreto de la cueva***
Colección «Aventuras para tres»

1. Lee el texto.

Escribe las palabras nuevas y tradúcelas (puedes usar el diccionario o Internet).

....

....

....

....

....

2. ¿Qué sucede?

   Ordena las acciones, cronológicamente.

1. Encuentran un crucifijo.

2. Observan la bodega.

3. Cierran la cueva con la llave.

4. Los tres chicos abren una puerta con la llave.

5. Se hacen preguntas sobre los misterios de la bodega.

6. Salen de la cueva porque las linternas no funcionan.

4	2	5	1	6	3

3. ¿Qué ven en la cueva?

Ven una mesa y unas sillas, platos y vasos, velas

y un crucifijo...

....

4. Los chicos hacen preguntas para descubrir el misterio de la cueva.

a. Copia los cinco misterios de la cueva.

1. ¿Quién es esta gente?

2. ¿Cuándo está aquí?.....................................

3. ¿Por qué está aquí?...................................

4. ¿Por qué se va?..

5. ¿Por qué se va tan rápidamente?...............

un crucifijo con
piedras preciosas

b. Uno de los misterios tiene respuesta.

   Escribe el número del misterio y la respuesta correspondiente.

   2   Hace mucho tiempo.
....

5. El final del capítulo. ¿Verdadero o falso?

	V	F
1. Se llevan el crucifijo.	X	
2. Van a contar su aventura a los abuelos de Rocío.		X
3. Van a volver mañana.	X	

Descubre México jugando

En parejas y por turnos

Tira el dado y ve a la casilla correspondiente.
Observa las fotos y contesta a las preguntas.

3

¿Cómo se llama la capital de México?

④ México D.F.

5

1

Ve a la casilla 4.

②

META

27

México es un país sudamericano, ¿verdadero o falso?

Falso.
Es de Norteamérica

26

25

BANCO DE MEXICO
N 6100007
SERIE G
10 DIEZ

20

21

24

23

22

Nombra dos ciudades en las costas.

Mérida, Acapulco...

Nombra cuatro estados que se escriben con tilde.

Michoacán, Nuevo León, Querétaro, San Luis Potosí y Yucatán

El mar Caribe y el océano Pacífico

8

10

¿Cómo se llama la península que está a la izquierda?

6

Baja California

7

¿Qué mar y qué océano hacen frontera?

9

11

¿Cuál es la moneda mexicana?

El peso

Ve a la casilla 8.

12

13

¿Qué países rodean México?

Estados Unidos, Guatemala y Belice

16

14

18

¿Cuántos estados lo forman?

19

31 estados y un distrito federal

¿Cómo se llama el estado más al sur?

17

Campinas

Ve a la casilla 13.

15

Descubre Argentina jugando

En parejas y por turnos

Tira el dado y ve a la casilla correspondiente.
Observa las fotos y contesta a las preguntas.

¿Cómo se llama la capital de Argentina?

4 Buenos Aires

5

3

1

Ve a la casilla 4.

2

META

27

No tiene frontera con Brasil, ¿verdadero o falso?

Falso

26

20

21

25

24
¿Cuál es su moneda?

El peso

23

22
Nombra una provincia de una sola palabra con el acento en la antepenúltima sílaba.

Córdoba

Azul claro y blanco

¿Qué colores tiene su bandera?

6

Uruguay, Brasil Bolivia, Chile y Paraguay

8

¿Con qué países tiene frontera?

7

10

9

Di el nombre de tres provincias de una sola palabra y que tienen el acento en la última sílaba.

Chubut, Jujuy, Niequén y Tucumán

11

Ve a la casilla 8.

12

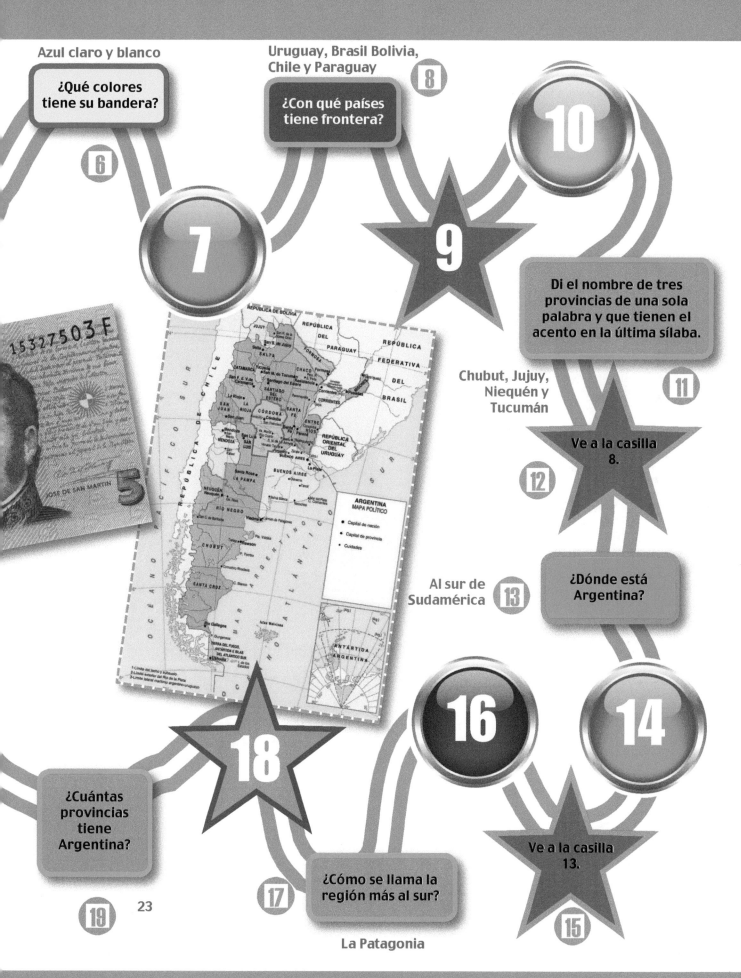

Al sur de Sudamérica

13

¿Dónde está Argentina?

16

14

18

Ve a la casilla 13.

15

¿Cuántas provincias tiene Argentina?

23

19

¿Cómo se llama la región más al sur?

17

La Patagonia

Descubre España jugando

En parejas y por turnos

**Tira el dado y ve a la casilla correspondiente.
Observa las fotos y contesta a las preguntas.**

¿Cómo se llama la capital de España?

Madrid

4

3

5

1

Ve a la casilla 4.

2

META

27

España es un país de la Unión Europea, ¿verdadero o falso?

Verdadero

26

20

21

22

23

24

25

¿Qué países tienen frontera con España?

Portugal, Andorra y Francia

Andalucía, Baleares, Canarias, Cantabria, Castilla La Mancha, Cataluña, Extremadura...

Nombra cuatro comunidades con el acento en la penúltima sílaba.

Nombra tres comunidades con el acento en la última sílaba.

⑥

Aragón
Castilla y León
Madrid

¿Cuántas islas tiene España en total?

⑧

10

10

7

9

¿Cuál es la moneda de España?

El euro

⑪

Ve a la casilla 8.

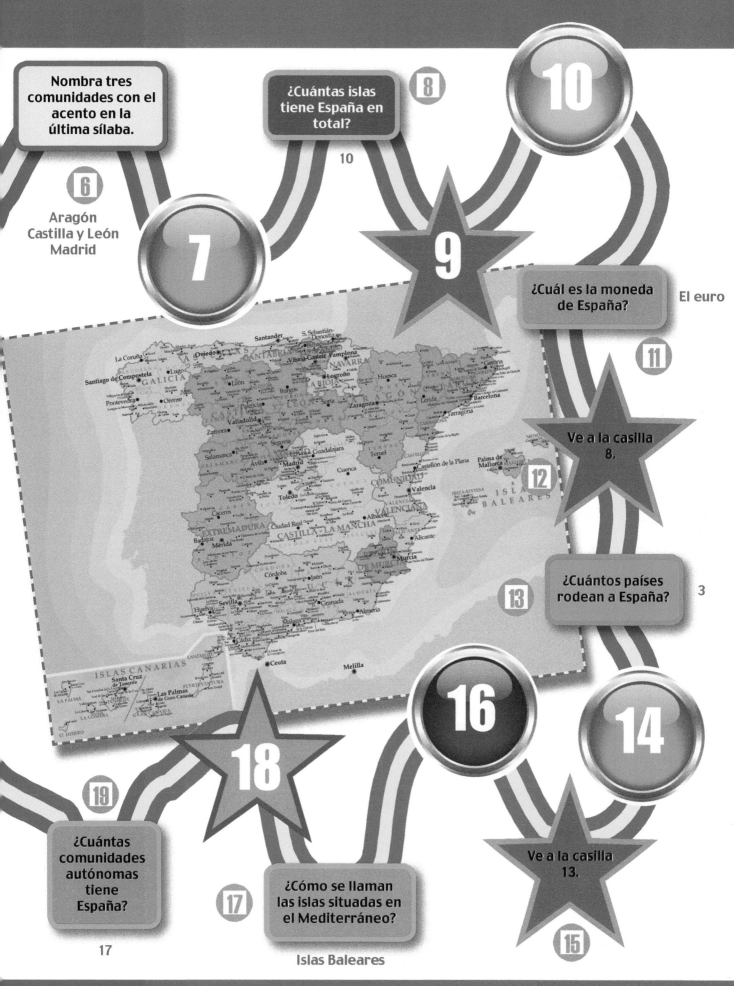

⑫

¿Cuántos países rodean a España?

3

⑬

16

14

18

⑲

¿Cuántas comunidades autónomas tiene España?

17

⑰

¿Cómo se llaman las islas situadas en el Mediterráneo?

Islas Baleares

Ve a la casilla 13.

⑮

Gramática

LOS SUSTANTIVOS

EL MASCULINO Y EL FEMENINO	
Son masculinas	Son femeninas
Las palabras terminadas en –o/–or el amigo, el profesor	**Las palabras terminadas en –a/–ad** la lengua, la edad
Excepción: la foto, la flor	**Excepciones:** el día, el mapa

SINGULAR	PLURAL
Terminadas en vocal: chica, nombre, equipo	**+ –s:** chicas, nombres, equipos
Terminadas en consonante: ordenador, ciudad	**+ –es:** ordenadores, ciudades
Terminadas en –z: lápiz	**> –ces:** lápices

el sacapuntas > los sacapuntas/el cumpleaños > los cumpleaños
la barra de pegamento > las barras de pegamento
las tijeras: siempre en plural

Palabras terminadas en –ón/–ín > –ones/–ines
El acento escrito desaparece.

el balcón, el jardín > los balcones, los jardines

LOS ARTÍCULOS

Indeterminados	masculino	femenino
singular	un	una
plural	unos	unas

Determinados	masculino	femenino
singular	el	la
plural	los	las

> Una mochila, dos cuadernos, uno verde y otro azul, unas tijeras, un bolígrafo y un rotulador, la barra de pegamento.

LOS ADJETIVOS Y ADVERBIOS

FORMACIÓN DEL FEMENINO	
MASCULINO	FEMENINO
Terminados en –o: vago	**–o > –a:** vaga
Terminados en –or: trabajador	**+ –a:** trabajadora
Terminados en –e: sociable	**–e:** sociable

ADVERBIO DE CANTIDAD

Muy + adjetivo
Es muy tímido.

LOS ADJETIVOS POSESIVOS

	MASCULINO	FEMENINO
yo	mi **hermano** mis **hermanos**	mi **hermana** mis **hermanas**
tú, vos	tu **abuelo** tus **abuelos**	tu **abuela** tus **abuelas**
él, ella, usted	su **sobrino** sus **sobrinos**	su **sobrina** sus **sobrinas**
nosotros/as	nuestro **tío** nuestros **tíos**	nuestra **tía** nuestras **tías**
vosotros/as	vuestro **primo** vuestros **primos**	vuestra **prima** vuestras **primas**
ellos/as, ustedes	su **nieto** sus **nietos**	su **nieta** sus **nietas**

> En casa vivimos cinco personas: mis padres, mi hermano, mi abuela y su gato y yo.

LOS DEMOSTRATIVOS

	MASCULINO	FEMENINO
AQUÍ	este estos	esta estas
AHÍ	ese esos	esa esas
ALLÁ/ALLÍ	aquel aquellos	aquella aquellas

> Esta es mi amiga Beatriz. Es mi mejor amiga este año.

ADVERBIOS DE LUGAR

Muy lejos – ALLÁ/ALLÍ

Lejos – AHÍ

Cerca – AQUÍ

EXPRESIONES DE LUGAR

detrás de   delante de   debajo de   sobre

al lado   entre

LOS INTERROGATIVOS

- ¿Quién **eres**?
- ¿Cómo **te llamas**?
- ¿Cuántos **años tienes**?
- ¿Cuántas **amigas tienes**?
- ¿Dónde **vives**?

- Soy José.
- Me llamo Marta.
- Tengo 12 años.
- Tengo 6.
- Vivo en Barcelona.

¿Cuántos + nombre masculino plural?
¿Cuántas + nombre femenino plural?

Las palabras interrogativas llevan un acento escrito.
Las frases interrogativas empiezan con ¿ y terminan con ?

LOS VERBOS EN PRESENTE

	LLAMARSE	SER	VIVIR	TENER
(yo)	me **llamo**	soy	vivo	tengo
(tú)*	te **llamas**	eres	vives	tienes
(él, ella, usted)	se **llama**	es	vive	tiene
(nosotros/as)	nos **llamamos**	somos	vivimos	tenemos
(vosotros/as)	os **llamáis**	sois	vivís	tenéis
(ellos/as, ustedes)	se **llaman**	son	viven	tienen
* (vos)	te **llamás**	sos	vivís	tenés

> Yo me levanto a las siete y media y salgo de casa a las ocho. Y tú, ¿a qué hora tienes clase?

	VER	HACER	JUGAR
(yo)	veo	hago	juego
(tú)*	ves	haces	juegas
(él, ella, usted)	ve	hace	juega
(nosotros/as)	vemos	hacemos	jugamos
(vosotros/as)	veis	hacéis	jugáis
(ellos/as, ustedes)	ven	hacen	juegan
* (vos)	ves	hacés	jugás

	VENIR
(yo)	vengo
(tú)*	vienes
(él, ella, usted)	viene
(nosotros/as)	venimos
(vosotros/as)	venís
(ellos/as, ustedes)	vienen
* (vos)	venís

EL PRESENTE DE INDICATIVO

	LEVANTARSE	SALIR	IR	VOLVER	EMPEZAR	VESTIRSE
(yo)	me levanto	salgo	voy	vuelvo	empiezo	me visto
(tú)*	te levantas	sales	vas	vuelves	empiezas	te vistes
(él, ella, usted)	se levanta	sale	va	vuelve	empieza	se viste
(nosotros/as)	nos levantamos	salimos	vamos	volvemos	empezamos	nos vestimos
(vosotros/as)	os levantáis	salís	vais	volvéis	empezáis	os vestís
(ellos/as, ustedes)	se levantan	salen	van	vuelven	empiezan	se visten
*(vos)	te levantás	salís	vas	volvéis	empezás	te vestís

EL VERBO «GUSTAR»

(A mí)	me		el cine/la música/leer
(A ti, vos)	te	gusta	
(A él, ella, usted)	le		
(A nosotros/as)	nos		las fresas
(A vosotros/as)	os	gustan	los perros
(A ellos/as, ustedes)	les		

Acuerdo	• Me gustan los perros.	• A mí también.
	• No me gusta leer.	• A mí tampoco.
Desacuerdo	• Me gustan los perros.	• A mí no.
	• No me gusta leer.	• A mí sí.

A mí me gusta mucho el chocolate. También me gustan las fresas. Y a ti, ¿qué te gusta?

LA CANTIDAD

• Muy + adjetivo
  Es muy tímido.

• verbo + mucho/poco/nada
  Me gusta mucho el fútbol.
  Me gusta poco leer.
  No estudia nada.

OPOSICIONES «HAY/ESTÁ(N)»

«HAY»: PARA INDICAR LA EXISTENCIA
Se usa con uno, una, un, dos, tres...

• ¿Cuántas ventanas hay en el aula?
• Hay una/dos/tres...

• ¿Cuántos libros hay sobre la mesa?
• Hay uno/dos/tres...

• ¿Qué hay en el aula?
• Hay un estante, dos ventanas...

«ESTAR»: PARA SITUAR EN EL ESPACIO
Se usa con el, la, los, las, los posesivos...

• ¿Dónde están los alumnos?
• Los alumnos están en el patio.

• ¿Dónde están tus compañeros?
• Mis compañeros están en el comedor.

• ¿Estáis en el gimnasio?
• No, estamos en el aula de idiomas.

«IR A» + INFINITIVO

Voy	a	patinar en el parque.
Vas	a	bailar en una fiesta.
Va	a	leer una revista.
Vamos	a	estudiar para el examen.
Vais	a	cantar en un karaoke.
Van	a	chatear con un amigo.

¿CUÁNDO?
* esta mañana/esta tarde/esta noche
* este fin de semana
* hoy/mañana
* a la una/a las tres y media...
* el lunes/el martes...

Vamos a ir al cine, ¿vienes con nosotros?

No puedo, tengo que hacer los deberes.

IR AL/A LA

ir al + nombre masculino
ir a la + nombre femenino

* ¿Adónde vais?
* Vamos al cine y a la piscina.

VENIR DEL/DE LA

venir del + nombre masculino
venir de la + nombre femenino

* ¿De dónde vienes?
* Vengo del parque y de la librería.

LA OBLIGACIÓN

«Tener que» + obligación

Tengo	que	salir.
Tienes*	que	estudiar.
Tiene	que	hacer el ejercicio.
Tenemos	que	llamar a Camila.
Tenéis	que	escribir un «e-mail».
Tienen	que	hacer los deberes.

* (vos)   tenés que

«QUERER/PREFERIR» + INFINITIVO

Deseo

quiero
quieres
quiere
queremos
queréis
quieren

Otra preferencia
* navegar por Internet.
* ver la tele.
* escribir un SMS.

prefiero
prefieres
prefiere
preferimos
preferís
prefieren

* pasear por el parque.
* hacer deporte.
* salir con mis amigos.

Verbos con pronombre: el pronombre concuerda con la persona en la que va conjugado el verbo.
* Con querer, el pronombre va antes de querer o después del infinitivo formando una sola palabra.
* Con preferir, el pronombre va después del infinitivo formando una sola palabra.

LOS VERBOS EN PASADO

Querido diario:
Ayer hice muchas cosas interesantes. Fui al zoo con mis amigos y vimos muchos animales. Después estuve en casa de mis abuelos...

	HABLAR	COMER	ESCRIBIR
(yo)	hablé	comí	escribí
(tú, vos)	hablaste	comiste	escribiste
(él, ella, usted)	habló	comió	escribió
(nosotros/as)	hablamos	comimos	escribimos
(vosotros/as)	hablasteis	comisteis	escribisteis
(ellos/as, ustedes)	hablaron	comieron	escribieron

	JUGAR	LEER	ESTAR	HACER	IR	VER
(yo)	jugué	leí	estuve	hice	fui	vi
(tú)	jugaste	leíste	estuviste	hiciste	fuiste	viste
(él, ella, usted)	jugó	leyó	estuvo	hizo	fue	vio
(nosotros/as)	jugamos	leímos	estuvimos	hicimos	fuimos	vimos
(vosotros/as)	jugasteis	leísteis	estuvisteis	hicisteis	fuisteis	visteis
(ellos/as, ustedes)	jugaron	leyeron	estuvieron	hicieron	fueron	vieron

Transcripciones

Pista 1

¡Hola! Soy Lorena. Te presento a mis amigos del Tuenti: Carlos, Charo, Cristina, David, Guillermo, Íñigo, Juan, Pilar y Ramón.

Pista 2

Uno, Charo – dos, Íñigo – tres, Cristina – cuatro, Pilar – cinco, David – seis, Carlos – siete, Juan – ocho, Guillermo – nueve, Ramón.

Pista 3

Argentina, Badajoz, Barcelona, Bolivia, Carlos, Chile, Cristina, David, Ecuador, Íñigo, Logroño, Madrid, México, Panamá, Paraguay, Perú, Pilar, República, Sevilla, Uruguay, Valencia, Zaragoza.

Pista 4

Un teléfono, una bicicleta, un ordenador, un plátano, un pájaro, unas pelotas, un pastel, un caracol, un paraguas, una mariposa.

Pista 6

1. Hola, Toby, hola, bonito.
2. • Buenos días, profesor.
   • Hola, chicos, buenos días. Venga, a clase.
3. Adiós, buenas noches.
4. • Hola, buenas tardes.
   • ¡Hola!, ¿qué tal?

Pista 7

Trece.
Natalia.
Dos, se llaman Carlota y Marta.
En Barcelona.
Es un amigo.

Pista 9

A, be, ce, de, e, efe, ge, hache, i, jota, ka, ele, eme, ene, eñe, o, pe, cu, erre, ese, te, u, uve, uve doble, equis, ye y zeta.

Pista 10

• Pablo, ¿qué día es tu cumpleaños?
• El 10 de octubre.
• ¡El 10 de octubre! Es hoy, ¡feliz cumpleaños!
• Gracias.

• ¿Y cuáles son tus regalos?
• Pues... un libro, un videojuego y una hucha.
• ¡Qué bien!

Pista 12

Hola, me llamo Elena. En mi *blog* tengo cuatro amigos extranjeros. Marco es italiano, tiene 12 años y su cumpleaños es el 15 de mayo. María es portuguesa, tiene 11 años y su cumpleaños es el 20 de enero. Laura es francesa, tiene 13 años y su cumpleaños es el 25 de abril. David es alemán, tiene 14 años y su cumpleaños es el 21 de diciembre.

Pista 14

1. el instituto
2. el despertador
3. una semana
4. la nacionalidad
5. un llavero
6. una mochila
7. la ilustración
8. un archivador
9. el sacapuntas
10. un día

Pista 15

En mi mochila tengo dos cuadernos, tres libros, una calculadora, un archivador, una regla y un estuche. En mi estuche tengo dos lápices, una goma, un sacapuntas, unas tijeras.

Pista 16

Juan: Hola, Beatriz.
Beatriz: Hola.
Juan: ¿Cuáles son tus actividades preferidas de la clase de idiomas?
Beatriz: Pues… mi preferida es ver vídeos, pero también escuchar textos y hablar con mis compañeros.
Juan: ¿Y leer?
Beatriz: No, leer, no.

Pista 17

1. vemos
2. escribes
3. juegan

4. hago
5. pasea
6. bebéis
7. como
8. explicas
9. buscamos
10. leen

Pista 18

En el recreo, mis compañeros hacen muchas actividades. Raúl y sus amigos juegan al baloncesto. Marta escucha música en su MP3. Laura corre por el patio. Belén y Pilar hablan en la biblioteca. Alicia navega por Internet. Marcos estudia si tiene un examen. Beatriz lee un libro y Julia escribe su diario.

Pista 19

• Hola, Óscar. ¿Qué haces en el recreo?
• Pues… leo un libro, bebo un zumo de naranja en la cafetería y juego al fútbol.

Pista 20

1. verde
2. negro
3. blanco
4. azul
5. gris
6. marrón
7. rosa
8. violeta
9. rojo
10. naranja
11. amarillo

Pista 21

Pedro: ¡Lucas!
Lucas: Hola, Pedro, ¿qué tal?
Pedro: Muy bien. ¿Jugamos?
Lucas: Vale.
Pedro: ¿Qué tal la clase de Geografía?
Lucas: Bien, bien… Es mi asignatura favorita. ¿Qué clase tienes después del recreo?
Pedro: Los martes no tengo clase. Hoy estudio con Patricia en la biblioteca, en los ordenadores. El jueves tenemos un

examen de Inglés.

Lucas: ¡¡Oh, no!!
Pedro: ¡Chao!
Lucas: ¡Adiós!

Pista 23
• Hola.
• Hola.
• ¿Cómo se llaman tus padres?
• Mi padre se llama Carlos y mi madre, Amelia.
• ¿Dónde viven tus abuelos?
• Los padres de mi padre viven en Madrid y los padres de mi madre viven en Granada.
• ¿Cuántos tíos y tías tienes?
• Tengo cinco tíos y seis tías.
• ¿Cuántos primos tienes?
• Ocho.
• ¿Cuántas primas tienes?
• Cinco.
• ¿Eres hijo único?
• ¡¡No!! Tengo un hermano y una hermana.
• ¿Y qué día es su cumpleaños?
• El cumpleaños de mi hermano es el 6 de enero y mi cumpleaños, el 25 de agosto.

Pista 24
• Hola, Natalia.
• Hola.
• ¿Te gusta ver la tele?
• Sí, veo la tele cuando vuelvo del instituto.
• ¿Te gusta el baloncesto?
• Sí, juego con el equipo del instituto.
• ¿Y el chocolate?
• Síííííí… Me gusta muchísimo. ¡Qué bueno!
• A mí también me gusta. Y las galletas, ¿te gustan las galletas?
• ¡Síííííí!
• ¿Te gusta leer?
• Pf… No, no…
• ¿Te gusta montar en bici?
• Sí, pero no tengo bici, monto en la bici de mi hermana.
• ¿Te gustan las fresas?
• No. ¡A mí me gusta el chocolate!

Pista 25
• ¿Diga?
• Buenos días, llamo por el

anuncio de la obra de teatro.
• Muy bien. ¿Cómo te llamas?
• José.
• ¿Cómo tienes el pelo?
• Soy moreno. Tengo el pelo corto y liso.
• ¿Cuánto mides?
• Mido un metro sesenta y ocho.
• ¿De qué color son tus ojos?
• Tengo los ojos verdes.
• Muchas gracias.

• ¿Diga?
• Hola, llamo por el anuncio de la obra de teatro.
• ¿Cómo te llamas?
• Me llamo Natalia.
• ¿Cómo tienes el pelo?
• Soy rubia. Tengo el pelo largo y liso.
• ¿Cuánto mides?
• Mido un metro cincuenta y tres.
• ¿De qué color son tus ojos?
• Tengo los ojos azules.
• Muchas gracias.

Pista 26
Celia: A ver, Juan… ¿Qué colores te gustan?
Juan: El azul y el violeta.
Celia: El azul y el violeta… Vale. ¿Qué colores no te gustan?
Juan: El verde.
Celia: El verde.
Juan: ¡Ahora contestas tú!
Celia: Pues me gusta el rosa y no me gusta el violeta.

Pista 28
Hola. Me llamo Elena. Soy alta y delgada. Soy morena. Tengo el pelo corto y rizado. Tengo los ojos negros. Ah… llevo zapatillas deportivas. ¿Quién soy?

Pista 29
• Tengo que hacer un trabajo para la clase. ¿Puedo hacerte unas preguntas sobre tus horarios?
• Sí, claro.
• Dime, ¿a qué hora te levantas normalmente?
• Pues a las siete y veinte.
• Ajá. ¿Y a qué hora empiezan las clases en tu instituto?

• A las ocho y veinte.
• ¿Y cuándo terminan las clases?
• Pues salimos del instituto a las dos y media.
• ¿Y comes en el instituto?
• No, no, como en casa, normalmente a las tres menos cuarto.
• ¿Y haces alguna actividad extraescolar?
• Sí, hago yudo. Voy todos los miércoles, a las cinco menos veinticinco.
• Bueno, ya está. Son las diez menos cuarto y me tengo que ir a clase. Muchas gracias.

Pista 30
1. salimos
2. empezáis
3. voy
4. vuelven
5. me visto
6. me levanto
7. se visten
8. empiezas
9. vuelve
10. te levantas

Pista 31
Profesor: Hola, Belén. ¿A qué hora te levantas todos los días?
Belén: Me levanto a las siete y cuarto. Después, me ducho, me visto y desayuno.
Profesor: ¿Con quién desayunas?
Belén: Con mi madre y mi hermano, en la cocina.
Profesor: ¿A qué hora sales de casa?
Belén: A las ocho menos diez.
Profesor: ¿Cómo vas al instituto?
Belén: En bici, y llego a las ocho y veinte. Las clases empiezan a las ocho y media.
Profesor: ¿Vuelves a casa para comer?
Belén: No, como en el instituto con un compañero.
Profesor: Y cuando vuelves a casa, ¿qué haces?
Belén: Meriendo, hago los

Transcripciones

deberes y escucho música.

Profesor: ¿A qué hora cenas?
Belén: A las nueve y media.

Pista 34

Hola, me llamo Nuria. Estoy en primero de la ESO y me levanto todos los días a las siete y media para ir al instituto. Salgo del instituto a las tres menos veinticinco y me voy a casa a comer. A las ocho menos cuarto termino los deberes y, entonces, chateo con mis amigos o escucho música. En casa, cenamos a las nueve menos diez y a las diez y media me voy a dormir.

Pista 35

Vivo en una casa con mis padres y mi hermana. Mi casa tiene dos plantas. En la planta baja hay un pequeño pasillo, una cocina grande y un salón con una terraza. El baño, mi habitación, la habitación de mis padres y la habitación de mi hermana están en la segunda planta. La habitación de mis padres tiene balcón. La casa tiene una piscina.

Pista 38

Hola, me llamo Pilar, Pilar García Gil, y vivo en la calle del Barco, número dieciséis. En el segundo piso. El código postal es el 30065 de Zaragoza.
Yo soy Raúl Álvarez y vivo en la plaza Grande, 5, en el tercero derecha. Es en Galapagar, en el 28502
Y yo soy Teresa Sans. Vivo en Barcelona, en la calle Larga, número siete, en el primer piso. Ah, el código postal es el 08012.

Pista 40

1.
- ¿Qué te gusta hacer cuando hace calor?
- Me gusta ir a la playa, comer helados, hacer surf.

2.
- ¿Y cuando llueve?
- No me gusta salir, prefiero ver la tele o escuchar música. Y me gusta mucho comer *pizza* cuando llueve.

3.
- Cuando hace bueno, ¿qué haces?
- Juego con mi perro, paseo con mis amigos, juego al voleibol…

4.
- ¿Y cuando hace frío?
- Me gusta esquiar. Me gusta mucho ir a los Pirineos con mi padre. Y hacer un muñeco de nieve en el jardín, ¡claro! Con su sombrero.

5.
- ¿Y qué te gusta hacer cuando hay tormenta?
- No me gustan nada las tormentas… No salgo, me quedo en casa y hago galletas de chocolate.
- ¡Ja, ja, ja!

Pista 41

El domingo, me levanté a las diez y diez. Por la mañana, jugué con la consola, hice los deberes y paseé al perro. Comí con mis padres a las dos. Por la tarde, monté en bici con mi padre y chateé con una amiga.

Pista 43

Telefonista: Museo de la Ciencia, ¡buenos días!
Profesor: Buenos días. Soy profesor de Ciencias y quiero organizar una visita con mis alumnos. ¿Qué talleres ofrece el museo?
Telefonista: Para los alumnos de instituto, tenemos varios talleres. En el planetario, hay una exposición sobre el sistema solar. En la sala dedicada a los animales prehistóricos, hay un esqueleto de dinosaurio.
Profesor: ¡Qué interesante!
Telefonista: Sí, los alumnos pueden montar el esqueleto con un programa de ordenador. También tenemos un laboratorio para hacer experimentos con la electricidad.
Profesor: ¡Muy bien!
Telefonista: En la sala dedicada a los océanos, pueden ver un documental sobre la vida de los delfines.
Profesor: Y la sala de la geografía, ¿qué es, por favor?
Telefonista: Es una sala con fotografías gigantes de los bosques de España sacadas desde un satélite durante 10 años, para observar la evolución de los árboles.
Profesor: Pues me gustan mucho las actividades. Voy a hablar con mis alumnos para organizar una visita la semana que viene.
Telefonista: Muy bien. El museo abre a las diez y cierra a las seis de la tarde.
Profesor: Muchas gracias, adiós.
Telefonista: Adiós.

Cuaderno de ejercicios

Nivel 1

María Ángeles Palomino

edelsa
GRUPO DIDASCALIA, S.A.

Índice

¿Cómo y cuándo trabajar con este cuaderno de ejercicios?

Está organizado en 6 unidades y, cada una, en 2 lecciones como tu libro.

Actividad de práctica con el texto de la lección.
Haz los ejercicios después de leer o escuchar el texto de tu libro y después de hacer las actividades de **Comprendo.**

Conoce los objetivos y los ejercicios.

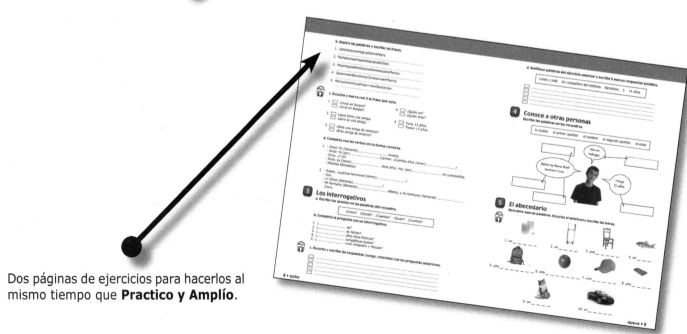

Dos páginas de ejercicios para hacerlos al mismo tiempo que **Practico y Amplío.**

Una página extra de ejercicios para hacer después de las actividades de **Educación para la Ciudadanía** de tu libro.

Más ejercicios para hacer después de las actividades de **Espacio Interdisciplinar** de tu libro.

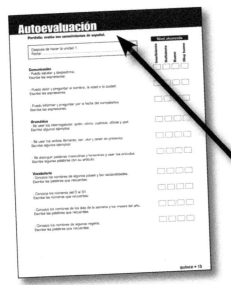

Evalúa tus conocimientos, después de hacer todas las actividades de tu libro y antes de **Preparo mi examen**.

Traduce las palabras más importantes del módulo a tu lengua y apréndelas.

Conoce a tus compañeros

Contenidos y actividades

1. Saludar y presentarte el primer día de clase.
2. El presente de indicativo de los verbos llamarse, vivir, ser y tener.
3. Los interrogativos cómo, dónde, cuántos/as y quién.
4. Preguntar para conocer a otras personas.
5. El abecedario.
6. Comprender un blog de presentación.
7. Los nombres de los meses del año.
8. Los números del 20 al 31.
9. Decir las fechas.
10. Descubrir el masculino y el femenino de las palabras por la terminación.
11. Los nombres de los días de la semana.
12. El presente de indicativo de los verbos regulares.
13. La frase negativa.
14. Tú, vosotros, vosotras y usted, ustedes.
15. Los nombres de los países del mundo.

¡Hola! Me llamo Víctor, ¿y tú?

¡Hola!
¿Cómo te llamas?

1 El primer día de clase

Completa el diálogo con las palabras y expresiones de la lista.

> profesor – Me llamo – apellidos – Quién – Hola – años
> – buenas tardes – yo – trece – segundo apellido

Borja: ¡Hola! ..... Me llamo ..... Borja. Y tú, ¿cómo te llamas?
Paloma: Me llamo Paloma. ¿Cuántos ..... años ..... tienes?
Borja: Doce, tengo doce años.
Paloma: Pues yo ya tengo ..... trece ..... años.
Borja: Mira... ¿Quién es?
Paloma: Es el ..... profesor ..... .
El profesor: ¡Hola, chicos, ... buenas tardes ..... !
Todos: ¡ ..... Hola ..... !
El profesor: Soy el profesor, me llamo José Farelo
              García. Voy a pasar lista. A ver...
              ¿ ..... Quién ..... es Paloma Ruiz Sanz?
Paloma: Soy yo.
El profesor: Hola, Paloma, y ¿quién es Hugo?
Hugo: Soy ..... yo ..... .
El profesor: ¿Y tus ..... apellidos ..... , Hugo?
Hugo: López Brugueira.
El profesor: Muy bien, Hugo López Brugueira.
              Borja Colmenares...
Borja: Sí... Sí... ¡Soy yo!
El profesor: ¿Y tu ..... segundo apellido ..... ?
Borja: Álvarez, Borja Colmenares Álvarez.
El profesor: ¿Quién es Marta García Treviño?

2 El presente de indicativo

a. Escribe las formas de la lista en la tabla.

> soy – vivís – te llamas – vivimos – vivo – se llama – tenemos
> somos – sois – tienen – se llaman – es – tienes

	LLAMARSE	SER	VIVIR	TENER
(yo)	me llamo	soy	vivo	tengo
(tú)*	te llamas	eres	vives	tienes
(usted, él, ella)	se llama	es	vive	tiene
(nosotros/as)	nos llamamos	somos	vivimos	tenemos
(vosotros/as)	os llamáis	sois	vivís	tenéis
(ustedes, ellos/as)	se llaman	son	viven	tienen
*(vos)	te llamás	sos	vivís	tenés

b. Separa las palabras y escribe las frases.

1. Julio/tiene/un/amigo,/se/llama/Pedro.
   Julio tiene un amigo, se llama Pedro.

2. Marta/es/una/amiga/del/equipo/de/fútbol.
   Marta es una amiga del equipo de fútbol.

3. Mis/amigos/del/instituto/se/llaman/Juan/y/Marcos.
   Mis amigos del instituto se llaman Juan y Marcos.

4. Sara/vive/en/Barcelona/y/Carlos/vive/en/Madrid.
   Sara vive en Barcelona y Carlos vive en Madrid.

5. Marisa/tiene/trece/años/y/vive/en/Santander.
   Marisa tiene trece años y vive en Santander.

Pista 44

c. Escucha y marca con X la frase que oyes.

1. [X] ¿Vives en Burgos?
   [ ] ¿Vivís en Burgos?

2. [ ] Laura tiene una amiga.
   [X] Laura es una amiga.

3. [ ] Eres una amiga de Antonio.
   [X] Eres amiga de Antonio.

4. [X] ¿Quién es?
   [ ] ¿Quién eres?

5. [X] Tiene 13 años.
   [ ] Tienen 13 años.

d. Completa con los verbos en la forma correcta.

1. - ¡Hola! Yo (llamarse)......*me llamo*...... Andrés.
   - ¡Hola! Yo (ser)......*soy*...... Carmen. ¿Cuántos años (tener)......*tienes*......?
   - Once. ¿Y tú?
   - Doce, ya (tener)......*tengo*...... doce años. Hoy (ser)......*es*...... mi cumpleaños.
   - ¡Muchas felicidades!

2. - Rubén, ¿cuántos hermanos (tener)......*tienes*......?
   - Dos.
   - ¿Y cómo (llamarse)......*se llaman*......?
   - Mi hermano (llamarse)......*se llama*...... Alberto, y mi hermana (llamarse)......*se llama*......
     Clara.

3 Los interrogativos

a. Escribe los acentos en las palabras del recuadro.

> ¿Cómo?   ¿Dónde?   ¿Cuántas?   ¿Quién?   ¿Cuántos?

b. Completa la pregunta con un interrogativo.

1. ¿......*Quién*...... es?
2. ¿......*Cómo*...... se llaman?
3. ¿......*Cuántos*...... años tiene Patricia?
4. ¿......*Cuántas*...... compañeras tienes?
5. ¿......*Dónde*...... viven Alejandro y Manuel?

Pista 45

c. Escucha y escribe las respuestas. Luego, relaciona con las preguntas anteriores.

[5] *Viven en Salamanca.*
[4] *Tengo 10.*
[2] *Se llaman Andrea y Pedro.*
[3] *Tiene 13 años.*
[1] *Es José, un amigo del equipo de fútbol.*

d. Sustituye palabras del ejercicio anterior y escribe 5 nuevas respuestas posibles.

| Lucas y José | Un compañero del instituto | Barcelona | 5 | 14 años |

☐ Viven en Barcelona. ....

☐ Tengo 5. ....

☐ Se llaman Lucas y José. ....

☐ Tiene 14 años. ....

☐ Es José, un compañero del instituto. ....

4 Conoce a otras personas

Escribe las palabras en los recuadros.

la ciudad   el primer apellido   el nombre   el segundo apellido   la edad

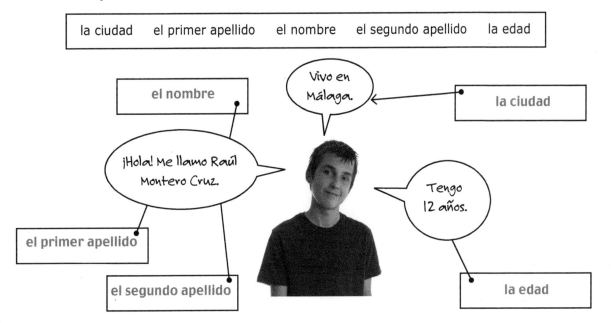

el nombre

Vivo en Málaga.

la ciudad

¡Hola! Me llamo Raúl Montero Cruz.

el primer apellido

Tengo 12 años.

el segundo apellido

la edad

5 El abecedario

Descubre nuevas palabras. Escucha el deletreo y escribe las letras.

Pista 46

1. un <u>Y</u> <u>O</u> <u>G</u> <u>U</u> <u>R</u>   2. un <u>V</u> <u>A</u> <u>S</u> <u>O</u>   3. una <u>S</u> <u>I</u> <u>L</u> <u>L</u> <u>A</u>   4. un <u>P</u> <u>E</u> <u>Z</u>

5. una <u>M</u> <u>O</u> <u>C</u> <u>H</u> <u>I</u> <u>L</u> <u>A</u>   6. una <u>M</u> <u>A</u> <u>N</u> <u>Z</u> <u>A</u> <u>N</u> <u>A</u>   7. una <u>G</u> <u>O</u> <u>R</u> <u>R</u> <u>A</u>   8. una <u>G</u> <u>O</u> <u>M</u> <u>A</u>

9. un <u>G</u> <u>A</u> <u>T</u> <u>O</u>   10. un <u>C</u> <u>O</u> <u>C</u> <u>H</u> <u>E</u>

¿Tienes un «blog»?

1 Irene participa en el «blog»

a. Lee el texto y ordena las frases.

6 Voy al instituto José María Pereda

4 Tengo doce años

11 es el domingo.

5 y mi cumpleaños es el 29 de noviembre.

3 Soy española, de Cantabria, y vivo en Santander.

10 Mi día favorito de la semana

1 ¡Hola!

8 hablo, leo

7 y mis asignaturas favoritas son el Inglés y el Francés porque escucho,

2 Me llamo Irene Gómez Mantuano.

9 y escribo en otras lenguas.

b. Subraya la sílaba tónica. Luego, pronuncia estas palabras en voz alta. Después, escucha y compara.

asignatura	semana	instituto	cumpleaños	día
lengua	domingo	noviembre	española	Santander

2 Los meses del año

Une las sílabas y escribe los nombres de los 12 meses del año, en orden.

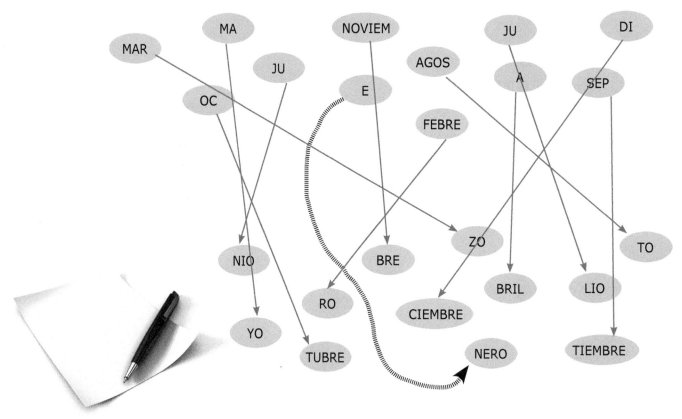

1. Enero
2. Febrero
3. Marzo

4. Abril
5. Mayo
6. Junio

7. Julio
8. Agosto
9. Septiembre

10. Octubre
11. Noviembre
12. Diciembre

3 Los números del 20 al 31

a. Escribe los números en cifras.

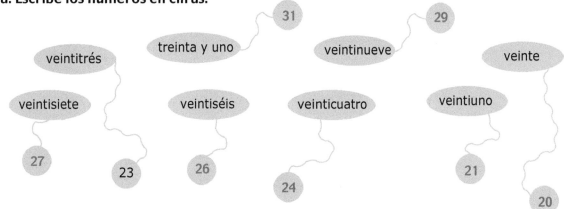

b. Escribe en cifras y letras los 4 números que no están en el ejercicio anterior.

- 22 veintidós
- 25 veinticinco
- 28 veintiocho
- 30 treinta

4 Las fechas

Escucha a Miguel y escribe las fechas de los cumpleaños de sus 5 amigos.

- El cumpleaños de Marta es el — 15 de agosto
- El cumpleaños de Raúl es el — 26 de mayo
- El cumpleaños de Carmen es el — 31 de octubre
- El cumpleaños de Pablo es el — 3 de enero
- El cumpleaños de Nuria es el — 19 de mayo

5 El masculino y el femenino

a. Une con flechas.

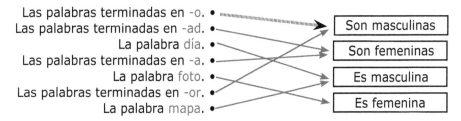

Las palabras terminadas en -o. — Son masculinas
Las palabras terminadas en -ad. — Son femeninas
La palabra día. — Es masculina
Las palabras terminadas en -a. — Es femenina
La palabra foto.
Las palabras terminadas en -or.
La palabra mapa.

b. Completa los cuadros de los artículos. Luego, escribe el o la.

ARTÍCULOS		
Indeterminados		
	masculino	femenino
singular	un	una
plural	unos	unas
Determinados		
	masculino	femenino
singular	el	la
plural	los	las

1. ...el... equipo
2. ...el... profesor
3. ...la... nacionalidad
4. ...la... chica
5. ...el... apellido
6. ...el... año
7. ...la... lengua
8. ...la... amiga
9. ...la... ciudad
10. ...el... instituto
11. ...la... asignatura
12. ...la... edad

6 Los días de la semana

Completa el crucigrama con el nombre de los días.

```
                                        V
                                        I
        M  I  É  R  C  O  L  E     S
        A                    E  R  N
    J   R           D        N
L U N E S           O        E  S
    E   S           M
    V               I
    E               N
    S  Á  B  A  D  O  G  O
```

7 El presente de indicativo: verbos regulares

a. Escribe las terminaciones.

	ESCUCHAR	LEER	ESCRIBIR
(yo)	escuch.o	le.o	escrib.o
(tú)*	escuch.as	le.es	escrib.es
(él, ella, usted)	escuch.a	le.e	escrib.e
(nosotros/as)	escuch.amos	le.emos	escrib.imos
(vosotros/as)	escuch.áis	le.éis	escrib.ís
(ellos/as, ustedes)	escuch.an	le.en	escrib.en
*(vos)	escuchás	leés	escribís

b. Completa con 6 formas del ejercicio anterior.

Yo   Tú   Él   Nosotros   Vosotros   Ellos

1. _Escucho_ una canción.

2. _Lees_ un libro.

3. _Escribe_ un e-mail en inglés a mi profesor.

4. _Leemos_ un e-mail de mi compañero.

5. _Escribís_ una frase en un ejercicio de francés.

6. _Escuchan_ a la profesora.

8 La frase negativa

Escucha las frases y escribe la forma negativa.

1. No estudias inglés.
2. No vivís en Madrid.
3. El profesor no es español.
4. No hablamos francés.
5. Pablo no tiene 12 años.
6. No escucho el diálogo.

EDUCACIÓN PARA LA CIUDADANÍA

Tú, vosotros, vosotras y *usted, ustedes*

1

Marca el verbo correcto.

1. ¿Usted .... la profesora? — [X] es / [ ] eres
2. (Tú) .... inglés y español. — [ ] Habláis / [X] Hablas
3. ¿Qué idiomas .... ustedes? — [ ] estudiáis / [X] estudian
4. ¿(Vosotros) .... clase los sábados? — [X] Tenéis / [ ] Tienen
5. (Tú) .... en España. — [X] Vives / [ ] Vivís
6. ¿Cómo .... usted? — [ ] te llamas / [X] se llama
7. ¿(Tú) .... una amiga de Pedro? — [ ] Sois / [X] Eres
8. Vosotros .... los compañeros de José. — [ ] son / [X] sois
9. Ustedes no .... un *blog*. — [ ] tienes / [X] tienen
10. Usted .... un texto en francés. — [X] lee / [ ] leéis

2

Une con flechas.

A dos amigas de mi padre.	**Digo *tú*** (verbo en 2.ª pers. del singular)	A mis compañeros.
A un amigo.	**Digo *usted*** (verbo en 3.ª pers. del singular)	A un niño.
A mis profesores.	**Digo *vosotros/as*** (verbo en 2.ª pers. del plural)	A mi profesor de Inglés.
A un adulto de mi familia.		A mis padres.
A un adolescente.	**Digo *ustedes*** (verbo en 3.ª pers. del plural)	A tres policías.

3

Saluda y formula una pregunta para conocer a estas personas.

1. A tres amigas.

2. A tu profesor de lengua.

3. Al padre de un amigo.

4. A la bibliotecaria.

5. A dos compañeros.

6. Al abuelo de un amigo.

7. A la madre de un amigo.

8. A un amigo del equipo.

1. ¡Hola! ¿Cómo os llamáis?
2. ¡Buenos días! ¿Cómo se llama?
3. ¡Hola! ¿Cómo se llama?
4. ¡Buenos días! ¿Cómo se llama?
5. ¡Hola! ¿Cómo os llamáis?
6. ¡Buenos días! ¿Cómo se llama?
7. ¡Hola! ¿Cómo se llama?
8. ¡Hola! ¿Cómo te llamas?

ESPACIO INTERDISCIPLINAR

PAÍSES DEL MUNDO

1

A. ESCRIBE LAS LETRAS QUE FALTAN.

1. I T A L I A
2. B R A S I L
3. A L E M A N I A
4. F R A N C I A
5. P O R T U G A L
6. S U I Z A
7. E S P A Ñ A
8. B É L G I C A
9. R E I N O U N I D O
10. G R E C I A

B. ¿QUÉ PAÍS ES? ESCRIBE LOS NÚMEROS DEL EJERCICIO ANTERIOR EN LOS CÍRCULOS.

7   4   9   1   5   3   6   10   2   8

2

SEPARA LAS PALABRAS Y ESCRIBE LAS NACIONALIDADES EN LA COLUMNA «MASCULINO». LUEGO, COMPLETA EL CUADRO CON LA FORMA FEMENINA.

PORTUGUÉS/ALEMÁN/BRITÁNICO/ESPAÑOL/ITALIANO/GRIEGO/BELGA/BRASILEÑO/FRANCÉS/SUIZO

	MASCULINO	FEMENINO
1	portugués	portuguesa
2	alemán	alemana
3	británico	británica
4	español	española
5	italiano	italiana
6	griego	griega
7	belga	belga
8	brasileño	brasileña
9	francés	francesa
10	suizo	suiza

❿ Alpes, Suiza

❾ Berlín, Alemania

❽ Londres, Reino Unido

3

¿RECONOCES ESTOS LUGARES? ¿EN QUÉ PAÍS ESTÁN?

❸ Río de Janeiro, Brasil

❺ Bruselas, Bélgica

❶ Atenas, Grecia

❷

Roma, Italia ❼

Barcelona, España   **❹ París, Francia**   **❻ Lisboa, Portugal**

Autoevaluación

Después de hacer la unidad 1
Fecha: ....

Nivel alcanzado

	Insuficiente	Suficiente	Bueno	Muy bueno

Comunicación
- Puedo saludar y despedirme.
Escribe las expresiones:

- Puedo decir y preguntar el nombre, la edad o la ciudad.
Escribe las expresiones:

- Puedo informar y preguntar por la fecha del cumpleaños.
Escribe las expresiones:

Gramática
- Sé usar los interrogativos: *quién, cómo, cuántos, dónde* y *qué.*
Escribe algunos ejemplos:

- Sé usar los verbos *llamarse, ser, vivir* y *tener* en presente.
Escribe algunos ejemplos:

- Sé distinguir palabras masculinas y femeninas y usar los artículos.
Escribe algunas palabras con su artículo:

Vocabulario
- Conozco los nombres de algunos países y las nacionalidades.
Escribe las palabras que recuerdas:

- Conozco los números del 0 al 31.
Escribe los números que recuerdas:

- Conozco los nombres de los días de la semana y los meses del año.
Escribe las palabras que recuerdas:

- Conozco los nombres de algunos regalos.
Escribe las palabras que recuerdas:

Mi diccionario

Traduce las principales palabras de la unidad 1 a tu idioma.

A

abril ....
abuelo, abuela (el, la) ....
¡Adiós! (expresión) ....
agenda (la) ....
agosto ....
alemán, alemana ....
Alemania ....
alfabeto (el) ....
amigo, amiga (el, la) ....
apellido (el) ....
Argentina ....
argentino, argentina ....
asignatura (la) ....
Australia ....
australiano, australiana ....

B

belga ....
Bélgica ....
¡Bienvenidos! (expresión) ....
blog (el) ....
Brasil ....
brasileño, brasileña ....
británico, británica ....
¡Buenas noches! (expresión) ....
¡Buenas tardes! (expresión) ....
¡Buenos días! (expresión) ....

C

Canadá ....
canadiense ....
capital (la) ....
catorce ....
chico, chica (el, la) ....
China ....
chino, china ....
cinco ....
ciudad (la) ....
¡Claro! (expresión) ....
clase (la) ....
coche (el) ....
colonia (la) ....
compañero, compañera (el, la) ....
conejo (el) ....
conocer (verbo irregular) ....
consonante (la) ....
correo electrónico (el) ....
cuatro ....
cumpleaños (el) ....

D

despertador (el) ....
día (el) ....
diciembre ....
diecinueve ....

dieciocho ....
dieciséis ....
diecisiete ....
diez ....
doce ....
domingo (el) ....
dos ....

E

edad (la) ....
enero ....
equipo (el) ....
escribir (verbo regular) ....
escuchar (verbo regular) ....
España ....
español, española ....
estudiar (verbo regular) ....

F

favorito, favorita ....
febrero ....
fecha (la) ....
¡Feliz cumpleaños! (expresión) ....
francés, francesa ....
Francia ....
funda para el móvil (la) ....
fútbol (el) ....

G

gato, gata (el, la) ....
goma (la) ....
gorra (la) ....
Grecia ....
griego, griega ....

H

hablar (verbo regular) ....
¡Hasta luego! (expresión) ....
¡Hola! (expresión) ....
Holanda ....
holandés, holandesa ....
hucha (la) ....

I

instituto (el) ....
Italia ....
italiano, italiana ....

J

jueves (el) ....
julio ....
junio ....

L

leer (verbo regular) ....
lengua (la) ....

letra (la) ....

libro (el) ....

llamarse (verbo reflexivo) ....

llavero (el) ....

lunes (el) ....

M

madre (la) ....

manzana (la) ....

mapa (el) ....

martes (el) ....

marzo ....

mayo ....

mes (el) ....

mexicano, mexicana ....

México ....

miércoles (el) ....

mochila (la) ....

moneda (la) ....

monumento (el) ....

músico (el) ....

N

nacionalidad (la) ....

niño, niña (el, la) ....

nombre (el) ....

noviembre ....

nueve ....

número (el) ....

O

ocho ....

octubre ....

once ....

osito (el) ....

P

padre (el) ....

país (el) ....

palabra (la) ....

pasar lista (expresión) ....

pastel de chocolate (el) ....

pastelero, pastelera (el, la) ....

pez (el) ....

pintor, pintora (el, la) ....

policía (el) ....

porque ....

Portugal ....

portugués, portuguesa ....

preferido, preferida ....

pregunta (la) ....

profesor, profesora (el, la) ....

quince ....

R

regalo (el) ....

Reino Unido ....

S

sábado (el) ....

seis ....

semana (la) ....

septiembre ....

ser (verbo irregular) ....

sí ....

siete ....

silla (la) ....

símbolo (el) ....

sombrero (el) ....

Suiza ....

T

tener (verbo irregular) ....

texto (el) ....

trece ....

treinta ....

treinta y uno ....

tres ....

U

uno ....

V

vaso (el) ....

veinte ....

veinticinco ....

veinticuatro ....

veintidós ....

veintinueve ....

veintiocho ....

veintiséis ....

veintisiete ....

veintitrés ....

veintiuno ....

vela (la) ....

videojuego (el) ....

viernes (el) ....

vivir (verbo regular) ....

vocal (la) ....

Y

yogur (el) ....

Describe tu instituto

Unidad 2

Contenidos y actividades

1. Identificar los materiales de clase.
2. El plural de los sustantivos.
3. Los nombres del material escolar.
4. Los nombres de las asignaturas.
5. El verbo estar.
6. Las notas.
7. Describir el instituto.
8. La diferencia entre hay y está(n).
9. El presente de indicativo de los verbos irregulares ver, hacer y jugar.
10. Las actividades de clase.
11. Comunicarte correctamente en clase.
12. Los colores.

3 | ¿Qué llevas en la mochila?

1 Los materiales de clase

a. Observa la imagen, lee el texto y marca las opciones correctas.

Marta:	A ver... una mochila, ¿dónde están las mochilas?
La madre:	¡Aquí!, están al lado de los estuches/<u>libros</u>.
Marta:	¡Qué bonitas! Necesito también tres cuadernos, una regla y un estuche.
La madre:	¿Un estuche? Tienes dos en casa.
Marta:	Sí, vale, vale.
La madre:	¿Y una goma, no necesitas una goma?
Marta:	No, tengo cuatro, pero para la clase de <u>Plástica</u>/Tecnología necesito dos bolígrafos, unas tijeras, un lápiz y siete rotuladores.
La madre:	¿Y una calculadora para los ejercicios de Inglés/<u>Matemáticas</u>?
Marta:	No, calculadora no. Ah, también unos archivadores.
La madre:	¿Cuántos?
Marta:	Dos, uno para la clase de Geografía y otro para la clase de Francés, mi asignatura favorita.
La madre:	Bueno, ¿ya está?
Marta:	Sí... ¡No, no! Necesito también una <u>barra</u>/regla de pegamento.

Pista 50

b. Escucha y repite estas frases con la entonación adecuada.

1. A ver... una mochila, ¿dónde están las mochilas?
2. ¡Qué bonitas!
3. Y tres cuadernos, una regla y un estuche...
4. No, calculadora no. Ah, también unos archivadores.
5. Bueno, ¿ya está?

2 El plural

a. Une con una flecha y escribe las terminaciones.

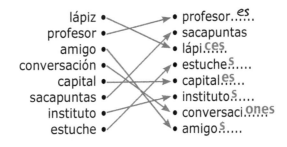

lápiz
profesor
amigo
conversación
capital
sacapuntas
instituto
estuche

profesor.*es*.
sacapuntas
lápi.*ces*.
estuche.*s*....
capital.*es*...
instituto.*s*....
conversaci.*ones*
amigo.*s*....

b. Completa el cuadro.

SINGULAR	PLURAL
Palabras terminadas en vocal (a, e, i, o, u)	+ S
Palabras terminadas en consonante (excepto en –z)	+ ES
Palabras terminadas en –z	–z > CES
Palabras terminadas en –ión	–ión > IONES
el sacapuntas el cumpleaños	=

c. Escucha y marca si las palabras están en singular (S) o en plural (P).

1	2	3	4	5	6	7	8	9	10
P	S	S	P	P	S	S	S	P	S

3 El material escolar

¿Qué es?

1. Es un rotulador.
2. Es una barra de pegamento.
3. Son unas tijeras.
4. Es una regla.
5. Es una calculadora.
6. Es una goma.
7. Es un estuche.
8. Es un sacapuntas.
9. Es un libro.
10. Es un archivador.

4 Las asignaturas

a. Completa los nombres de las asignaturas con vocales.

1. CIENCIAS DE LA NATURALEZA
2. EDUCACIÓN FÍSICA
3. EDUCACIÓN PLÁSTICA Y VISUAL
4. FRANCÉS
5. GEOGRAFÍA
6. HISTORIA
7. INGLÉS
8. LENGUA CASTELLANA Y LITERATURA
9. MATEMÁTICAS
10. MÚSICA
11. TECNOLOGÍA

Pista 52

b. Escucha y marca la asignatura favorita de cada persona. Hay 3 asignaturas intrusas.

Historia	Matemáticas	Lengua	Francés	Ciencias	Tecnología	Inglés	Música	Educación Física
4	3		1	5			6	2

5 El verbo «estar»

a. Completa el crucigrama del verbo estar en presente.

```
                        E  S  T  Á  N
                        S
        E         E  S  T  A  M  O  S
  E  S  T  Á  S   T  Á
        T         T  I
        O         Á  S
        Y
```

b. Observa las ilustraciones y marca la casilla correcta. ¿Dónde está la pelota?

1. [X] Delante de la caja.
   [ ] Sobre la caja.

2. [X] En la caja.
   [ ] Sobre la caja.

3. [ ] Debajo de la caja.
   [X] A la derecha de la caja.

4. [X] Detrás de la caja.
   [ ] Enfrente de la caja.

5. [ ] En la caja.
   [X] Sobre la caja.

6. [X] Entre las cajas.
   [ ] Debajo de las cajas.

6 Las notas

Escribe las cualificaciones correspondientes.

CALIFICACIONES

2.ª evaluación

Asignatura	Nota
Lengua y Literatura	3
Inglés	6
Tecnología	5
Matemáticas	9
Francés	8
Ciencias de la Naturaleza	2
Historia	4
Música	7

Alumno:

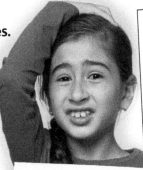

Insuficiente
Suficiente
Bien
Notable
Sobresaliente

Notable ....

Insuficiente ....

Sobresaliente ....

Insuficiente ....

Insuficiente ....

Suficiente ....

Bien ....

Notable ....

1 La web del Instituto Lope de Vega

a. Completa el texto con las palabras del recuadro.

lectura
centro
biblioteca
escribir
profesores
gimnasia
información
ordenadores
baloncesto
extranjeros
recreo

Instituto Lope de Vega

¡Bienvenidos a la página web del IES Lope de Vega!

Somos un pequeño .... *centro* .... con:

- 25 aulas (en el aula de idiomas, hay .... *ordenadores* .... conectados a Internet y una pizarra digital)
- 2 patios
- 1 .... *biblioteca* ....
- 1 gimnasio
- 1 pequeño comedor (los alumnos comen con los .... *profesores* ....)
- 1 cafetería abierta durante el .... *recreo* ....

Las actividades extraescolares del centro:

- Fomento de la .... *lectura* ....: leer y comentar libros.

- Internet: cómo buscar .... *información* .... segura.

- Intercambio con institutos ingleses y franceses: taller para .... *escribir* ...., escuchar diálogos, ver la tele inglesa y francesa y hablar por videoconferencia con los alumnos .... *extranjeros* ....
- Actividades deportivas: hacer .... *gimnasia* .... o yudo, jugar al .... *baloncesto* .... o al fútbol.

fotos

b. Reconstruye 8 expresiones del texto con estas palabras: la tele, extraescolares, al fútbol, de idiomas, digital, yudo, información, web.

1. EL AULA .... *de idiomas* ....

2. LAS ACTIVIDADES .... *extraescolares* ....

3. LA PIZARRA .... *digital* ....

4. VER .... *la tele* ....

5. BUSCAR .... *información* ....

6. LA PÁGINA .... *web* ....

7. HACER .... *yudo* ....

8. JUGAR .... *al fútbol* ....

Pista 53

c. Pronuncia cada expresión en voz alta. Luego, escucha y compara.

2 «Hay» y «está(n)»

Completa las frases con hay, está o están.

1. El profesor ......*está*...... detrás de la mesa.
2. Debajo de la mesa ......*hay*...... una papelera.
3. Sobre la mesa ......*hay*...... tres libros y un diccionario.
4. ......*Hay*...... bolígrafos delante del libro.
5. El ordenador del profesor ......*está*...... a la izquierda.
6. Los alumnos no ......*están*...... en el aula.
7. ......*Hay*...... una silla a la derecha de la mesa del profesor.
8. Entre el ordenador y los libros ......*hay*...... cuadernos.
9. El estuche del profesor ......*está*...... sobre los cuadernos.
10. En el estuche ......*hay*...... una regla y un rotulador.

3 El presente de indicativo: verbos irregulares

Completa los cuadros.

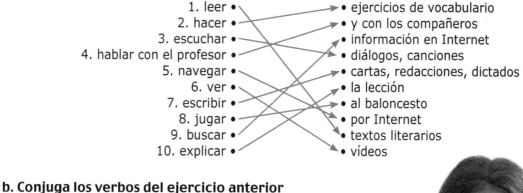

	VER	HACER	JUGAR
(yo)	*veo*	*hago*	juego
(tú, vos)	ves	*haces*/hacés	*juegas*/jugás
(él, ella, usted)	*ve*	hace	*juega*
(nosotros/as)	vemos	*hacemos*	jugamos
(vosotros/as)	*veis*	hacéis	*jugáis*
(ellos/as, ustedes)	*ven*	*hacen*	juegan

4 Las actividades de clase

a. Relaciona las dos partes de cada expresión.

1. leer
2. hacer
3. escuchar
4. hablar con el profesor
5. navegar
6. ver
7. escribir
8. jugar
9. buscar
10. explicar

- ejercicios de vocabulario
- y con los compañeros
- información en Internet
- diálogos, canciones
- cartas, redacciones, dictados
- la lección
- al baloncesto
- por Internet
- textos literarios
- vídeos

b. Conjuga los verbos del ejercicio anterior en presente, en las formas indicadas.

1. (nosotros) *Leemos textos.*
2. (Julio) *Hace ejercicios.*
3. (yo) *Escucho diálogos.*
4. (tú) *Hablas con el profesor.*
5. (vosotros) *Navegáis por Internet.*
6. (los alumnos) *Ven vídeos.*
7. (Marta) *Escribe cartas.*
8. (yo) *Juego al baloncesto.*
9. (nosotros) *Buscamos información.*
10. (el profesor) *Explica la lección.*

c. ¿Qué hacen estos chicos? Escribe las frases en los recuadros.

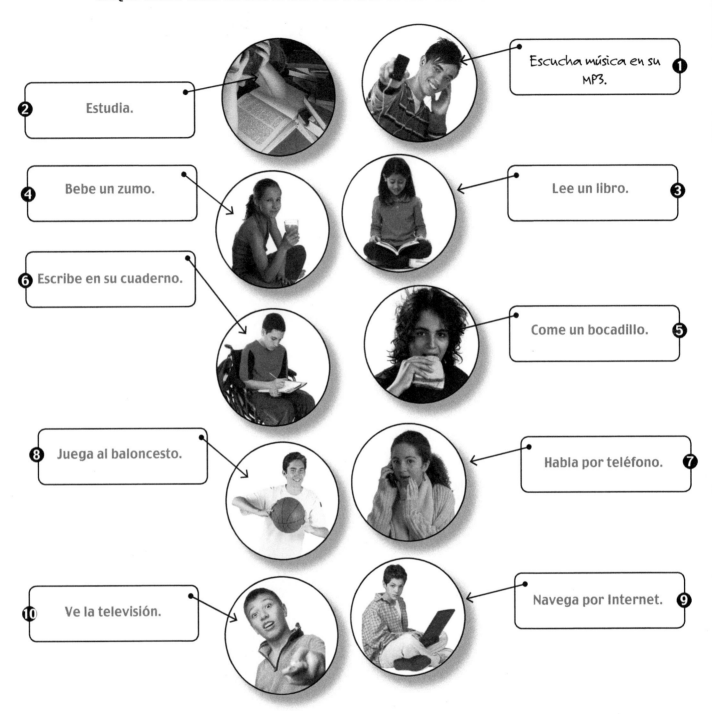

1 Escucha música en su MP3.

2 Estudia.

4 Bebe un zumo.

3 Lee un libro.

6 Escribe en su cuaderno.

5 Come un bocadillo.

8 Juega al baloncesto.

7 Habla por teléfono.

10 Ve la televisión.

9 Navega por Internet.

d. Transforma las frases del ejercicio anterior como en el ejemplo.

1. Yo también ..... escucho música en mi MP3.
2. Nosotros también ..... estudiamos.
3. Usted también ..... lee un libro.
4. Ellas también ..... beben un zumo.
5. Vosotros también ..... coméis un bocadillo.
6. Tú también ..... escribes en tu cuaderno.
7. Patricia también ..... habla por teléfono.
8. Yo también ..... juego al baloncesto.
9. Nosotros también ..... navegamos por Internet.
10. Tú también ..... ves la televisión.

EDUCACIÓN PARA LA CIUDADANÍA

Convivencia en el centro escolar

1

Relaciona y forma frases.

Para comunicarnos con nuestro profesor de español

1. ....c............, ¿puede repetir, por favor?
2. ¿............e............ «zumo»?
3. ¿............a............ «100» en español?
4. ¿............b............ «mochila», por favor?
5. ¿............d............ al baño, por favor?

a. Cómo se dice   ....
b. Cómo se escribe   ....
c. No entiendo   ....
d. Puedo ir   ....
e. Qué significa   ....

2

Pide estos objetos cortésmente, como en el ejemplo.

Para comunicarnos con nuestros compañeros de español

¿Tienes un sacapuntas, por favor?

1. .... ¿Tienes una regla, por favor? ....

2. .... ¿Tienes unas tijeras, por favor? ....

3. .... ¿Tienes una calculadora, por favor? ....

4. .... ¿Tienes una goma, por favor? ....

5. .... ¿Tienes un rotulador, por favor? ....

6. .... ¿Tienes una barra de pegamento, por favor? ....

ESPACIO INTERDISCIPLINAR

LOS COLORES

1 COLOREA LAS FORMAS DEL COLOR INDICADO. INDICA EL COLOR DE LAS MEZCLAS.

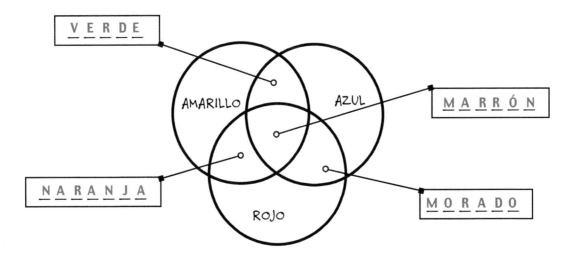

V E R D E

AMARILLO

AZUL

M A R R Ó N

N A R A N J A

ROJO

M O R A D O

2 ¿DE QUÉ COLOR ES/SON?

1. Los limones son..........amarillos.

2. La fresa es..........roja.

3. Las avellanas son..........marrones.

4. La mandarina es..........naranja.

5. Los kiwis son..........verdes.

6. El coco es..........blanco.

7. Las moras son..........negras.

8. Las cerezas son ....rojas.

9. La piña es ....amarilla.

10. Las manzanas son ....rojas.

11. El albaricoque es ....naranja.

Autoevaluación

Portfolio: evalúa tus conocimientos de español.

Después de hacer la unidad 2
Fecha: ....

	Insuficiente	Suficiente	Bueno	Muy bueno

Comunicación
- Puedo explicar dónde está un objeto.
Escribe las expresiones:

| | ☐ | ☐ | ☐ | ☐ |

- Puedo hablar de las actividades de clase.
Escribe las expresiones:

| | ☐ | ☐ | ☐ | ☐ |

- Puedo informar de lo que está bien y mal en clase.
Escribe las expresiones:

| | ☐ | ☐ | ☐ | ☐ |

Gramática
- Sé distinguir y usar *hay* y *está(n)*.
Escribe algunos ejemplos:

| | ☐ | ☐ | ☐ | ☐ |

- Sé usar las palabras en plural.
Escribe algunos ejemplos:

| | ☐ | ☐ | ☐ | ☐ |

- Sé usar los verbos regulares e irregulares en presente.
Escribe algunos ejemplos:

| | ☐ | ☐ | ☐ | ☐ |

Vocabulario
- Conozco los nombres de los materiales escolares.
Escribe las palabras que recuerdas:

| | ☐ | ☐ | ☐ | ☐ |

- Conozco los nombres de las asignaturas.
Escribe los nombres que recuerdas:

| | ☐ | ☐ | ☐ | ☐ |

- Conozco los nombres de los muebles y espacios del instituto.
Escribe las palabras que recuerdas:

| | ☐ | ☐ | ☐ | ☐ |

- Conozco los nombres de los colores.
Escribe las palabras que recuerdas:

| | ☐ | ☐ | ☐ | ☐ |

Mi diccionario

Traduce las principales palabras de la unidad 2 a tu idioma.

A

a la derecha de ....

a la izquierda de ....

abierto, abierta ....

actividad extraescolar (la) ....

amarillo, amarilla ....

aprobado (el) ....

archivador (el) ....

aula (el, nombre femenino) ....

azul ....

B

barra de pegamento (la) ....

beber (verbo regular) ....

biblioteca (la) ....

bien ....

blanco, blanca ....

bocadillo (el) ....

boletín de notas (el) ....

bolígrafo (el) ....

bonito, bonita ....

buscar (verbo regular) ....

C

cafetería (la) ....

caja (la) ....

calculadora (la) ....

calefacción (la) ....

canción (la) ....

centro escolar (el) ....

Ciencias de la Naturaleza (las) ....

círculo (el) ....

comedor (el) ....

comentar (verbo regular) ....

comer (verbo regular) ....

comprar (verbo regular) ....

cuaderno (el) ....

D

debajo de ....

delante de ....

deportivo, deportiva ....

detrás de ....

diálogo (el) ....

diccionario (el) ....

durante ....

E

Educación Física (la) ....

Educación Plástica y Visual (la) ....

ejercicio (el) ....

enfrente de ....

entre ....

estante (el) ....

estar (verbo irregular) ....

estrella (la) ....

estuche (el) ....

examen (el) ....

existencia (la) ....

explicar (verbo regular) ....

extranjero, extranjera ....

F

Francés (el) ....

G

Geografía (la) ....

gimnasio (el) ....

gris ....

H

hacer (verbo irregular) ....

hacer gimnasia ....

hacer yudo ....

Historia (la) ....

I

información (la) ....

Inglés (el) ....

insuficiente ....

intercambio (el) ....

J

jugar (verbo irregular) ....

jugar al baloncesto (expresión) ....

jugar al fútbol (expresión) ....

L

lápiz (el) ....

lección (la) ....

lectura (la) ....

Lengua Castellana y Literatura (la) ....

M

marrón ....

Matemáticas (las) ....

material (el) ....

mejor ....

mesa de trabajo (la) ....

mesa del profesor (la) ....

minuto (el) ....

móvil (el) ....

música (la) ....

N

naranja ....

navegar por Internet ....

necesitar (verbo regular) ....

negro, negra ....

nota (la) ....

notable ....

O
objeto (el) ....
ordenador (el) ....
otro, otra ....

P
página web (la) ....
papelera (la) ....
patio (el) ....
pequeño, pequeña ....
pizarra (la) ....
pizarra digital (la) ....
planta (la) ....
póster (el) ....
puerta (la) ....
pupitre (el) ....

R
recreo (el) ....
regla (la) ....
reproductor MP3 (el) ....
rojo, roja ....
rosa ....
rotulador (el) ....

S
sacapuntas (el) ....
sacar buenas/malas notas ....
similitud (la) ....
sobre ....
sobresaliente (el) ....
suficiente (el) ....
supermercado (el) ....
suspenso (el) ....

T
taller (el) ....
Tecnología (la) ....
tijeras (las) ....

V
¡Vale! (expresión) ....
ventana (la) ....
ver (verbo irregular) ....
ver la tele ....
verde ....
videoconferencia (la) ....
violeta ....

Z
zumo de naranja (el) ....

Presenta a tu gente

Mira, esta es mi familia: mis padres, mis hermanos, mi hermana y yo.

Contenidos y actividades

1. Describir fotos de familia.
2. Identificar a los miembros de la familia.
3. Los adjetivos posesivos.
4. El plural de los sustantivos especiales.
5. El verbo gustar.
6. Describir personas.
7. Los adjetivos para describir personas.
8. Los adjetivos de carácter.
9. Los adverbios de cantidad.
10. Los apellidos españoles.
11. Los números hasta 100.

5 Fotos de familia

1 Las fotos de familia

Escribe las frases del abuelo en el lugar correcto.

- El día de mi cumpleaños. Tu padre, tu madre…
- Mira, otra foto, en el salón.
- Toma, para ti las dos.
- Espera, espera… Mira, estás aquí…
- No, es tu hermano Javier.
- Sí, con tu abuela Lola.
- Sí, con tu tío y con tu prima Elena.

Gema: Abuelo, ¿eres tú en la foto?
El abuelo: Sí, con tu abuela Lola.
Gema: ¡Qué guapa! Me gusta mucho la foto.
El abuelo: Mira, otra foto, en el salón.
Gema: A ver, a ver…
El abuelo: El día de mi cumpleaños. Tu padre, tu madre…
Gema: ¿Y la mujer detrás de papá es la tía Alicia?
El abuelo: Sí, con tu tío y con tu prima Elena.
Gema: Y el bebé, ¿soy yo?
El abuelo: No, es tu hermano Javier.
Gema: Y yo… ¿Dónde estoy?
El abuelo: Espera, espera… Mira, estás aquí.
Gema: Esta foto también me gusta.
El abuelo: Toma, para ti las dos.

2 Los miembros de la familia

**a. Rodea los nombres de los miembros de la familia (en masculino).
Luego, escribe los femeninos.**

HERMANO PADRE TÍO ABUELO PRIMO

↓ HERMANA   madre   tía   abuela   prima

b. Ahora, escribe las palabras en el árbol genealógico de la familia de Alberto.

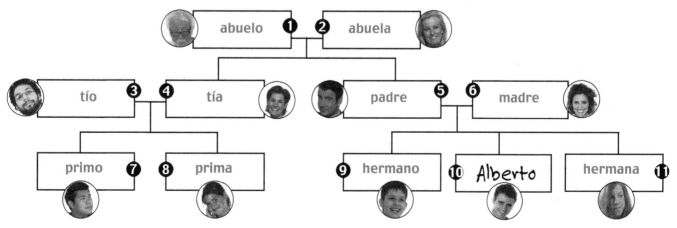

3 Los adjetivos posesivos

a. Completa los cuadros.

	MASCULINO		FEMENINO	
	SINGULAR	PLURAL	SINGULAR	PLURAL
(yo)	mi	mis	mi	mis
(tú)	tu	tus	tu	tus
(él, ella, usted)	su	sus	su	sus
(nosotros/as)	nuestro	nuestros	nuestra	nuestras
(vosotros/as)	vuestro	vuestros	vuestra	vuestras
(ellos/as, ustedes)	su	sus	su	sus

b. Escribe las palabras con los adjetivos posesivos.

(él, ella, usted)
sus tijeras

(tú)
tus lápices

(yo)
mi sacapuntas

(él, ella, usted)
su rotulador

(yo)
mis gomas

(ellos, ellas, ustedes)
su sombrero

(nosotros/as)
nuestros libros

(vosotros/as)
vuestros peces

(mi madre)
su coche

(tú)
tu mochila

(ellos, ellas, ustedes)
su calculadora

(tú)
tus papeles

(él, ella, usted)
su libro

(mi padre)
sus gafas

(él, ella, usted)
su ordenador

(nosotros/as)
nuestra pelota

4 El plural especial

Pon las palabras en plural.

1. el balcón   los balcones
2. el balón   los balones
3. el lápiz   los lápices
4. el delfín   los delfines
5. el ratón   los ratones
6. el jardín   los jardines

5 El verbo «gustar»

a. Completa el cuadro con los pronombres y las palabras de la lista.

| el teatro   los animales   montar en bici   las Matemáticas   el fútbol   los peces   bailar   ir al cine   los limones   la música   la piña   los bocadillos de queso   las fresas |

(A mí)	...me...		el teatro, montar en bici, el fútbol, bailar,
(A ti, vos)	...te...	gusta	ir al cine, la música, la piña.
(A él, ella, usted)	...le...		
(A nosotros/as)	...nos...		los animales, las Matemáticas, los peces,
(A vosotros/as)	...os...	gustan	los limones, los bocadillos de queso, las fresas.
(A ellos/as, ustedes)	...les...		

Pista 54

b. Escucha a Marcos y marca las casillas correctas. ¡Atención! Las fotos están desordenadas.

☐ le gusta	☐ le gusta	☐ le gusta	☒ le gusta	☒ le gusta
☐ le gustan	☒ le gustan	☐ le gustan	☐ le gustan	☐ le gustan
☒ no le gusta	☐ no le gusta	☒ no le gustan	☐ no le gusta	☐ no le gusta

☐ le gusta	☒ le gusta	☐ le gusta	☐ le gusta	☒ le gusta
☐ le gustan	☐ le gustan	☐ le gustan	☒ le gustan	☐ le gustan
☒ no le gusta	☐ no le gusta	☒ no le gustan	☐ no le gusta	☐ no le gusta

c. Reacciona y utiliza: «A mí también», «A mí no», «A mí tampoco» y «A mí sí».

Me gusta el zumo de manzana. — A mí también. ☺

No me gusta la piña. — A mí sí. ☺

No me gustan los ratones. — A mí tampoco. ☹

Me gustan los perros. — A mí no. ☹

Me gustan las galletas. — A mí no. ☹

Me gusta nadar. — A mí también. ☺

6 Cuestión de personalidad

1 Me gusta el teatro

a. Completa la descripción de cada persona.

abuela	abuelo	madre	padre	42	47
68	72	animales	cine	deporte	música

Alfonso es el ....**abuelo**........ .
Tiene ....**72**.......... años.
Le gustan los .....**animales**........ .

Carmela es la ......**abuela**.......... .
Tiene ....**68**.......... años.
Le gusta la ....**música**........ clásica.

Elvira es la ......**madre**...... .
Tiene ....**42**............ años.
Le gusta el ....**cine**.......... .

Víctor es el ....**padre**........ .
Tiene ....**47**............ años.
Le gusta el ......**deporte**........ .

b. Ahora, une con flechas las características físicas.

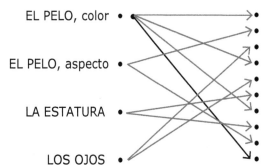

EL PELO, color •

EL PELO, aspecto •

LA ESTATURA •

LOS OJOS •

• moreno/a.
• largo y liso.
• azules.
• rubio/a.
• marrones.
• entre 1,55 y 1,65 metros.
• castaño/a.
• 1,45 y 1,53 metros.
• corto y rizado.
• pelirrojo/a.

2 Adjetivos para describir personas

a. Escribe las palabras en los recuadros.

El pelo

El ojo

Las gafas

El bigote

La barba

b. Clasifica las palabras en el recuadro.

delgado   azules   moreno   corto   marrones   alto   rizado   rubio
verdes   bajo   gordo   ondulado   castaño   negros   largo

ESTATURA	CORPULENCIA	OJOS	PELO	
			COLOR	**ASPECTO**
alto	delgado	azules	moreno	corto
bajo	gordo	marrones	rubio	rizado
		verdes	castaño	ondulado
		negros		largo

c. Escribe las preguntas correspondientes.

- ¿Cómo es la nueva profesora de Francés?
- Es alta.
- ¿Es gorda?
- No, es delgada.
- ¿Cómo tiene el pelo?
- Largo y ondulado.
- ¿Es morena?
- Sí, es morena.
- ¿Tiene los ojos grandes y verdes?
- Sí, son grandes y verdes.
- ¿Cómo son sus ojos?
- Son marrones.

3 Los adjetivos de carácter

a. Completa el cuadro.

MASCULINO	FEMENINO
simpático	*simpática*
cariñoso	cariñosa
sociable	*sociable*
trabajador	trabajadora
testarudo	*testaruda*
vago	vaga
hablador	*habladora*
inteligente	inteligente

b. Pon los adjetivos en femenino.

1. cariñoso   *cariñosa*
2. fiel   *fiel*
3. bonito   *bonita*
4. obediente   *obediente*
5. inteligente   *inteligente*
6. juguetón   *juguetona*
7. dormilón   *dormilona*

4 La cantidad

Lee las frases y marca la respuesta correcta.

1. Juan saca buenas notas.
   - [X] Trabaja mucho.
   - [ ] No trabaja nada.

2. Patricia habla por el móvil durante horas.
   - [X] Es muy habladora.
   - [ ] Es muy tímida.

3. Julio no hace los deberes.
   - [X] Es muy vago.
   - [ ] Es muy trabajador.

4. Sofía tiene 35 amigos en el instituto.
   - [ ] Le gusta mucho estar sola.
   - [X] Es muy sociable.

5. Carlos juega al fútbol 3 veces por semana.
   - [ ] Juega poco.
   - [X] Es muy deportista.

6. Victoria tiene 43 libros en su habitación.
   - [ ] No le gusta nada leer.
   - [X] Lee mucho.

7. Borja siempre saluda cuando entra en el aula.
   - [X] Es muy educado.
   - [ ] Es muy inteligente.

EDUCACIÓN PARA LA CIUDADANÍA

Los apellidos españoles

1

Di si las frases son verdaderas o falsas en España.

		V	F
1.	Los españoles tienen dos apellidos.	X	
2.	El primer apellido es el primer apellido del padre.	X	
3.	La mujer casada toma el primer apellido de su marido.		X
4.	García es un nombre.		X
5.	Nerea es un nombre de chica.	X	
6.	Adrián también es un nombre de chica.		X

2

Observa los nombres de los miembros de esta familia y completa el árbol genealógico con los nombres y los dos apellidos (el primero es el apellido paterno).

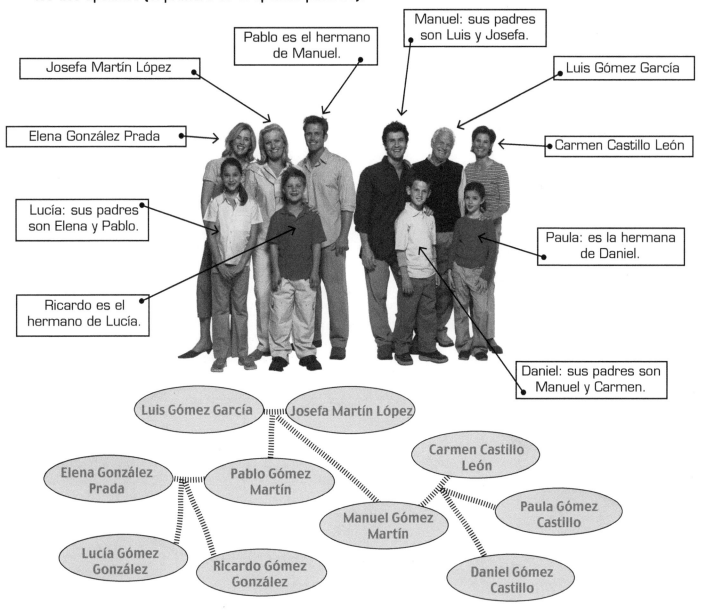

Manuel: sus padres son Luis y Josefa.

Pablo es el hermano de Manuel.

Josefa Martín López

Luis Gómez García

Elena González Prada

Carmen Castillo León

Lucía: sus padres son Elena y Pablo.

Paula: es la hermana de Daniel.

Ricardo es el hermano de Lucía.

Daniel: sus padres son Manuel y Carmen.

Luis Gómez García — Josefa Martín López

Carmen Castillo León

Elena González Prada — Pablo Gómez Martín

Paula Gómez Castillo

Manuel Gómez Martín

Lucía Gómez González

Ricardo Gómez González

Daniel Gómez Castillo

ESPACIO INTERDISCIPLINAR

LOS NÚMEROS HASTA CIEN

1 ESCUCHA Y RODEA LOS NÚMEROS COMO EN EL EJEMPLO. (HAY 3 NÚMEROS INTRUSOS).

(57) **23** (78) (21) (99) **59** (64) **89** (81)
      32   45   73

2 RELACIONA LOS NÚMEROS EN CIFRAS CON LOS NÚMEROS EN LETRAS.

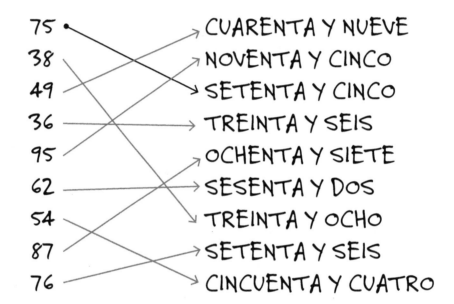

75 •   CUARENTA Y NUEVE
38   NOVENTA Y CINCO
49   SETENTA Y CINCO
36   TREINTA Y SEIS
95   OCHENTA Y SIETE
62   SESENTA Y DOS
54   TREINTA Y OCHO
87   SETENTA Y SEIS
76   CINCUENTA Y CUATRO

3 CALCULA Y COMPLETA LA SERIE.

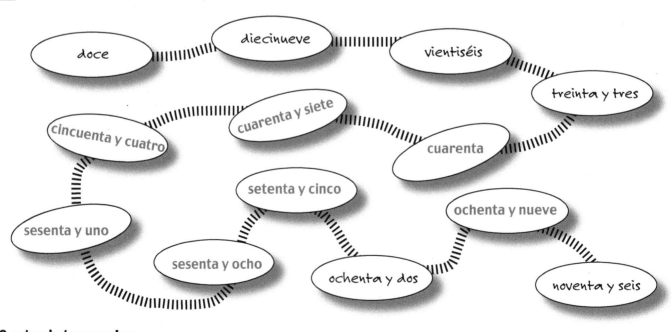

doce — diecinueve — vientiséis — treinta y tres — cuarenta — cuarenta y siete — cincuenta y cuatro — sesenta y uno — sesenta y ocho — setenta y cinco — ochenta y dos — ochenta y nueve — noventa y seis

Autoevaluación

Portfolio: evalúa tus conocimientos de español.

Después de hacer la unidad 3
Fecha: ....

	Insuficiente	Suficiente	Bueno	Muy bueno

Comunicación
- Puedo describir físicamente a personas.
Escribe las expresiones:

☐ ☐ ☐ ☐

- Puedo hablar de mis gustos y el de otras personas.
Escribe las expresiones:

☐ ☐ ☐ ☐

- Puedo informar del carácter de una persona.
Escribe las expresiones:

☐ ☐ ☐ ☐

Gramática
- Sé usar los interrogativos: *cuánto, cuánta, cuántos* y *cuántas*.
Escribe algunos ejemplos:

☐ ☐ ☐ ☐

- Sé usar el verbo *gustar*.
Escribe algunos ejemplos:

☐ ☐ ☐ ☐

- Sé usar los posesivos.
Escribe algunos ejemplos:

☐ ☐ ☐ ☐

Vocabulario
- Conozco los nombres de los parentescos.
Escribe las palabras que recuerdas:

☐ ☐ ☐ ☐

- Conozco los números.
Escribe los números que recuerdas:

☐ ☐ ☐ ☐

- Conozco los adjetivos de carácter.
Escribe las palabras que recuerdas:

☐ ☐ ☐ ☐

- Conozco algunas partes del cuerpo.
Escribe las palabras que recuerdas:

☐ ☐ ☐ ☐

Mi diccionario

Traduce las principales palabras de la unidad 3 a tu idioma.

A
adivinar (verbo regular) ....
álbum de fotos (el) ....
alto, alta ....
alumno, alumna (el, la) ....
animal (el) ....
anuncio (el) ....
aquí ....
araña (la) ....
árbol genealógico (el) ....

B
bajo, baja ....
balcón (el) ....
baloncesto (el) ....
barba (la) ....
bebé (el) ....
bicicleta (la) ....
bigote (el) ....
bonito, bonita ....

C
calcetín (el) ....
camión (el) ....
carácter (el) ....
caramelo (el) ....
cariñoso, cariñosa ....
castaño, castaña ....
chatear (verbo regular) ....
chocolate (el) ....
cien ....
cincuenta ....
circo (el) ....
club (el) ....
conocer gente nueva (expresión) ....
corto, corta ....
cuarenta ....

D
delfín (el) ....
delgado, delgada ....
descubrir (verbo regular) ....
desordenado, desordenada ....
dormilón, dormilona ....

E
educado, educada ....
empleo (el) ....
en bici (expresión) ....
en general (expresión) ....
escuchar música (expresión) ....
esperar (verbo regular) ....
estatura (la) ....

F
familia (la) ....
fiel ....
fiesta de cumpleaños (la) ....
foto (la) ....
fresa (la) ....

G
gafas (las) ....
galleta (la) ....
generoso, generosa ....
gente (la) ....
goloso, golosa ....
gordo, gorda ....
gracioso, graciosa ....
guapo, guapa ....
gustar (verbo especial) ....

H
hablador, habladora ....
hacer los deberes (expresión) ....
hermano, hermana (el, la) ....
hijo único, hija única (el, la) ....
humano, humana ....

I
ilustración (la) ....
inteligente ....

J
jardín (el) ....
jugar al baloncesto (expresión) ....
jugar al tenis (expresión) ....
juguetón, juguetona ....

L
largo, larga ....
liso, lisa ....

M
mamá (nombre familiar) ....
marido (el) ....
materno, materna ....
metro (el) ....
moreno, morena ....
mucho ....
mujer (la) ....

N
noventa ....

O
obediente ....

obra de teatro (la) ....

ochenta ....

ojo (el) ....

P

papá (nombre familiar) ....

parque (el) ....

pasear (verbo regular) ....

patata frita (la) ....

paterno, paterna ....

patinar (verbo regular) ....

pelo (el) ....

perro, perra (el, la) ....

personalidad (la) ....

piña (la) ....

pizza (la) ....

poco ....

presentar (verbo regular) ....

primo, prima (el, la) ....

R

ratón (el) ....

representar un papel (expresión) ....

revista (la) ....

rizado, rizada ....

romántico, romántica ....

rubio, rubia ....

S

salir con amigos (expresión) ....

salón (el) ....

serpiente (la) ....

sesenta ....

setenta ....

simpático, simpática ....

sociable, sociable ....

solo, sola ....

T

teatro (el) ....

televisión (la) ....

test (el) ....

tímido, tímida ....

tío, tía (el, la) ....

V

vago, vaga ....

visitar (verbo regular) ....

Habla de tus costumbres

¿Qué hora es?

Contenidos y actividades

1. Participar en un foro intercultural.
2. Preguntar y decir la hora.
3. Los verbos en presente reflexivos e irregulares.
4. Hablar de los horarios.
5. Explicar los planes.
6. Hablar del tiempo libre.
7. Ir a + infinitivo.
8. Tener que + infinitivo.
9. Hacer, aceptar y rechazar invitaciones.
10. Debatir sobre los adolescentes españoles y el tiempo libre.
11. Los deportes.

Lección 7

Mi rutina diaria

1 Un foro intercultural

a. Escribe qué hacen debajo de cada foto.

Carmen, por la noche, ve la televisión.

Los estudiantes, a las 14:30, salen de clase.

Marta, por la mañana, se ducha.

Carlos, por la tarde, hace los deberes.

Juan, por la mañana, desayuna con su familia.

Antonio, a las 15:00, come en casa.

b. Pronuncia cada expresión en voz alta. Luego, escucha y compara.

1. Son las siete.
2. Sonia se ducha.
3. Se viste en su habitación.
4. Desayuna en la cocina.
5. Las ocho y media.
6. Come en el instituto.
7. Por las tardes.
8. Hace los deberes.
9. Un día muy especial.
10. ¡Hoy es su cumpleaños!

2 La hora

a. Completa las expresiones.

b. Escucha las horas y dibuja las agujas de los relojes.

❶ ❷ ❸ ❹ ❺ ❻

3 Los verbos en presente

a. Copia las expresiones de la lista en el lugar correcto.

- acostarse
- cenar
- comer
- desayunar
- ducharse
- empezar a hacer los deberes
- levantarse
- merendar
- ir a jugar al fútbol

1. levantarse ....   2. ducharse ....   3. desayunar ....

4. comer ....   5. empezar a hacer los deberes ....   6. merendar ....   7. ir a jugar al fútbol ....

8. cenar ....   9. acostarse ....

b. Completa los cuadros.

	SALIR	IR	VOLVER	ACOSTARSE
(yo)	salgo	voy	vuelvo	me acuesto
(tú)	sales/salés	vas	vuelves	te acuestas
(él, ella, usted)	sale	va	vuelve	se acuesta
(nosotros/as)	salimos	vamos	volvemos	nos acostamos
(vosotros/as)	salís	vais	volvéis	os acostáis
(ellos/as, ustedes)	salen	van	vuelven	se acuestan

	EMPEZAR	MERENDAR	VESTIRSE
(yo)	empiezo	meriendo	me visto
(tú)	empiezas	meriendas	te vistes
(él, ella, usted)	empieza	merienda	se viste
(nosotros/as)	empezamos	merendamos	nos vestimos
(vosotros/as)	empezáis	merendáis	os vestís
(ellos/as, ustedes)	empiezan	meriendan	se visten

c. Escucha y escribe las frases en el lugar correcto.

1. Salen de casa a las 8:15. ....

2. Las clases empiezan a las 8:30. ....

3. Julio se acuesta a las 10:30. ....

4. Desayunamos con nuestros padres. ....

5. Volvéis a casa a las 14:30. ....

6. Alicia va al instituto con su hermana. ....

7. Carlos y Julián se levantan a las 7:30. ....

8. Merendamos en la terraza. ....

9. Me visto en mi habitación. ....

10. Cenas a las 21:00. ....

4 Los horarios

a. Escribe el nombre de la comida en el recuadro correspondiente.

el desayuno

Los españoles toman un café o un café con leche a las 9 y toman otro desayuno a las 11; en los institutos, los alumnos comen un bocadillo a la hora del recreo.

la cena

A las 9 o a las 10 de la noche.

la comida

Entre las 2 y las 3 de la tarde.

Los chicos españoles meriendan sobre las 5 de la tarde, nor- malmente un bocadi- llo de jamón, chorizo o queso.

la merienda

b. Ahora, escribe los nombres de las comidas y los verbos en infinitivo correspondientes. (Escribe los verbos por orden cronológico).

1. desayunar ....
2. comer ....
3. merendar ....
4. cenar ....

el desayuno   la comida   la merienda   la cena

c. Descubre fotos del desayuno español en Internet.

• Abre: http://www.google.es
• Luego escribe: *desayuno español* y haz clic en *Imágenes* (en la barra negra).

Mira las fotos.

• ¿Qué desayuno(s) te gusta(n)?
• ¿Son muy diferentes a los desayunos en tu país?

¿Qué vas a hacer?

1 Los planes de Camila

Une con flechas y termina las frases 2, 3, 5, 9, 10, 12 y 13.

1. Camila: Hola.
2. Celia: Hola, ¿qué vas ● c
3. Camila: Esta mañana voy a dibujar en mi habitación y voy a jugar con el perro en el jardín. ● f
4. Celia: ¿Vamos a la piscina?
5. Camila: Vale. ¿Con ● a
6. Celia: Con Raquel.
7. Camila: ¿A qué hora?
8. Celia: A las cinco y media.
9. Camila: ¡¡Oh, no!! A las cinco tengo que merendar en casa de mi abuela con mis primas. ● d
10. Celia: Mañana voy a una fiesta de cumpleaños con David, vamos a bailar y participar en un karaoke, ● g
11. Camila: A las tres.
12. Celia: ¡Genial! ● b
13. Camila: Vale, a las tres menos ● e
14. Celia: Chao.

a. quién vas?

b. Me apunto.

c. a hacer hoy?

d. Y mañana, ¿qué vas a hacer?

e. diez en mi casa. Chao.

f. Y esta tarde voy a patinar en el parque con Cristina.

g. canto fatal, pero es genial. ¿Esta tarde a qué hora vas a patinar?

2 El tiempo libre

Relaciona cada actividad con su foto correspondiente.

a. dibujar 12
b. escuchar música 10
c. ir al cine 13
d. jugar al baloncesto 6
e. jugar al fútbol 11
f. jugar con el perro 5
g. jugar con la consola 1
h. leer 8
i. montar en bici 9
j. nadar 7
k. patinar 4
l. sacar a pasear al perro 3
m. ver la tele 2

3 «Ir a» + infinitivo

a. Completa el cuadro con las formas del verbo «ir» en presente.

> (Yo) ....**Voy**........ a sacar a pasear al perro.
> (Tú) ....**Vas**........ a montar en bici en el parque.
> (Él, ella, Ud.) ....**Va**.......... a leer un libro.
> (Nosotros/as) ......**Vamos**....... a nadar en la piscina.
> (Vosotros/as) ....**Vais**......... a escuchar música en el salón.
> (Ellos/as, Uds.) ......**Van**............ a jugar al baloncesto.

b. Completa las frases con las expresiones temporales de la lista.

> Hoy   Este fin de semana   El miércoles a las 11   El domingo por
> la noche   A la una y media   Esta tarde   Esta noche

1. ......**A la una y media**...... voy a comer con mi abuela.
2. ....**Esta noche**.......... Julián se va a acostar a las nueve y media.
3. ....**Hoy**................ no vamos a ir al instituto, es domingo.
4. ....**Esta tarde**.......... Natalia va a merendar con sus amigas.
5. ....**El miércoles a las 11**.... vais a tener un examen de Inglés.
6. ....**Este fin de semana**.... vas a ir al zoo con tus amigos.
7. ..**El domingo por la noche**.. vamos a cenar en un restaurante, es el cumpleaños de mi madre.

4 «Tener que» + infinitivo

a. Completa el cuadro con las formas del verbo «tener» en presente.

> (Yo) ....**Tengo**.......... que hacer los deberes.
> (Tú) ....**Tienes**.......... que patinar con tu hermana.
> (Él, ella, Ud.) ....**Tiene**.......... que leer el correo electrónico.
> (Nosotros/as) ....**Tenemos**....... que ir al zoo con el profesor de Ciencias.
> (Vosotros/as) ....**Tenéis**......... que jugar al baloncesto.
> (Ellos/as, Uds.) ......**Tienen**.......... que ir a la biblioteca.

b. Forma frases según el modelo.

1. Ir al cine el domingo./No, gracias, comer con mi abuela.
   ......*¿Vamos al cine el domingo? No, gracias, tengo que comer con mi abuela.*......
2. Jugar con la consola mañana./Imposible, ir a clase de Inglés.
   ¿Vamos a jugar con la consola mañana? Imposible, tengo que ir a clase de Inglés.
3. Montar en bici el miércoles./No, hacer los deberes.
   ¿Vamos a montar en bici el miércoles? No, tengo que hacer los deberes.
4. Chatear el sábado./No, estudiar para el examen de Matemáticas.
   ¿Vamos a chatear el sábado? No, tengo que estudiar para el examen de Matemáticas.
5. Ver la tele esta noche./Imposible, cenar en casa de Pedro.
   ¿Vamos a ver la tele esta noche? Imposible, tengo que cenar en casa de Pedro.
6. Ir a la cafetería en el recreo./No, gracias, ir a la biblioteca.
   ¿Vamos a la cafetería en el recreo? No, gracias, tengo que ir a la biblioteca.
7. Pasear por el parque después de clase./Imposible, volver a casa.
   ¿Vamos a pasear por el parque después de clase? Imposible, tengo que volver a casa.
8. Merendar en mi casa el martes./No, sacar a pasear al perro de mi tía.
   ¿Vamos a merendar en mi casa el martes? No, tengo que sacar a pasear al perro de mi tía.
9. Escuchar música en mi habitación./Imposible, escribir un «e-mail» a un amigo.
   ¿Vamos escuchar música en mi habitación? Imposible, tengo que escribir un «e-mail».
10. Jugar al baloncesto el sábado./No, ir a una fiesta de cumpleaños.
    ¿Vamos a jugar al baloncesto el sábado? No, tengo que ir a una fiesta de cumpleaños.

Las invitaciones

Completa con las palabras que faltan.

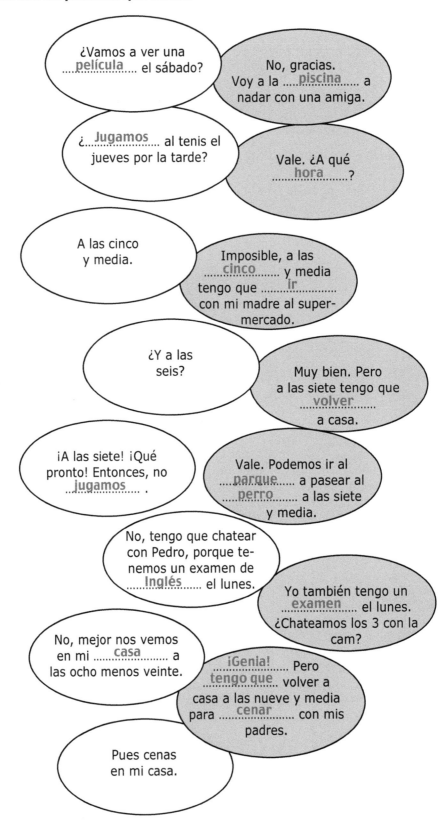

¿Vamos a ver una ....película.... el sábado?

No, gracias. Voy a la ......piscina...... a nadar con una amiga.

¿....Jugamos.... al tenis el jueves por la tarde?

Vale. ¿A qué ....hora....?

A las cinco y media.

Imposible, a las ....cinco.... y media tengo que ....ir.... con mi madre al supermercado.

¿Y a las seis?

Muy bien. Pero a las siete tengo que ....volver.... a casa.

¡A las siete! ¡Qué pronto! Entonces, no ....jugamos.... .

Vale. Podemos ir al ....parque.... a pasear al ....perro.... a las siete y media.

No, tengo que chatear con Pedro, porque tenemos un examen de ....Inglés.... el lunes.

Yo también tengo un ....examen.... el lunes. ¿Chateamos los 3 con la cam?

No, mejor nos vemos en mi ....casa.... a las ocho menos veinte.

¡Genial! Pero ....tengo que.... volver a casa a las nueve y media para ....cenar.... con mis padres.

Pues cenas en mi casa.

Si no sabes qué palabras poner, elige una de la lista.

piscina	volver	hora	cenar	película	parque	cinco	examen
Jugamos	tengo que	jugamos	¡Genial!	Inglés	perro	casa	ir

EDUCACIÓN PARA LA CIUDADANÍA

Los adolescentes españoles y el tiempo libre

Observa las actividades de tiempo libre preferidas de los alumnos de 1.° a 4.° de la **ESO** y escribe el nombre de la actividad.

1. Jugar con la consola.
....

2. Hacer yudo.
....

3. Leer.
....

4. Bailar.
....

5. Navegar por Internet.
....

6. Ver una película.
....

7. Hablar por teléfono.
....

8. Estar con amigos.
....

9. Ir al cine.
....

¿Qué son estos objetos?

❶ Un reproductor MP3.
....

❷ Un móvil.
....

❸ Un ordenador.
....

ESPACIO INTERDISCIPLINAR

ME GUSTA LA EDUCACIÓN FÍSICA

1 ESCUCHA, ¿QUÉ DEPORTE ES? ESCRIBE EL NÚMERO Y EL NOMBRE DEL DEPORTE DEBAJO DE CADA FOTO.

Pista 59

❶ yudo, 1

❷ baloncesto, 6

❸ atletismo, 5

❹ natación, 4

❺ tenis, 2

❻ surf, 3

❼ voleibol, 7

❽ equitación, 8

2 ¿CON QUÉ DEPORTE ASOCIAS CADA VERBO O EXPRESIÓN?

esquiar → el esquí

nadar → la natación

montar en bici → el ciclismo

montar a caballo → la equitación

correr → el atletismo

3 PON LOS VERBOS EN PRESENTE E INDICA EL NOMBRE DEL DEPORTE.

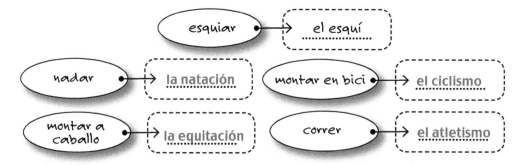

1. (Jugar, tú)		Juegas al tenis de mesa.
2. (Jugar, Raúl)		Juega al tenis.
3. (Hacer, vosotros)		Hacéis gimnasia.
4. (Hacer, tú)		Haces atletismo./Corres.
5. (Jugar, yo)		Juego al balonmano.
6. (Hacer, Carmen)		Hace yudo.
7. (Jugar, usted)		Juega al baloncesto.
8. (Hacer, nosotros)		Hacemos ciclismo./Montamos en bicicleta.
9. (Hacer, yo)		Hago vela.
10. (Hacer, ellas)		Hacen equitación/hípica./Montan a caballo.

Autoevaluación

Portfolio: evalúa tus conocimientos de español.

Después de hacer la unidad 4
Fecha: ....

	Insuficiente	Suficiente	Bueno	Muy bueno

Comunicación

- Puedo preguntar y decir la hora.
Escribe las expresiones:

	☐	☐	☐	☐

- Puedo hablar de mis hábitos y costumbres.
Escribe las expresiones:

	☐	☐	☐	☐

- Puedo informar de mis planes y mis obligaciones.
Escribe las expresiones:

	☐	☐	☐	☐

Gramática

- Sé usar los verbos reflexivos.
Escribe algunos ejemplos:

	☐	☐	☐	☐

- Sé usar la expresión *ir a* + infinitivo.
Escribe algunos ejemplos:

	☐	☐	☐	☐

- Sé usar la expresión *tener que* + infinitivo.
Escribe algunos ejemplos:

	☐	☐	☐	☐

Vocabulario

- Conozco los verbos de actividad cotidiana.
Escribe los verbos que recuerdas:

	☐	☐	☐	☐

- Conozco los verbos de actividades de tiempo libre.
Escribe los verbos que recuerdas:

	☐	☐	☐	☐

- Conozco los nombres de los deportes.
Escribe los nombres que recuerdas:

	☐	☐	☐	☐

Mi diccionario

Traduce las principales palabras de la unidad 4 a tu idioma.

A
a pie (expresión) ....
acostarse (verbo reflexivo irregular) ....

B
bailar (verbo regular) ....

C
cantar (verbo regular) ....
casa (la) ....
cena (la) ....
cenar (verbo regular) ....
cita (la) ....
cocina (la) ....
comida (la) ....
costumbre (la) ....
cotidiano, cotidiana ....

D
de la mañana (expresión) ....
de la tarde (expresión) ....
desayunar (verbo regular) ....
desayuno (el) ....
dibujar (verbo regular) ....
ducharse (verbo reflexivo regular) ....

E
empezar (verbo irregular) ....
empezar las clases (expresión) ....
especialmente ....
esquiar (verbo regular) ....
esta mañana (expresión) ....
esta noche (expresión) ....
esta tarde (expresión) ....
estudiante (el, la) ....
excusa (la) ....

F
forma (la) ....
frecuente ....

G
genial ....
grande ....

H
habitación (la) ....
hacer atletismo (expresión) ....
hacer ciclismo (expresión) ....
hacer equitación (expresión) ....
hacer esquí (expresión) ....
hacer natación (expresión) ....
hacer surf (expresión) ....

hora (la) ....
horarios (los) ....
hoy ....

I
instrumento (el) ....
invitación (la) ....
ir (verbo irregular) ....
ir a la piscina (expresión) ....
ir al cine (expresión) ....
ir al instituto (expresión) ....

J
jugar al balonmano (expresión) ....
jugar al voleibol (expresión) ....
jugar con la consola (expresión) ....
jugar con el ordenador (expresión) ....
jugar con el perro (expresión) ....

L
levantarse (verbo reflexivo regular) ....
llegar al instituto (expresión) ....

M
mandar mensajes (expresión) ....
mañana ....
merendar (verbo irregular) ....
mismo, misma ....
montar a caballo (expresión) ....
montar en bici (expresión) ....
mundo (el) ....

N
nada ....
nadar (verbo regular) ....
nadar en la piscina (expresión) ....
noche (la) ....
normal ....
normalmente ....
nuevas tecnologías (las) ....

P
participar (verbo regular) ....
partido (el) ....
paseo (el) ....
película (la) ....
piscina (la) ....
plan (el) ....
ponerse (verbo reflexivo irregular) ....
popular ....
por la mañana (expresión) ....
por la noche (expresión) ....
por la tarde (expresión) ....

practicar deporte (expresión) ....

Q
qu**e**rer (verbo irregular) ....

R
reloj (el) ....
rutina (la) ....

S
sacar a pasear al perro (expresión) ....
sacar fotos (expresión) ....
sa**l**ir (verbo irregular) ....
salir de casa (expresión) ....
subir fotos (expresión) ....

T
también ....
tarde (la) ....
tiempo libre (el) ....
todos los días (expresión) ....
tomar (verbo regular) ....

U
usar las redes sociales (expresión) ....

V
v**e**stirse (verbo reflexivo irregular) ....
vida (la) ....
v**o**lver (verbo irregular) ....
volver a casa (expresión) ....

Muévete por la ciudad

Contenidos y actividades

1. Describir la casa.
2. Los números ordinales.
3. Las direcciones postales.
4. Los demostrativos.
5. Entender una conversación sobre un anuncio de un perro.
6. Dar direcciones.
7. Hablar de la ciudad.
8. Los verbos ir y venir.
9. El respeto y el cuidado de los animales.
10. Los nombres de algunos animales.
11. Los comparativos.

¿Dónde vives?

1 La casa

a. Escribe los nombres con el artículo el o la.

1. el salón

2. la escalera

3. el pasillo

4. el jardín

5. el dormitorio

6. la cocina

7. el baño

b. Completa la conversación con las palabras de la lista.

cómo	balcones	jardín	casa	dónde	tiene	grande	piso

- ¿Vives en una .... casa ....?
- No, vivo en un .... piso ....
- ¿Y .... cómo .... es?
- Es .... grande ...., tiene tres habitaciones.
- ¿............ Tiene .... una terraza?
- No, pero hay dos .... balcones .... pequeños.
- ¿Y tú, ... dónde .... vives?
- En una casa pequeña. Tiene un .... jardín ....

2 Los ordinales

Escribe los ordinales correspondientes.

4	.... cuarto	3	.... tercero ....
7	.... séptimo	8	.... octavo ....
2	.... segundo	6	.... sexto ....
9	.... noveno	10	.... décimo ....
5	.... quinto	1	.... primero ....

3 Las direcciones postales

a. Observa cómo se escribe una dirección.

el segundo apellido

el primer apellido

el sello

el nombre

el sobre

el nombre de la vía

Pilar Muñoz Puig
P.º Caballero de Gracia, 9 5.ºB
08003 Barcelona

CORREO AEREO

la letra de la puerta

el código postal

el piso

la ciudad

el número de la puerta

b. Ahora, inventa 3 direcciones diferentes con estos elementos.

Nombres: Elena / José / Emilio
Apellidos: López / Martín / García / Serrano / Carrillo / Valles
Vías: paseo / calle / avenida
Nombres de vías: del Mediterráneo, 25 / de Pablo Picasso, 14 / de Brasil, 4
Pisos: 2.º / 6.º / 8.º
Puertas: A / B / C
Códigos postales y ciudades: 08006 Barcelona / 29450 Málaga / 46025 Valencia

4

Los demostrativos: «este/a»; «ese/a»; «aquel/aquella»

Observa la ilustración y escribe los adjetivos demostrativos con la concordancia adecuada.

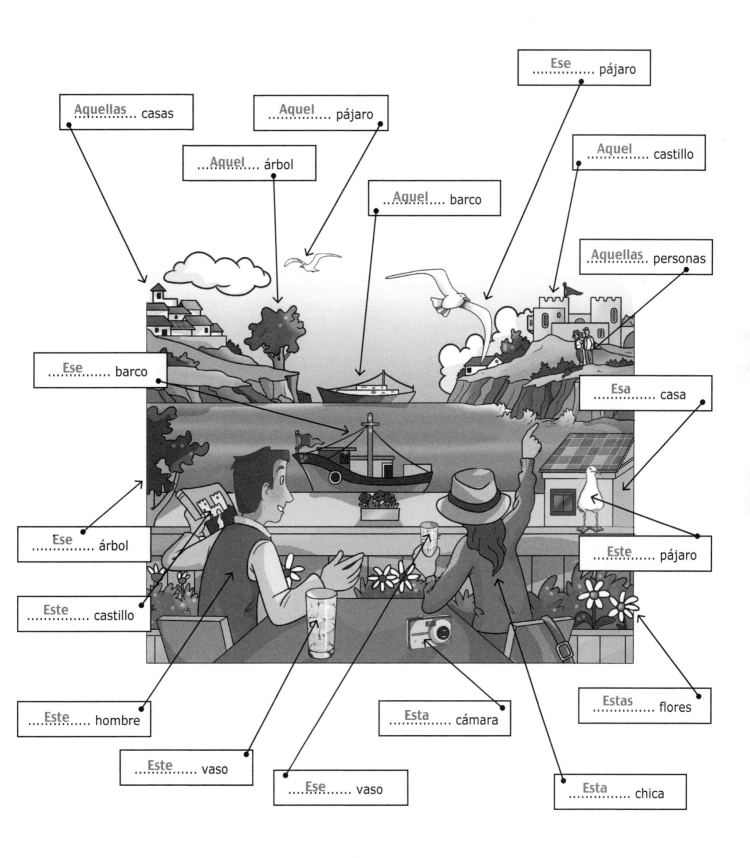

Ese pájaro

Aquellas casas

Aquel pájaro

Aquel árbol

Aquel barco

Aquel castillo

Aquellas personas

Ese barco

Esa casa

Ese árbol

Este pájaro

Este castillo

Este hombre

Este vaso

Ese vaso

Esta cámara

Esta chica

Estas flores

1 **Un anuncio de un perro**

a. Completa con las palabras del recuadro.

instituto	meses	bonito	perros	permiso	padres	número	izquierda	segunda

Sonia: Mira, ¡qué ....bonito........! ¿Llamamos?

Hugo: Espera… Y tus ....padres......., ¿están de acuerdo?

Sonia: Sí, sí. A mi madre le gustan mucho los ....perros......... .

Marta: ¿Diga?

Sonia: Hola, llamo por el perro.

Marta: Ah, sí. Mira tiene 4 ......meses...... y es… ¿por qué no vienes a verlo?

Sonia: Vale, ¿dónde vives?

Marta: En la calle Constitución, ...número....... 4.

Sonia: ¿Y dónde está? Yo ahora estoy en el ....instituto....... Guillén.

Marta: Pues es muy fácil: ve todo recto, gira la ....segunda....... a la derecha y la cuarta a la ....izquierda....... .

Sonia: ¡Vale! Ahora mismo voy.

Marta: Muy bien. ¡Hasta ahora!

Sonia: Chao.

Hugo: Espera… Primero ve a tu casa y pide ....permiso....... a tus padres.

b. Pronunciación: los sonidos /r/ y /r̄/. Escucha y repite estas palabras del diálogo.

c. Escucha de nuevo y clasifica las palabras en el cuadro.

Oyes una /r̄/ como en *co**rr**er*:	Oyes una /r/ como en *mo**r**eno*:
razón, perros, padres, cuarta, acuerdo, corral, recto, Marta.	farmacia, librería, permiso, número, verlo.

d. Entonación: escucha y repite estas frases del diálogo.

1. ¡Mira el anuncio!
2. ¡Qué bonito!
3. ¡Voy a llamar!
4. ¡Vale!
5. ¡Hasta luego!

2 Dar direcciones

a. Indica el número que corresponde a las ilustraciones.

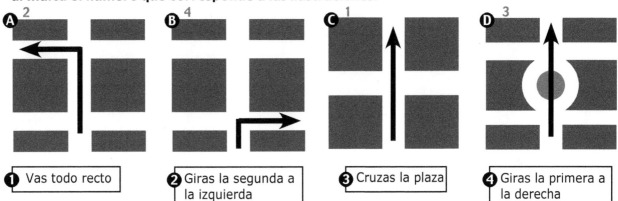

❶ Vas todo recto	❸ Cruzas la plaza
❷ Giras la segunda a la izquierda	❹ Giras la primera a la derecha

b. Observa el plano y escribe el camino de A a B.

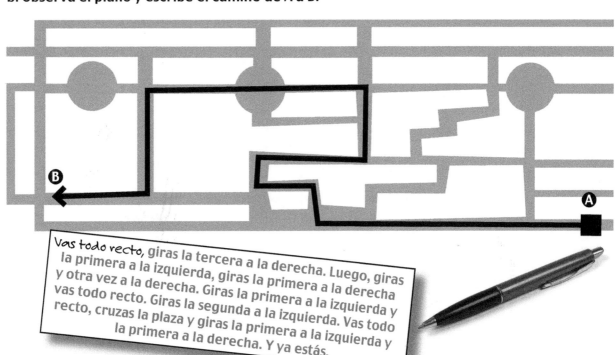

Vas todo recto, giras la tercera a la derecha. Luego, giras la primera a la izquierda, giras la primera a la derecha y otra vez a la derecha. Giras la primera a la izquierda y vas todo recto. Giras la segunda a la izquierda. Vas todo recto, cruzas la plaza y giras la primera a la izquierda y la primera a la derecha. Y ya estás.

3 La ciudad

Escribe los nombres de los lugares.

1. El cine
2. El parque
3. El polideportivo
4. La peluquería

5. El restaurante
6. La piscina
7. La librería
8. La farmacia

9. La frutería
10. La tienda de ropa
11. La carnicería
12. La panadería

4 «Venir/ir»

a. Completa los cuadros con al, del, de la, o a la.

VENIR	IR
del + nombre masculino	_al_ + nombre masculino
_de la_ + nombre femenino	_a la_ + nombre femenino

b. Completa el crucigrama con las formas de los verbos ir y venir en presente. Escribe los números de los pronombres en los círculos.

(1 = yo, 2 = tú, 3 = él/ella, Ud., 4 = nosotros/as, 5 = vosotros/as, 6 = ellos/as, Uds.)

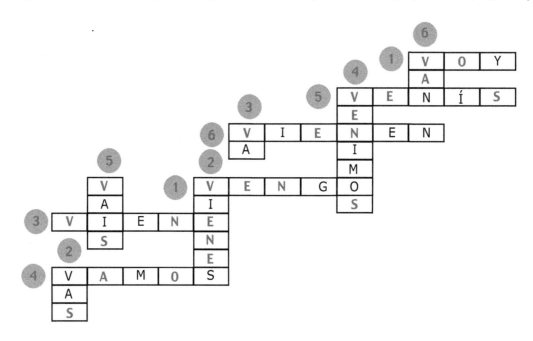

c. Forma frases, según el modelo.

Juan — Viene de la panadería y va a la farmacia.

Nosotros — Venimos del parque y vamos al cine.

Ustedes — Vienen del polideportivo y van a la frutería.

Yo — Vengo de la farmacia y voy a la panadería.

Lucía y Marta — Vienen de la tienda de ropa y van a la piscina.

Usted — Viene de la peluquería y va a la librería.

Vosotros — Venís del instituto y vais al parque.

Tú — Vienes del restaurante y vas a la carnicería.

EDUCACIÓN PARA LA CIUDADANÍA

El respeto y el cuidado de los animales

Todas estas personas hablan de las mascotas de su familia y amigos. Completa los bocadillos con estas palabras.

dormilón	verde	juguetón	bonita	grande
sociable	cariñoso	bueno	independiente	

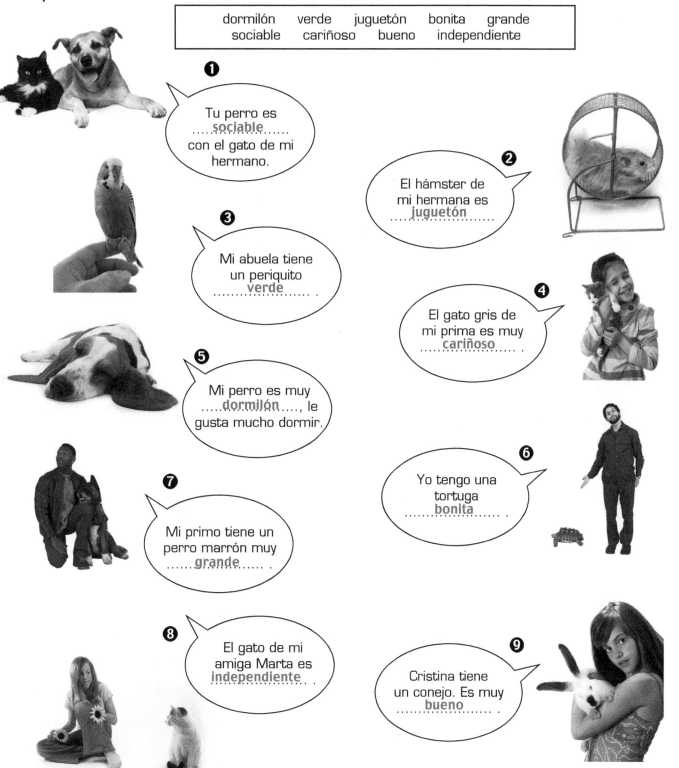

❶ Tu perro es ....sociable...... con el gato de mi hermano.

❷ El hámster de mi hermana es juguetón ....

❸ Mi abuela tiene un periquito ....verde........ .

❹ El gato gris de mi prima es muy ....cariñoso........ .

❺ Mi perro es muy .....dormilón...., le gusta mucho dormir.

❻ Yo tengo una tortuga ....bonita........ .

❼ Mi primo tiene un perro marrón muy ......grande...... .

❽ El gato de mi amiga Marta es independiente ....

❾ Cristina tiene un conejo. Es muy bueno ....

ESPACIO INTERDISCIPLINAR

ME GUSTA LA BIOLOGÍA

1

Pista 62

A. EL SONIDO /k/.

ESCUCHA Y REPITE ESTAS PALABRAS.

• c + a/o/u/consonante (excepto «h»)	canario, consejo, concurso, lector
• qu + e/i	pequeño, izquierdo

B. LOS NOMBRES DE ESTOS ANIMALES TIENEN EL SONIDO /k/. COMPLÉTALOS CON «C» O CON «QU».

1. el ......c......aballo

2. el ......c......uervo

3. el mos......qu......ito

4. el ......c......ara......c......ol

5. el ......c......o......c......odrilo

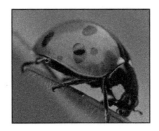

6. la mari......qu......ita

7. la ......c......ulebra

8. la fo......c......a.

2

LOS COMPARATIVOS

OBSERVA LAS FOTOS Y COMPLETA LAS FRASES CON «TAN», «MENOS» O «MÁS».

1. El mosquito es ....más............ pequeño que la mariquita.
2. El cocodrilo es ....más............ peligroso que la culebra.
3. La foca es ....menos............ rápida que el caballo.
4. El cuervo es ....tan............ feo como el cocodrilo.
5. La foca es ....tan............ simpática como el caballo.
6. El cocodrilo es ....más............ ágil que el caracol.
7. La culebra es ....tan............ rápida como el caballo.
8. La mariquita es ....tan............ corriente como el mosquito.

Autoevaluación

Portfolio: evalúa tus conocimientos de español.

Después de hacer la unidad 5
Fecha: ....

	Insuficiente	Suficiente	Bueno	Muy bueno

Comunicación
- Puedo describir mi casa.
Escribe las expresiones:

| | ☐ | ☐ | ☐ | ☐ |

- Puedo dar una dirección postal.
Escribe las expresiones:

| | ☐ | ☐ | ☐ | ☐ |

- Puedo indicar cómo ir a un lugar.
Escribe las expresiones:

| | ☐ | ☐ | ☐ | ☐ |

Gramática
- Sé usar los demostrativos.
Escribe algunos ejemplos:

| | ☐ | ☐ | ☐ | ☐ |

- Sé usar los números ordinales.
Escribe algunos ejemplos:

| | ☐ | ☐ | ☐ | ☐ |

- Sé usar los verbos *ir* y *venir* y las contracciones *al* y *del*.
Escribe algunos ejemplos:

| | ☐ | ☐ | ☐ | ☐ |

Vocabulario
- Conozco los nombres de las habitaciones y las partes de una casa.
Escribe los nombres que recuerdas:

| | ☐ | ☐ | ☐ | ☐ |

- Conozco los nombres de los establecimientos públicos.
Escribe los nombres que recuerdas:

| | ☐ | ☐ | ☐ | ☐ |

- Conozco los nombres de los muebles.
Escribe los nombres que recuerdas:

| | ☐ | ☐ | ☐ | ☐ |

- Conozco algunos animales domésticos.
Escribe los nombres que recuerdas:

| | ☐ | ☐ | ☐ | ☐ |

Mi diccionario

Traduce las principales palabras de la unidad 5 a tu idioma.

A

agua (el, nombre femenino) ....
ahora ....
ahora mismo (expresión) ....
albergue (el) ....
animal de compañía (el) ....
armario (el) ....
autobús (el) ....
ave (el, nombre femenino) ....
avenida (la) ....

B

balonmano (el) ....
baño (el) ....
bosque (el) ....
buen clima (expresión) ....
bueno, buena ....

C

caballo (el) ....
cachorro (el) ....
calentar (verbo regular) ....
calle (la) ....
calor (el) ....
cama (la) ....
camisa (la) ....
canario (el) ....
carnicería (la) ....
centro social (el) ....
cerca ....
cercano, cercana ....
ciencia ficción (la) ....
cine (el) ....
cómodo, cómoda ....
concurso (el) ....
conejo (el) ....
construir (verbo irregular) ....
contestar (verbo regular) ....
cruzar (verbo regular) ....
cuadro (el) ....
cuarto (el) ....

D

dar de comer (expresión) ....
décimo, décima ....
dedicar (verbo regular) ....
dedo (el) ....
¿Diga? (expresión) ....
dirección (la) ....
dirección postal (la) ....
diseñado, diseñada ....
dormilón, dormilona ....
dueño, dueña (el, la) ....

E

ecológico, ecológica ....

elemento (el) ....
energía (la) ....
entorno (el) ....
escalera (la) ....
espejo (el) ....
estar de acuerdo (expresión) ....

F

fácil ....
farmacia (la) ....
feo, fea ....
fiel ....
fresa (la) ....
friegaplatos (el) ....
frutería (la) ....
futuro (el) ....

G

garaje (el) ....
gato, gata (el, la) ....
girar (verbo regular) ....
girar a la derecha (expresión) ....
girar a la izquierda (expresión) ....
grande ....
gratis ....

H

habitación (la) ....
hablador, habladora ....
hámster (el) ....
hasta ahora (expresión) ....
¡Hasta luego! (expresión) ....
hermoso, hermosa ....
humano, humana ....
hurón (el) ....

I

idea (la) ....
ideal ....
importante ....
importar (verbo regular) ....
inteligente ....
intercambiar (verbo regular) ....
ir todo recto (expresión) ....

J

jardín (el) ....
jarrón (el) ....
juguete (el) ....
juguetón, juguetona ....

L

lámpara (la) ....
lavadora (la) ....
lejos ....
librería (la) ....

lluvia (la) ....

lugar (el) ....

M

malo, mala ....

mamífero (el) ....

mapa (el) ....

mascota (la) ....

medicina (la) ....

mesa (la) ....

mesilla (la) ....

metro (el) ....

miembro (el) ....

N

natación (la) ....

natural ....

naturaleza (la) ....

nevera (la) ....

noveno, novena ....

O

obediente ....

octavo, octava ....

organizar (verbo regular) ....

P

pájaro (el) ....

pan (el) ....

panadería (la) ....

parecer (verbo regular) ....

pasear al perro (expresión) ....

pasillo (el) ....

pedir permiso (expresión) ....

película de ciencia ficción (la) ....

peluquería (la) ....

pensar (verbo irregular) ....

periquito (el) ....

persona mayor (la) ....

piso (el) ....

plano (el) ....

planta (la) ....

plaza (la) ....

polideportivo (el) ....

precioso, preciosa ....

primero, primera ....

proceder ....

pueblo (el) ....

Q

¡Qué bonito! (expresión) ....

quinto, quinta ....

R

rápido, rápida ....

ratón (el) ....

raza (la) ....

realidad (la) ....

reciclado, reciclada ....

regalar (verbo regular) ....

reptil (el) ....

respuesta (la) ....

restaurante (el) ....

roedor (el) ....

ropa (la) ....

S

segundo, segunda ....

séptimo, séptima ....

sexto, sexta ....

siempre ....

sillón (el) ....

sobre todo ....

subir fotos (expresión) ....

T

teléfono (el) ....

televisor (el) ....

temperatura (la) ....

tercero, tercera ....

terraza (la) ....

tienda (la) ....

tienda de ropa (la) ....

tener razón (expresión) ....

tortuga (la) ....

tóxico, tóxica ....

tradicional ....

trazar (verbo regular) ....

U

utilizar (verbo regular) ....

uva (la) ....

V

variedad (la) ....

vender (verbo regular) ....

venir (verbo irregular) ....

¿verdad? (expresión) ....

vídeo (el) ....

Z

zona (la) ....

Expresa tus deseos

> Yo tengo un deseo y es que quiero tener muchos amigos. Y tú, ¿qué quieres?

Contenidos y actividades

1. Pedir un deseo.
2. Los sonidos /an/ y /en/.
3. Querer y preferir con infinitivo.
4. El tiempo.
5. Las expresiones de deseo.
6. Hablar de la vida de un personaje.
7. El sonido /x/.
8. El pretérito perfecto simple.
9. Las expresiones temporales.
10. La Tierra, un planeta frágil.
11. Los nombres de los planetas.

¡Pide un deseo!

1 Tengo un sueño

Completa el diálogo con los verbos de la lista.

es	gustan	ver	Tengo	tenéis	prefiero	Jugar	queréis	viajar
	nadar	subir	entrevistar	sacarme	tomar			

Elena: ....**Tengo**........ un sueño: quiero ....**nadar**........ con los delfines del parque de atracciones. Y vosotros, ¿también ....**tenéis**........ un sueño? ¿Qué ....**queréis**........ hacer?

Vicente: ....**Jugar**........ al baloncesto con Pau Gasol, es mi jugador favorito.

Bea: Yo quiero ir a un concierto de Shakira, me ....**gustan**........ mucho sus canciones.

Tomás: Yo ....**prefiero**........ Ricky Martin.

Bea: ¿Y cuál ....**es**........ tu deseo?

Tomás: Quiero ....**subir**........ a un coche de carreras con Fernando Alonso.

Bea: Tengo otro deseo: ....**entrevistar**........ a Pedro Duque y ....**viajar**........ en un cohete para ver las nubes y La Tierra desde el espacio.

Elena: Y yo quiero ....**ver**........ un desfile de Agatha Ruiz de la Prada y... ....**sacarme**........ una foto con Antonio Banderas o con Rafa Nadal. ¡Hace calor! ¿Vamos a mi casa a ....**tomar**........ algo?

Todos: ¡Vale!

2 Los sonidos /an/ y /en/

a. Escucha y repite estas palabras del texto.

Pista 63

- /an/   **can**ciones, Fern**an**do, **An**tonio.
- /en/   Vic**en**te, t**en**go, **en**trevistar.

Pista 64

b. Escucha estos nombres de chicos y chicas y marca el sonido que oyes.

	Oyes /an/ como en *can*to.	Oyes /en/ como en *ten*go.
1.	☐	☒
2.	☐	☒
3.	☒	☐
4.	☒	☐
5.	☒	☐
6.	☐	☒
7.	☐	☒
8.	☒	☐
9.	☒	☐
10.	☒	☐

3 «Querer/preferir» + infinitivo

a. Conjuga los verbos en presente.

	QUERER	PREFERIR
(yo)	quiero	prefiero
(tú)	quieres	prefieres
(él, ella, usted)	quiere	prefiere
(nosotros/as)	queremos	preferimos
(vosotros/as)	queréis	preferís
(ellos/as, ustedes)	quieren	prefieren

b. Escribe las formas del verbo querer **del ejercicio anterior y transforma las frases según el ejemplo.**

1. (Yo) ......Quiero...... ducharme. — Me quiero duchar.
2. (Nosotros) ...Queremos... quedarnos en casa. — Nos queremos quedar en casa.
3. (Uds.) ......Quieren...... vestirse ahora. — Se quiere vestir ahora.
4. (Paloma) ......Quiere...... acostarse a las 11. — Se quiere acostar a las 11.
5. (Vosotros) ...Queréis...... levantaros a las 10. — Os queréis levantar a las 10.
6. (Ellas) ......Quieren...... sentarse en el aula. — Se quieren sentar en el aula.

c. Ahora escribe las formas del verbo preferir **y la frase correspondiente a las ilustraciones.**

1. Tú quieres jugar al fútbol y yo prefiero jugar al baloncesto.

2. Elena quiere ir al cine y su hermana prefiere patinar.

3. Quiero escuchar música y vosotros preferís chatear.

4. Paco quiere ver la tele y sus amigos prefieren montar en bici.

5. Quiero tomar un zumo de manzana y tú prefieres comer un bocadillo.

6. Ellos quieren ir al parque y nosotros preferimos ir a la librería/biblioteca.

4 El tiempo
¿Qué tiempo hace?

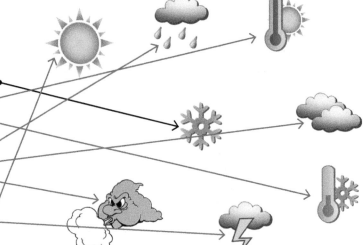

1. (Nevar) ......nieva......
2. (Calor) ...hace calor...
3. (Frío) ...hace frío...
4. (Llover) ...llueve...
5. (Nublado) ...está nublado...
6. (Viento) ...hace viento...
7. (Sol) ...hace sol...
8. (Tormenta) ...hay tormenta...

Los deseos

a. ¿Cuáles son los sueños de estos jóvenes? Relaciona las imágenes con los chicos.

1. Quiero conocer a Rafa Nadal. **a**
2. Quiero tener un iPad. **i**
3. Mi sueño es hacer un viaje en barco. **f**
4. Quiero ver un desfile de Agatha Ruiz de la Prada. **b**
5. Yo quiero visitar Nueva York. **e**
6. Tengo un sueño: ir al zoo. **j**
7. Mi sueño es nadar con focas. **c**
8. Mi sueño es dar de comer a un cachorro de tigre. **g**
9. Yo quiero aprender a tocar la guitarra. **d**
10. Mi sueño es jugar al fútbol profesional. **h**

b. Ahora completa estos sueños con las expresiones del ejercicio anterior.

1. _Mi sueño es hacer un viaje_ en moto.
2. _Quiero tener_ una Wii.
3. _Tengo un sueño: ir_ a un parque temático.
4. _Quiero ver un desfile_ de Paco Rabanne.
5. _Mi sueño es dar de comer_ a un cachorro de oso panda.
6. _Yo quiero aprender a tocar_ el piano.
7. _Quiero conocer_ a Antonio Banderas.
8. _Mi sueño es nadar_ con un delfín.
9. _Mi sueño es jugar_ al baloncesto con Paul Gasol.
10. _Yo quiero visitar_ París.

Un trabajo sobre Pedro Duque

1 Un astronauta español

Ordena las frases.

3 Después de la universidad, completó su formación en centros especializados de Alemania, Rusia y EE. UU., se entrenó en la Ciudad de las Estrellas de Moscú y participó en diferentes programas espaciales.

1 Pedro Duque nació el 14 de marzo de 1963 en Madrid.

6 - En octubre de 2003, trabajó en la Estación Espacial Internacional para la realización de la Misión Cervantes.

9 En el futuro, quiere viajar a Marte, porque está convencido de que la vida del hombre de forma estable en el espacio es posible.

7 Realizó un extenso programa experimental en las áreas de Biología, Fisiología, Física, la observación de La Tierra, el estudio del Sol, las nuevas tecnologías...

2 Es ingeniero aeronáutico (1986) por la Universidad Politécnica de Madrid.

4 Hizo diferentes vuelos al espacio, por ejemplo:

8 Actualmente es presidente de una empresa dedicada a la explotación de datos obtenidos por satélites de observación de La Tierra.

5 - En octubre de 1998 salió al espacio a bordo el transbordador Discovery.

2 El sonido /x/

a. Escucha y repite estas palabras del texto.

Pista 65

• j + vocal	trabajó, ejemplo, viajar
• g + e/i	ingeniero, biología, tecnologías

Pista 66

b. Todas estas palabras tienen el sonido /x/. Léelas en voz alta. Luego, escucha y comprueba.

una jirafa

una gimnasta

una brújula

una hoja

el patinaje

un conejo

un geranio

una caja de juguetes

un girasol

una bandeja

c. Lee las definiciones y escribe las palabras que tienen el sonido /x/.

1. Color (amarillo + rojo): .... naranja
2. Sexto mes del año: .... junio
3. Día de la semana: .... jueves
4. País muy grande de América Latina: .... Argentina
5. Contrario de «alto»: .... bajo

3 El pretérito perfecto simple

a. Une cada forma con su infinitivo.

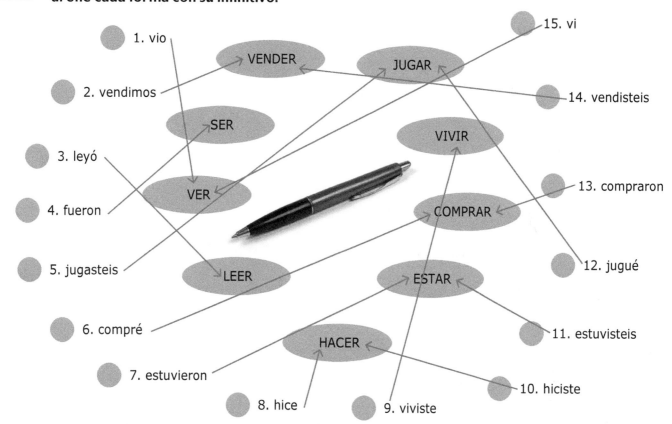

b. Ahora, indica el sujeto de cada forma.

1	él, ella, usted	6	yo	11	vosotros/as
2	nosotros/as	7	ellos/as, ustedes	12	yo
3	él, ella, usted	8	yo	13	ellos/as, ustedes
4	ellos/as, ustedes	9	tú	14	vosotros/as
5	vosotros/as	10	tú	15	yo

c. Marca con una X las expresiones temporales usadas con el pretérito perfecto simple.

- [X] ayer
- [ ] mañana
- [X] en febrero
- [ ] hoy
- [X] la semana pasada
- [ ] esta mañana
- [X] el año pasado
- [ ] esta noche
- [X] en diciembre
- [X] el lunes pasado
- [ ] esta tarde
- [X] el mes pasado

4 Las acciones pasadas

Completa las frases con los verbos y expresiones en pretérito perfecto simple.

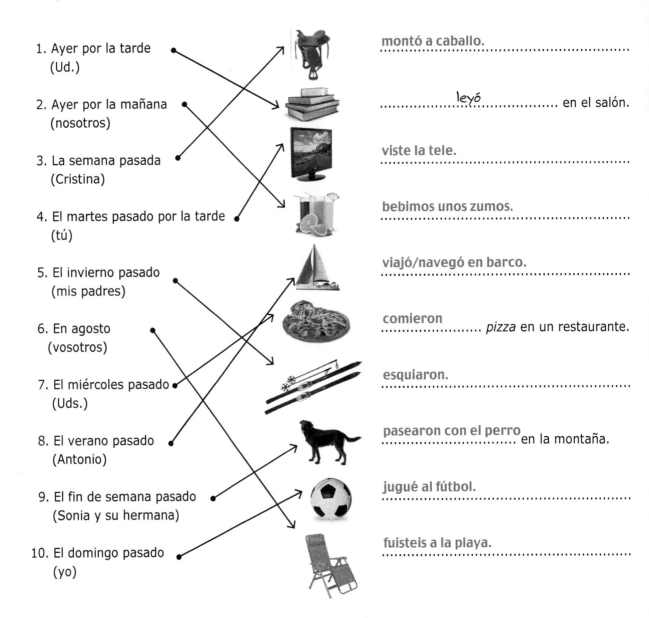

1. Ayer por la tarde (Ud.)

2. Ayer por la mañana (nosotros)

3. La semana pasada (Cristina)

4. El martes pasado por la tarde (tú)

5. El invierno pasado (mis padres)

6. En agosto (vosotros)

7. El miércoles pasado (Uds.)

8. El verano pasado (Antonio)

9. El fin de semana pasado (Sonia y su hermana)

10. El domingo pasado (yo)

montó a caballo. ....

.... leyó .... en el salón.

viste la tele. ....

bebimos unos zumos. ....

viajó/navegó en barco. ....

comieron .... pizza en un restaurante.

esquiaron. ....

pasearon con el perro .... en la montaña.

jugué al fútbol. ....

fuisteis a la playa. ....

5 Las expresiones temporales del pasado

Elige la referencia temporal más apropiada. Escribe los números.

1. Paseé por el patio con unas compañeras.	4
2. Desayuné con mis padres.	1
3. Nos acostamos a las 10.	8
4. Aprendimos a jugar al voleibol.	10
5. Hicieron un muñeco de nieve.	9
6. Comí en el instituto con dos compañeras.	6
7. Merendé con mis amigas.	3
8. Hicimos ejercicios de gramática.	7
9. Fuiste a la playa con tus padres.	2
10. Vimos una película de ciencia ficción.	5

1. ayer por la mañana
2. el verano pasado
3. el lunes a las 5
4. ayer en el recreo
5. el sábado en el cine
6. el jueves a las 2
7. ayer en clase de Francés
8. el martes por la noche
9. en diciembre
10. el lunes en clase de deporte

EDUCACIÓN PARA LA CIUDADANÍA

La Tierra, un planeta frágil

1

Observa y escribe debajo de cada contenedor de qué color es.

| Vidrio | Plásticos y envases | Papel y cartón | Materia orgánica |

1. ....Verde.... 2. ...Amarillo.... 3. ....Azul...... 4. ....Gris......

2

a. Escribe los nombres debajo de cada residuo.
b. Luego, anota en el círculo el número del contenedor correspondiente del ejercicio 1.

Una bola de papel
Una bolsa de basura
Una bolsa de papel
Una bolsa de plástico
Una botella de aceite
Unas botellas de agua
Una lata de conservas
Una lata de refresco

1 una botella

 **3** unos periódicos viejos

 **4** unos restos de comida

4 una bolsa de basura

 **2** una lata de conservas

 **2** una bolsa de plástico

4 una manzana podrida

 2 una lata de refresco

 **3** una bola de papel

2 unas botellas de agua

 3 una bolsa de papel

 2 un *tetrabrick* de leche

ESPACIO INTERDISCIPLINAR

ME GUSTAN LAS CIENCIAS

1 ESCRIBE EL NOMBRE DE CADA PLANETA O ELEMENTO DEL SISTEMA SOLAR.

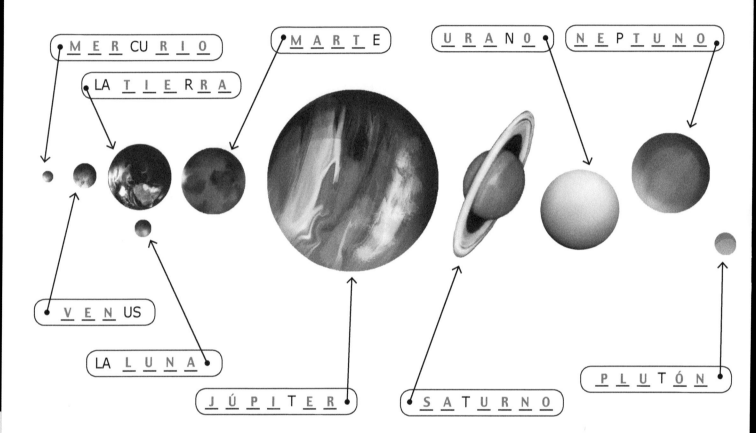

M E R CU R I O

LA T I E R R A

M A R T E

U R A N O

N E P T U N O

V E N US

LA L U N A

J Ú P I T E R

S A T U R N O

P L U T Ó N

2 COMPLETA LAS FRASES CON LAS PALABRAS DEL RECUADRO.

lunes	satélite	estrella	segundo	cohetes	rojo
vida	planeta	astronauta	Sol		

1. El primer ....planeta.......... del sistema solar se llama Mercurio.
2. La Luna es un ....satélite.......... de La Tierra.
3. Los planetas giran alrededor del ....Sol..........
4. El nombre del día ....lunes.......... viene de la Luna.
5. Marte también se llama el planeta ....rojo.......... .
6. Venus es el ....segundo.......... planeta.
7. El Sol es una ....estrella.......... gigante.
8. Los astronautas viajan al espacio a bordo de ....cohetes.......... .
9. Pedro Duque es un ....astronauta.......... español.
10. La Tierra es el único planeta del sistema solar con ....vida.......... .

Autoevaluación

Portfolio: evalúa tus conocimientos de español.

Después de hacer la unidad 6
Fecha: ....

	Insuficiente	Suficiente	Bueno	Muy bueno

Comunicación
- Puedo expresar deseos.
Escribe las expresiones:

  ☐ ☐ ☐ ☐

- Puedo hablar de actividades pasadas.
Escribe las expresiones:

  ☐ ☐ ☐ ☐

- Puedo informar de cómo reciclar.
Escribe las expresiones:

  ☐ ☐ ☐ ☐

Gramática
- Sé usar las expresiones con *querer* y *preferir* + infinitivo.
Escribe algunos ejemplos:

  ☐ ☐ ☐ ☐

- Sé usar los verbos en pasado.
Escribe algunos ejemplos:

  ☐ ☐ ☐ ☐

- Conozco algunos verbos irregulares en pasado.
Escribe algunos ejemplos:

  ☐ ☐ ☐ ☐

Vocabulario
- Conozco los nombres de algunas profesiones.
Escribe los nombres que recuerdas:

  ☐ ☐ ☐ ☐

- Conozco los nombres de actividades de tiempo libre.
Escribe los nombres que recuerdas:

  ☐ ☐ ☐ ☐

- Conozco los nombres de las basuras, los residuos y el reciclaje.
Escribe los nombres que recuerdas:

  ☐ ☐ ☐ ☐

- Conozco los nombres de los planetas.
Escribe los nombres que recuerdas:

  ☐ ☐ ☐ ☐

Mi diccionario

Traduce las principales palabras de la unidad 6 a tu idioma.

A

actor, actriz (el, la) ....
actual, actual ....
actualmente ....
alucinante, alucinante ....
América ....
el año pasado ....
astronauta, astronauta (el, la) ....
aventura (la) ....
ayer ....

B

barco (el) ....
basura (la) ....
biología (la) ....
a bordo de (expresión) ....
botella de leche (la) ....

C

cachorro (el) ....
caja de los cereales (la) ....
cantante, cantante (el, la) ....
cartón (el) ....
cáscaras de frutas (las) ....
centro (el) ....
cerebro (el) ....
champú (el) ....
cielo (el) ....
coche de carreras (el) ....
cohete (el) ....
completar (verbo regular) ....
concierto (el) ....
conductor de Fórmula 1 (el) ....
contenedor (el) ....

D

delfín (el) ....
descubrir (verbo regular) ....
deseo (el) ....
desfile (el) ....
detective (el, la) ....
diferente ....
diseñador, diseñadora de moda (el, la) ....
documental (el) ....
el domingo pasado (expresión) ....

E

electricidad (la) ....
empresa (la) ....
enorme ....
entrenarse (verbo regular) ....
entrevistar (verbo regular) ....
espacial ....

espacio (el) ....
especializado, especializada ....
esqueleto (el) ....
estable ....
estrella (la) ....
estudios (los) ....
experiencia (la) ....
experimento (el) ....
explotación (la) ....
exposición (la) ....
extenso, extensa ....
extraordinario, extraordinaria ....

F

facilitar (verbo regular) ....
el fin de semana pasado ....
fisiología (la) ....
fondo del mar (el) ....
formación (la) ....
frágil ....
funcionamiento (el) ....
futuro (el) ....

G

gigante ....

H

Hace bueno (expresión) ....
Hace calor (expresión) ....
Hace sol (expresión) ....
Hay tormenta (expresión) ....
Hace viento (expresión) ....
Hace frío (expresión) ....
Hay niebla (expresión) ....
humano, humana ....

I

ingeniero, ingeniera (el, la) ....
inventar (verbo regular) ....
invierno (el) ....

J

el jueves pasado (expresión) ....
jugador, jugadora (el, la) ....
juguete (el) ....
Júpiter ....

L

lata de bebida (la) ....
lata de conserva (la) ....
león (el) ....
ley (la) ....
Luna (la) ....
el lunes pasado (expresión) ....

M

Marte ....
el martes pasado (expresión) ....
medio de transporte (el) ....
Mercurio ....
el mes pasado (expresión) ....
metal (el) ....
el miércoles pasado (expresión) ....
misión (la) ....
monitor, monitora (el, la) ....
morir (verbo irregular) ....

N

nacer (verbo irregular) ....
nadar (verbo regular) ....
Neptuno ....
nube (la) ....
nuevas tecnologías (las) ....

O

observación (la) ....
otoño (el) ....

P

pantalla (la) ....
papel (el) ....
parque de atracciones (el) ....
parque temático (el) ....
participar (verbo regular) ....
periódico (el) ....
pila (la) ....
pintar (verbo regular) ....
pisar (verbo regular) ....
planeta (el) ....
planetario (el) ....
plástico (el) ....
Plutón ....
por ejemplo (expresión) ....
por primera vez (expresión) ....
posible ....
preferir (verbo irregular) ....
preservar (verbo regular) ....
primavera (la) ....
principal ....
programa (el) ....

Q

querer (verbo irregular) ....

R

realización (la) ....
reciclaje (el) ....
restos de comida (los) ....
roto, rota ....
Rusia ....

S

el sábado pasado (expresión) ....
la semana pasada (expresión) ....
satélite (el) ....
Saturno ....
seleccionar la basura ....
sentarse (verbo irregular) ....
servilleta (la) ....
sistema solar (el) ....
sobre (el) ....
sofá (el) ....
Sol (el) ....
sopa (la) ....
sueño (el) ....

T

tocar un instrumento (expresión) ....

U

último, última ....
universidad (la) ....
Urano ....

V

vaso (el) ....
vender (verbo regular) ....
Venus ....
verano (el) ....
el verano pasado (expresión) ....
viajar (verbo regular) ....
vida (la) ....
vidrio (el) ....
el viernes pasado (expresión) ....
volcán (el) ....
vuelo (el) ....

Y

yogur (el) ....

TRANSCRIPCIONES cuaderno de ejercicios

Pista 44
1. ¿Vives en Burgos?
2. Laura es una amiga.
3. Eres amiga de Antonio.
4. ¿Quién es?
5. Tiene 13 años.

Pista 45
Viven en Salamanca.
Tengo 10.
Se llaman Andrea y Pedro.
Tiene 13 años.
Es José, un amigo del equipo de fútbol.

Pista 46
1. Un yogur: Y, O, G, U, R.
2. Un vaso: V, A, S, O.
3. Una silla: S, I, L, L, A.
4. Un pez: P, E, Z.
5. Una mochila: M, O, C, H, I, L, A
6. Una manzana: M, A, N, Z, A, N, A.
7. Una gorra: G, O, R, R, A.
8. Una goma: G, O, M, A.
9. Un gato: G, A, T, O.
10. Un coche: C, O, C, H, E.

Pista 47
Asignatura, semana, instituto, cumpleaños, día, lengua, domingo, noviembre, española, Santander.

Pista 48
Hola, me llamo Miguel y tengo 5 amigos: Marta, Raúl, Carmen, Pablo y Nuria.
El cumpleaños de Marta es el 15 de agosto.
El cumpleaños de Raúl es el 26 de mayo.
El cumpleaños de Carmen es el 31 de octubre.
El cumpleaños de Pablo es el 3 de enero y el cumpleaños de Nuria es el 19 de mayo.

Pista 49
1. Estudias inglés.
2. Vivís en Madrid.
3. El profesor es español.
4. Hablamos francés.
5. Pablo tiene 12 años.
6. Escucho el diálogo.

Pista 51
1. Apellidos
2. Ciudad
3. Nombre
4. Ejercicios
5. Despertadores
6. Coche
7. Gorra
8. Manzana
9. Ilustraciones
10. Monumento

Pista 52
¿Cuál es tu asignatura favorita?
1. Mi asignatura favorita es el Francés.
2. Mi asignatura favorita es la Educación Física.
3.
• Y tú Carlos, ¿cuál es tu asignatura favorita?
• Las Matemáticas.
4. Y yo… La Historia, sí, ¡la Historia!
5.
• ¿Cuál es tu asignatura favorita, José?
• Las Ciencias.
6.
• ¿Y tú, Elena?
• Pues a mí me gusta muchísimo la clase de Música.

Pista 53
1. El aula de idiomas.
2. Las actividades extraescolares.
3. La pizarra digital.
4. Ver la tele.
5. Buscar información.
6. La página web.
7. Hacer yudo.
8. Jugar al fútbol.

Pista 54
Me gusta montar en bici.
Me gusta el fútbol.
Me gustan los ositos de peluche.
No me gusta leer.
Me gustan los kiwis.
No me gusta el circo.
No me gustan los peces.
Me gusta ver la tele.
Me gusta el chocolate.
No me gustan las arañas

Pista 55
1. 64
2. 32
3. 21
4. 73
5. 99
6. 45
7. 57
8. 81
9. 78

Pista 57
1. Son las seis y diez.
2. Es la una menos cuarto.
3. Son las tres y media.
4. Son las siete menos veinte.
5. Son las once y veinticinco.
6. Son las dos menos cinco.

Pista 58
1. Me visto en mi habitación.
2. Julio se acuesta a las diez y media.
3. Merendamos en la terraza.
4. Las clases empiezan a las ocho y media.
5. Volvéis a casa a las dos y media.
6. Alicia va al instituto con su hermana.
7. Salen de casa a las ocho y cuarto.
8. Cenas a las nueve.
9. Desayunamos con nuestros padres.
10. Carlos y Julián se levantan a las siete y media.

Pista 60
Razón, farmacia, perros, librería, permiso, padres, número, cuarta, acuerdo, verlo, corral, recto, Marta.

Pista 64
1. Carmen
2. Enrique
3. Julián
4. Orlando
5. Iván
6. Belén
7. Valentín
8. Esteban
9. Yolanda
10. Alejandro

GUÍA DIDÁCTICA

Nivel 1

María Ángeles Palomino

edelsa
GRUPO DIDASCALIA, S.A.

El libro que tiene entre sus manos es el libro del profesor del manual *Código ELE 1*, un libro redactado expresamente para satisfacer las necesidades de los estudiantes adolescentes del primer año de español y, por lo tanto, también de sus profesores. Para ello, al redactarlo y confeccionarlo, hemos tenido en cuenta las recomendaciones que tanto autoridades educativas (responsables del área de español de los ministerios de educación nacionales, representantes de entidades educativas internacionales, consejerías de educación, directores y jefes de estudios de institutos, etc.) como los profesores nos han ido proporcionado. Todo esto se traduce en esta versión mixta que significa que podrá disponer en su clase de dos formatos (en papel y digital) para que usted elija cuándo usar cada uno, dentro del equipamiento de la escuela, de la disponibilidad en su aula y de los gustos y preferencias, tanto de sus alumnos como de usted mismo, de todos los materiales de que consta el método:

- Libro del alumno en papel con la posibilidad de tenerlo también digitalizado.

- Cuaderno de ejercicios.

- Libro del alumno digitalizado para usted con enlaces o textos complementarios para que usted, si quiere, los pueda proyectar en su clase.

- Actividades complementarias en red donde podrá remitir a sus estudiantes o donde podrá usted acudir e imprimir los ejercicios para fotocopiarlos y repartirlos entre sus estudiantes. Para ello, vaya o remita a sus estudiantes a www.edelsa.es, pulse en la sección *Zona Estudiante* y elija *Adolescentes*, pulse en el icono de *Código* y pulse el nivel de la clase. Por último, pulse en la unidad con la que esté trabajando en ese momento o la que esté preparando para sus clases.

- El *blog* en el que sus estudiantes tienen la posibilidad de publicar sus producciones escritas consiguiendo así cuatro ventajas:

  • Crearemos entre todos un banco de documentos en español para aumentar las posibilidades de contacto con el español mediante la lectura de las producciones de otros estudiantes a lo largo y ancho del mundo.

  • Generaremos una red social de contactos entre estudiantes de español de distintos centros y países, posibilitando, en consecuencia, un enrique-

cimiento cultural y un aprendizaje auténticamente intercultural.

  • Aumentaremos la motivación de los alumnos en su aprendizaje de español, pues pocas cosas hay más enriquecedoras en el mundo del aprendizaje de lenguas que cuando uno tiene que producir un texto sabiendo que realmente va destinado a alguien que lo va a leer y a apreciar.

  • Y ganaremos también en motivación al sentirse el alumno involucrado en un proyecto educativo sin fronteras de transmisión de información interpersonal e intercultural.

El uso de los soportes digitales en la enseñanza de idiomas es hoy casi una necesidad por distintos motivos:

- Porque estimula la autonomía de aprendizaje, ya que no todo está cerrado y definido para el alumno, sino que se le proporcionan distintos y complementarios materiales para que tome decisiones en cuanto a su aprendizaje, elija lo que más le conviene en un momento dado, refuerce sus destrezas y su exposición a la lengua y se motive a utilizar la lengua con fines comunicativos.

- Porque estimula especialmente a los alumnos jóvenes acostumbrados a los soportes digitales, haciéndoles las tareas individuales y los deberes de casa más amenos y atractivos. No hay que olvidar que los soportes digitales aúnan en una misma actividad estímulos visuales, auditivos y quinestésicos.

- Porque diversifica los recursos facilitando, por tanto, una enseñanza centrada en sus estudiantes, en sus estilos de aprendizaje y en sus preferencias.

- Porque, sin eliminar actividades y documentos, aligera el peso de los materiales que los estudiantes tienen que llevar al aula, aligera sus carteras y mochilas.

Pero también le proporcionan a usted una gran ayuda, ya que en un solo soporte dispone de una gran diversidad de materiales con los que dar, enriquecer, diversificar y completar todas sus clases, sin necesidad de transportar aparatos, materiales y soportes diversos. Además, interactuando con distintos soportes, sorprenderá a sus estudiantes y hará que cada clase sea una sorpresa.

Evidentemente, solo el sentido común y el saber hacer de usted, profesor o profesora, son los que garantizarán que este esfuerzo tecnológico tenga su efecto y sea útil, que el alumno se aproveche solo de él cuando haga falta, sin abusar, y que, en resumidas cuentas, nada en didáctica, ni siquiera las nuevas tecnologías, es más importante que el mejorar el aprendizaje de la lengua por parte de sus estudiantes. Haga usted uso de los soportes digitales o de los soportes en papel o audio cuando realmente necesite cada uno de ellos y los considere convenientes; haga sugerencias a sus estudiantes de cuándo merece la pena hacer un ejercicio o una actividad en un soporte y cuándo en otro; ayúdeles a desarrollar su espíritu crítico también en estos aspectos.

Pero *Código ELE* no solo es una herramienta de enorme utilidad didáctica por el desarrollo tecnológico que lo acompaña, sino también y sobre todo porque presenta una madurez didáctica en cuanto a la enseñanza para adolescentes:

- Cada una de las seis unidades de que se compone el manual está constituida en dos lecciones ligeras y ágiles, lo que permite que los estudiantes tengan la sensación de progresar rápidamente.

- Cada lección arranca con una muestra de lengua, bien en un texto escrito, bien en un diálogo locutado. Le sugerimos que centre los primeros pasos en la comprensión global de la información y no en la percepción de fenómenos lingüísticos. Aunque en las muestras de lengua se presentan los principales contenidos objeto de estudio de la lección, es fundamental que, en el primer acercamiento, fije la atención en el qué se dice y no en el cómo se dice. Ponga las audiciones dos veces y, tras cada audición, haga preguntas de control de la comprensión cada vez más exigentes. Permita que la lectura sea, en primera instancia, individual, pues cada persona tiene su propio ritmo de lectura, y luego hágala plenaria y en voz alta. Apóyese en los elementos iconográficos y en las ilustraciones para ayudar a la comprensión. Seguro que es una enorme ayuda para sus estudiantes si, antes de entrar en contacto con los textos propiamente, proyecta en el aula las ilustraciones o imágenes que acompañan a los textos y hace algunas pequeñas actividades de acercamiento.

- Cada texto presenta unas actividades de comprensión que guían al estudiante hacia la actividad de lectura o audición comprensiva y, al mismo tiempo, le ayudan a superar las dificultades, ya que se centran en los aspectos más generales de la información textual.

- Una vez leído y/o escuchado el texto, proceda a actividades más de corte gramatical o lingüístico, ya que los textos permiten que sus estudiantes se hagan una idea global y, al mismo tiempo, descubran los contenidos léxicos y gramaticales dentro de un contexto comunicativo con sentido. En los diálogos, le sugerimos que pida voluntarios para que los interpreten en clase como si se tratara de actores profesionales. Estimular la memorización de algunas muestras de lengua favorece el aprendizaje; eso sí, evite que sean siempre los mismos alumnos los que se presenten como voluntarios para las interpretaciones. Deje, a lo mejor, que las primeras las hagan voluntarios, que suelen ser más desinhibidos, pero progresivamente vaya invitando a otros más tímidos también a participar en el juego de dramatizar teatralmente los diálogos.

- La sección *Practico y amplío* desarrolla, presenta, ejemplifica y permite la ejercitación de los contenidos léxicos, gramaticales y funcionales de la lección, presentados o esbozados en los textos de entrada. Estos ejercicios y actividades están creados teniendo en cuenta la realidad de aulas para numerosos adolescentes, donde es importante garantizar no solo que los alumnos trabajan en español y participan activamente sino también que las actividades son realizables sin crear problemas de disciplina o de dispersión. Le recomendamos que deje siempre a sus estudiantes que intenten encontrar las soluciones solos y luego comparen sus respuestas con las de su compañero de pupitre o con las del compañero que se sienta más cerca, antes de revisarlo en una fase plenaria; así se asegurará de que tanto introvertidos como extrovertidos tienen las mismas oportunidades de hablar español y de que toda la clase está trabajando. Es conveniente que, en estos momentos, se mueva por el aula, no para controlar o imponer disciplina, sino para ofrecerse como ayuda en lo que pueda necesitar cada alumno individualmente (una explicación adicional, una aclaración de una palabra, proporcionales un término que desconocen, etc.). Dirija también esas fases plenarias de control de los resultados para que no sean siempre los mismos alumnos quienes contesten. Responder con éxito delante de toda la clase y recibiendo la aprobación explícita y pública del profesor es un premio y un estimulante a la motivación y a la autoestima tan altos que no debe privar a ningún estudiante de ese motor del éxito.

– Las actividades están organizadas de forma progresiva de tal forma que el alumno, finalmente, realice una actividad más significativa utilizando los contenidos que va adquiriendo. Algunas de estas actividades significativas le sugerimos al alumno que las publique en el *blog*. Para ello, una vez escritas por sus estudiantes, revíselas con ellos y corríjalas para que finalmente ellos mismos publiquen sus entradas en el *blog* sin errores. Le recordamos los pasos: www.edelsa.es > *Zona Estudiante* > *Adolescentes* > *Código* y pulse el nivel de la clase. Allí encontrará el enlace al *blog*.

 **CÓDIGO**

– Se cierran las lecciones con *Actúo*: mediante la consecución de unos pasos o actividades posibilitadoras, le dirigimos a que realice una producción global o final, a la que llamamos *Código*, como si de una clave se tratara, en la que sus alumnos se sentirán ya más libres para crear con la lengua, aunque de forma pautada.

– Intente, en la realización de toda esta secuencia, modificar, en tanto le sea posible, la dinámica social de la clase, es decir, combine las explicaciones frontales con actividades plenarias, el trabajo individual con la formación de pequeños grupos. No le recomendamos que forme grupos muy grandes, pues en ellos los alumnos más vagos o los tímidos tienden a esconderse.

– Una vez trabajadas las dos lecciones, se presentan dos secciones muy interesantes: la primera es *Educación para la ciudadanía*, una sección donde sus alumnos trabajarán en español sobre sus derechos y sus obligaciones como ciudadanos del mundo, como miembros de una sociedad y como participantes activos de la comunidad escolar. La segunda trata de conectar su aprendizaje de español con las otras materias del programa escolar. Es la sección *Espacio interdisciplinar*. Le sugerimos que, si le es posible, entre en contacto con sus colegas de las otras materias del año escolar, para que puedan programar sus clases de tal modo que aborden casi a la par el aprendizaje del contenido de *Espacio interdisciplinar*. De esta forma, se reforzarán los dos contenidos, los de las asignaturas del curso y los del aprendizaje de español.

– Como forma de asegurarse una autoevaluación activa y eficiente, proponemos en *Ahora ya sé* que reflejen en dos páginas los contenidos fundamentales de la unidad. Dado que se trata de hacerlo de forma autónoma, le ofrecemos la posibilidad de que lo realicen sus estudiantes en soporte digital autónomo, esto es, que entren en la sección *Código* de la página de Edelsa (www.edelsa.es> *Zona Estudiantes* > *Adolescentes* > *Código* > *Nivel 1*) y que accedan también a las mismas páginas en formato digital. En ellas, los campos están abiertos, esto es, los alumnos pueden escribir con su ordenador directamente en el documento PDF, hacer un pantallazo y enviárselo a su correo electrónico para que comprueben que, efectivamente, han hecho las actividades e, incluso, comprobar qué tal lo han hecho para poder tomar después las decisiones oportunas sobre su clase siguiente.

– Las unidades se cierran con un examen que sigue los patrones de los modelos de exámenes oficiales, con lo que estaremos preparando a los estudiantes a superar con éxito los futuros exámenes, ya que está demostrado que un entrenamiento en cómo realizar estas pruebas ayuda notablemente a su éxito. Observará que estos exámenes están siempre organizados en cuatro actividades (*leo, escucho, escribo* y *hablo*) que responden a las cuatro actividades de la lengua o destrezas primordiales. Realice estas pruebas con la máxima formalidad, pidiéndoles que, en un determinado tiempo que usted fija de antemano, realicen cada actividad, en silencio y sin copiar, etc.

Como le indicábamos al principio, son muchos los materiales complementarios de que consta este manual: la *Carpeta de recursos* que tiene el alumno en su libro, los enlaces de los que usted dispone en su versión digital, el *cuaderno de ejercicios*, los recursos en la red o los *blog*. Todos ellos están a su disposición para que los utilice si los considera necesarios y cuando los precise. La progresión del curso no depende de estos materiales complementarios. Simplemente se los ofrecemos como ayuda, pero nos permitimos insistirle en que cuanta más exposición a la lengua y cuanta más diversidad de información reciban sus alumnos, más les estaremos ayudando en su proceso de adquisición de la lengua.

En esta guía didáctica, a continuación, le ofrecemos unas sugerencias para cada una de sus clases. Para que le sea más fácil identificar la información y poder disponer de todos los elementos en un golpe de vista, le presentamos una reproducción pequeña de la página correspondiente del libro de sus alumnos (atención, verá marcado un icono de una mano, quiere decir que en su versión digital –solo para usted, profesor– le hemos proporcionado allí un enlace a un sitio web o a un texto con el que enriquecer su clase), las sugerencias para llevar las actividades a la clase de forma más efectiva, la transcripción del audio para que no tenga que molestarse en buscarla y sepa en todo momento el contenido de lo que van a escuchar, y de nuevo las soluciones con algunas orientaciones, para que no tenga que comprobar los ejercicios y los tenga a mano, para que, como decíamos antes, todo lo tenga disponible en la misma página. Así mismo, le proporcionamos algunas sugerencias adicionales de uso y aprovechamiento de las nuevas tecnologías

En esta guía didáctica encontrará:

0 Bienvenido al español

1 Descubre los nombres en español
A. Escucha y marca los nombres.

¡Hola! Soy Lorena. Te presento a mis amigos del Tuenti.

Charo
Íñigo
Cristina
Ramón
Pilar
Guillermo
Juan
Carlos
David

B. Escucha y repite.

C. Di un número, un compañero dice el nombre del amigo.

El 5.
David.

1 uno 2 dos 3 tres 4 cuatro 5 cinco 6 seis 7 siete 8 ocho 9 nueve 10 diez 11 once 12 doce 13 trece 14 catorce 15 quince 16 dieciséis 17 diecisiete 18 dieciocho 19 diecinueve

nueve • 9

Transcripción: Uno, Charo; dos, Íñigo; tres, Cristina; cuatro, Pilar; cinco, David; seis, Carlos; siete, Juan; ocho, Guillermo; nueve, Ramón.

Actividad 1C
Lea los 19 números en voz alta y saque a un voluntario para que los pronuncie después de usted. Seguidamente, deje que realicen el ejercicio: un alumno dice un número al azar (del 1 al 9) y un compañero dice el nombre correspondiente del amigo de Lorena.

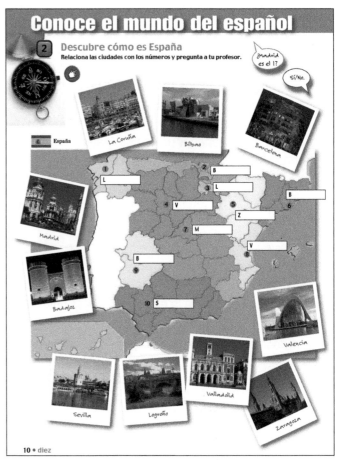

Conoce el mundo del español

2 Descubre cómo es España
Relaciona las ciudades con los números y pregunta a tu profesor.

¡Madrid es el 1?
Sí/No.

España
La Coruña
Bilbao
Barcelona
Madrid
Badajoz
Valencia
Valladolid
Sevilla
Logroño
Zaragoza

10 • diez

Actividad 1A
Los nombres elegidos presentan las grandes dificultades de la ortografía y la fonética española (grafías propias como la CH o la Ñ; sonidos fuertes como la [x] o la [r], la pronunciación [k] o el uso de la tilde). Deje que los alumnos observen las fotos y lea en voz alta todos los nombres. Ponga el CD para que escuchen la grabación y marquen una cruz junto a los nombres según los van oyendo. Repita la audición si es necesario. Ojo, Tuenti es una red social española para jóvenes.

Transcripción: ¡Hola! Soy Lorena. Te presento a mis amigos del Tuenti: Carlos, Charo, Cristina, David, Guillermo, Iñigo, Juan, Pilar y Ramón.

Actividad 1B
Ponga la grabación dos veces: la primera, para que los alumnos se familiaricen con la pronunciación; y la segunda, para que repitan los nombres después de Lorena. Llame su atención sobre la grafía española «ñ». Los nombres escogidos presentan algunas de las características fonéticas del español, llame la atención de sus estudiantes sobre los sonidos y las grafías si le parece adecuado: la pronunciación del dígrafo CH, de la eñe, de la uve igual que la be, del sonido correspondiente a la jota, del dígrafo GU+e/i y del dígrafo LL o la erre. Así mismo, llame la atención sobre la tilde.

Actividad 2
Deje unos minutos a los alumnos para que se familiaricen con el mapa. Pregúnteles qué ciudades españolas conocen. Varias ciudades empiezan por la misma letra para fomentar el diálogo con el profesor.

Respuestas: 1. La Coruña; **2.** Bilbao; **3.** Logroño; **4.** Valladolid; **5.** Zaragoza; **6.** Barcelona; **7.** Madrid; **8.** Valencia; **9.** Badajoz; **10.** Sevilla.

Para terminar haga preguntas como:
- ¿Qué ciudad es el número 4?
- ¿Qué ciudad es el número 10?

Observe que hay un enlace externo con el que completar su clase sobre el mapa de España.

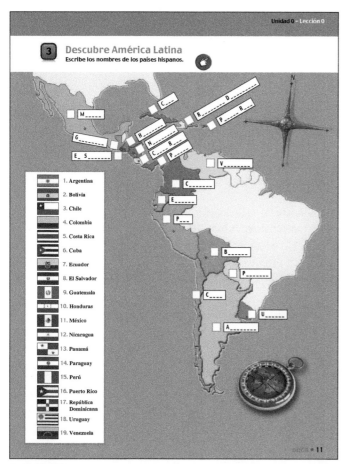

3 **Descubre América Latina**
Escribe los nombres de los países hispanos.

1. Argentina
2. Bolivia
3. Chile
4. Colombia
5. Costa Rica
6. Cuba
7. Ecuador
8. El Salvador
9. Guatemala
10. Honduras
11. México
12. Nicaragua
13. Panamá
14. Paraguay
15. Perú
16. Puerto Rico
17. República Dominicana
18. Uruguay
19. Venezuela

once • 11

Actividad 3

Deje unos minutos a los alumnos para que se familiaricen con el mapa. Pregúnteles qué países de Hispanoamérica conocen. Para que la actividad resulte más amena, proponga a los alumnos que la realicen por parejas. Como ayuda, hágales notar el número de letras y la inicial de cada país hispanohablante.

Respuestas: 11. **M**éxico; 9. **G**uatemala; 8. **El S**alvador; 6. **C**uba; 10. **H**onduras; 12. **N**icaragua; 17. **R**epública **D**ominicana; 5. **C**osta **R**ica; 16. **P**uerto **R**ico; 13. **P**anamá; 19. **V**enezuela; 4. **C**olombia; 7. **E**cuador; 15. **P**erú; 2. **B**olivia; 14. **P**araguay; 3. **C**hile; 18. **U**ruguay; 1. **A**rgentina.

Observe que hay un enlace externo con el que completar su clase sobre el mapa de Hispanoamérica.

Actividad complementaria: Si lo considera oportuno, puede completar el conocimiento sobre los países hispanos trabajando sobre las capitales. Para ello, lea en voz alta los nombres de las capitales. Luego, pídales que las repitan a coro y, por último, pida a algunos voluntarios que las lean. A continuación, en parejas o grupos pequeños, pida que relacionen los países con las capitales. Corrija de la siguiente manera: pida a un voluntario que diga el nombre de un país y que otro voluntario le conteste con el nombre de la capital, así hasta que se hayan revisado los 19 países y sus capitales.

1. Argentina   a. Asunción
2. Bolivia   b. Bogotá
3. Chile   c. Buenos Aires
4. Colombia   d. Caracas
5. Costa Rica   e. Guatemala
6. Cuba   f. La Habana

7. Ecuador   g. La Paz
8. El Salvador   h. Lima
9. Guatemala   i. Managua
10. Honduras   j. México D.F.
11. México   k. Montevideo
12. Nicaragua   l. Panamá
13. Panamá   m. Quito
14. Paraguay   n. San José
15. Perú   ñ. San Juan
16. Puerto Rico   o. San Salvador
17. República Dominicana p. Santiago
18. Uruguay   q. Santo Domingo
19. Venezuela   r. Tegucigalpa

Soluciones: 1-c; 2-g; 3-p; 4-b; 5-n; 6-f; 7-m; 8-o; 9-e; 10-r; 11-j; 12-i; 13-l; 14-a; 15-h; 16-ñ; 17-q; 18-k; 19-d.

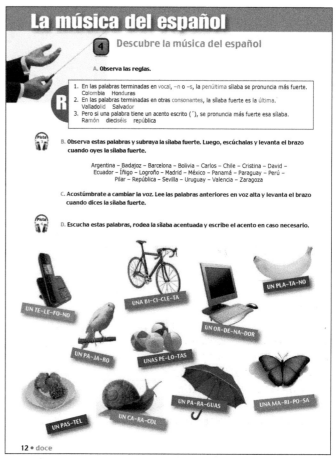

Actividad 4A

La actividad total trata de que los alumnos se familiaricen con la movilidad del acento tónico. Para ello, se propone una actividad de respuesta física total (TPR, las siglas en inglés) que implica una interiorización también corporal de fenómenos lingüísticos. El léxico no ofrece dificultades, ya que son exactamente las mismas palabras con las que han trabajado anteriormente o, en la última actividad, se acompañan de imágenes ilustrativas.

Lea en voz alta el contenido del recuadro. A continuación, copie en la pizarra las palabras que se dan como ejemplo y pronúncielas haciendo hincapié en la sílaba fuerte y levantando el brazo cuando pronuncie la sílaba tónica.

Actividad 4B

Proponga a los alumnos que realicen la primera parte del ejercicio de forma individual y que comparen luego sus respuestas con las de su compañero de pupitre. Ponga el CD haciendo pausas entre cada palabra para dar tiempo a los alumnos a levantar el brazo.

Respuestas: Argentina, Bada**joz**, Barcelona, Bolivia, **Car**los, **Chi**le, Cristina, Da**vid**, Ecuador, Íñigo, Logroño, Ma**drid**, **Mé**xico, Panamá, Para**guay**, Perú, Pi**lar**, Re**pú**blica, Sevilla, Uru**guay**, Valen**cia**, Zara**go**za.

Seguidamente, pida a los alumnos que clasifiquen las palabras:
- Países: Argentina, Bolivia, Chile, Ecuador, México, Panamá, Paraguay, Perú, Uruguay.
- Ciudades: Badajoz, Barcelona, Logroño, Madrid, Sevilla, Valencia, Zaragoza.
- Nombres: Carlos, Cristina, David, Íñigo, Pilar.

Transcripción: Argentina, Badajoz, Barcelona, Bolivia, Carlos, Chile, Cristina, David, Ecuador, Íñigo, Logroño, Madrid, México, Panamá, Paraguay, Perú, Pilar, República, Sevilla, Uruguay, Valencia, Zaragoza.

Actividad 4C

Dé las dos primeras palabras de ejemplo, luego deje que los alumnos trabajen por turnos.

Actividad 4D

Proponga a los alumnos que trabajen por parejas.

Respuestas: un te**lé**fono, una bici**cle**ta, un ordena**dor**, un **plá**tano, un **pá**jaro, unas pe**lo**tas, un pas**tel**, un cara**col**, un pa**ra**guas, una mari**po**sa.

Saque voluntarios para que lean las palabras en voz alta.

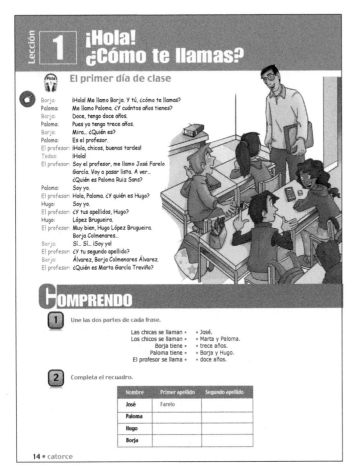

Deje que los alumnos observen la ilustración del aula e introduzca el siguiente vocabulario: *el profesor, el alumno, el chico, la alumna, la chica.*

Ponga la grabación y deje que los alumnos la escuchen y sigan el texto en su libro al mismo tiempo. Repita este paso si resulta necesario. Seguidamente, pida que algunos voluntarios escenifiquen la conversación.

Actividades 1 y 2

Diga a los alumnos que trabajen de forma individual y comparen luego sus respuestas con las de su compañero de pupitre. Saque un voluntario para que lea en voz alta la respuesta.

Respuestas: Las chicas se llaman Marta y Paloma; Los chicos se llaman Borja y Hugo; Borja tiene doce años; Paloma tiene trece años; El profesor se llama José.

Nombre	Primer apellido	Segundo apellido
José	Farelo	García
Paloma	Ruiz	Sans
Hugo	López	Brugueira
Borja	Colmenares	Álvarez

Como complemento, es muy útil que refuerce el aprendizaje, bien en clase o bien en casa, realizando la actividad 1 de la página 7 del cuaderno de ejercicios.

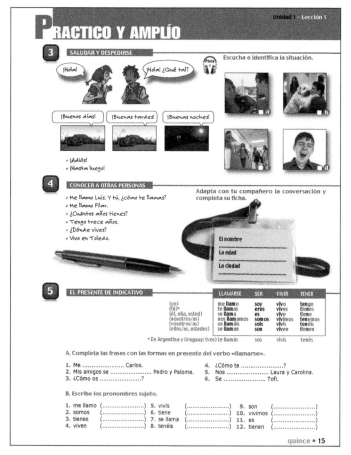

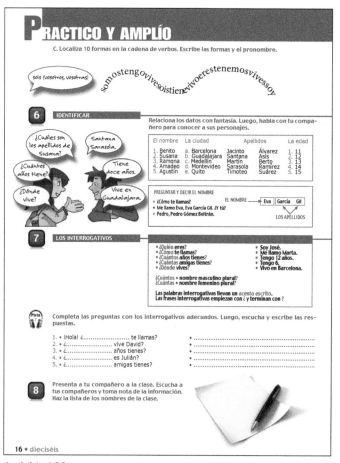

Actividad 3

Ponga la grabación y pida a los alumnos que escriban el número de cada diálogo en los recuadros. Haga el primero con ellos. A continuación, centre la atención de los alumnos sobre los saludos y las despedidas y pídales que los copien en su cuaderno.

Respuestas: 1-b; 2-c; 3-d; 4-a.

Transcripción:
1. Hola, Toby, hola, bonito.
2. - Buenos días, profesor.
   - Hola, chicos, buenos días. Venga, a clase.
3. Adiós, buenas noches.
4. - Hola, buenas tardes.
   - ¡Hola!, ¿qué tal?

Actividad 4

Saque dos voluntarios para que lean en voz alta el diálogo. Luego, escenifíquelo con un alumno. Por fin, deje que adapten la conversación y completen la ficha. Circule por el aula para asegurarse de que se comunican en español y corregir las posibles faltas de ortografía.

Actividades 5A y 5B

Pida a cuatro alumnos que lean en voz alta el presente de uno de los verbos. Subraye que en español los pronombres personales sujeto no son obligatorios, ya que cada forma verbal es distinta. Seguidamente, pídales que realicen las actividades A y B de forma individual.

Respuestas: 1. Me **llamo** Carlos; 2. Mis amigos se **llaman** Pedro y Paloma; 3. ¿Cómo os **llamáis**?; 4. ¿Cómo te **llamas**?; 5. Nos **llamamos** Laura y Carolina; 6. Se **llama** Tofi. 1. yo; 2. nosotros, nosotras; 3. tú; 4. ellos, ellas, ustedes; 5. vosotros, vosotras; 6. él, ella, usted;

Actividad 5C

Proponga a los alumnos que trabajen por parejas.

Respuestas: somos: nosotros, nosotras-ser; tengo: yo-tener; vive: él, ella, usted-tener; sois: vosotros, vosotras-ser; tiene: él, ella, usted-tener; vivo: yo-vivir; eres: tú-ser; tenemos: nosotros, nosotras-tener; vives: tú-vivir; soy: yo-ser.

Como complemento, es muy útil que refuerce el aprendizaje, bien en clase o bien en casa, realizando las actividades 2 de las páginas 7 y 8 del cuaderno de ejercicios.

Actividad 6

Explique la mecánica del juego con la ayuda del ejemplo. Pida a los alumnos que inventen tres identidades cada uno y luego se hagan las preguntas correspondientes.

Actividad 7

Lea en voz alta las frases del recuadro de gramática y anime a los alumnos a que escriban los interrogativos en sus cuadernos. Finalmente, invítelos a que realicen la actividad de forma individual. Cuando hayan escrito los interrogativos, ponga el CD con una pausa entre cada frase para darles tiempo a copiarla junto a la pregunta correspondiente. Pida que dos voluntarios escenifiquen el diálogo ante la clase.

Respuestas: 1. ¡Hola! ¿**Cómo** te llamas? – Natalia; 2. ¿**Dónde** vive David? - En Barcelona; 3. ¿**Cuántos** años tienes? – Trece; 4. ¿**Quién** es Julián? - Es un amigo; 5. ¿**Cuántas** amigas tienes? - Dos, se llaman Carlota y Marta.

Transcripción: 1. Trece; 2. Natalia; 3. Dos, se llaman Carlota y Marta; 4. En Barcelona; 5. Es un amigo.

Como complemento, es muy útil que refuerce el aprendizaje en casa, realizando la actividad 3 de la página 8 del cuaderno de ejercicios.

Actividad 8

Pida a sus estudiantes que se pregunten entre ellos, de dos en dos, por el nombre y los apellidos. Pídales también que tomen nota. A continuación, de uno en uno, presentan a su compañero de pupitre. Pida que un voluntario escriba los nombres en la pizarra y pídales que copien y guarden la lista.

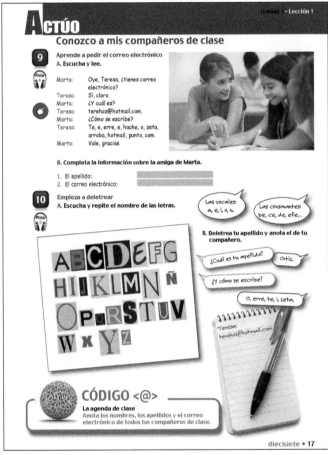

Actividad 9A y B

Ponga la grabación y deje que los alumnos escuchen y lean el diálogo al mismo tiempo. Después, pida a los alumnos que trabajen de forma individual y comparen luego sus respuestas con las de su compañero de pupitre.

Respuestas: El apellido: Hoz; El correo electrónico: terehoz@hotmail. com.

Actividad 10A

Ponga el CD dos veces: la primera, para que los alumnos se familiaricen con el nombre de las letras; la segunda, para que repitan cada letra en voz alta.

Actividad 10B

Lea en voz alta el ejemplo del libro para que los alumnos entiendan lo que tienen que hacer. Mientras trabajan, circule por el aula para ayudarles.

Código <@>: La agenda de clase

Pídales que con sus compañeros de pupitre se intercambien los correos electrónicos. Para ello, pueden imitar el diálogo de Marta y Teresa. Después, saque un voluntario a la pizarra. Cada estudiante, por turnos, dirá el correo electrónico de su compañero. El voluntario lo escribe en la pizarra y todos lo copian en la lista de los nombres de los alumnos que previamente habían hecho. Recuérdeles que es importante que guarden esta lista, por si un día faltan a clase, para que puedan comunicarse con sus compañeros para conocer los deberes del día.

Actividad 1

Pida que un voluntario lea en voz alta el texto de Irene. Use el mapa de la página 11 para situar Santander. Explique con gestos el sentido de los verbos *escucho*, *hablo*, *leo* y *escribo*.

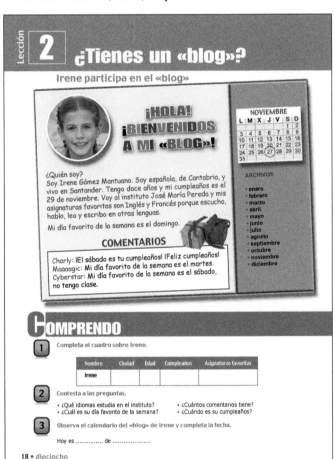

Respuestas: Nombre: Irene; Ciudad: Santander; Edad: 12 años; Cumpleaños: el 29 de noviembre; Asignaturas favoritas: Inglés y Francés.

Actividad 2

Deje unos minutos a los alumnos para que lean las cuatro preguntas y saque a uno de ellos a la pizarra para que escriba las respuestas (se las tienen que dictar sus compañeros, anímelos a que formen frases completas).

Respuestas: En el instituto estudia Inglés y Francés; Su día favorito de la semana es el domingo; Tiene 3 comentarios; Su cumpleaños es el 29 de noviembre.

Actividad 3

Haga notar a los alumnos que en las fechas se usa «de» antes del nombre del mes. Pida después a los alumnos que copien los nombres de los meses en su cuaderno, empezando por el primero: *enero*.

Respuesta: Hoy es 27 de noviembre.

Como complemento, es muy útil que refuerce el aprendizaje, bien en clase o bien en casa, realizando la actividad 1 de la página 10 del cuaderno de ejercicios.

Actividad 4A
Deje que los alumnos trabajen de forma individual y comparen luego sus respuestas con las de su compañero de pupitre.

Respuestas: Horizontales: septiembre, febrero, marzo, mayo, julio, octubre; Verticales: enero, abril, agosto, junio; Faltan: noviembre y diciembre.

Actividad 4B
Lea los números en voz alta y subraye que hasta *treinta* se escriben en una sola palabra. Para que se familiaricen con ellos, propóngales que los escriban en su cuaderno, antes de realizar la actividad.

Actividad 4C
Hagan la actividad todos juntos: primero, escriba las fechas en la pizarra y pida a los alumnos que las ordenen; luego, llame su atención sobre la forma de decir la fecha de cumpleaños y haga que los alumnos formen las cinco frases.

Respuestas: El cumpleaños de Rafa es el cinco de enero; El cumpleaños de Eva es el treinta de mayo; El cumpleaños de Ana es el veintiocho de septiembre; El cumpleaños de Elena es el catorce de noviembre; El cumpleaños de Jacobo es el doce de diciembre.

Actividad 4D
Circule por el aula para asegurarse de que los alumnos se comunican

en español. Como complemento, es muy útil que refuerce el aprendizaje, bien en clase o bien en casa, realizando las actividades 2, 3 y 4 de las páginas 10 y 11 del cuaderno de ejercicios.

Actividad 5
Pida a los alumnos que observen el cuadro de los posesivos y realicen la actividad individualmente.

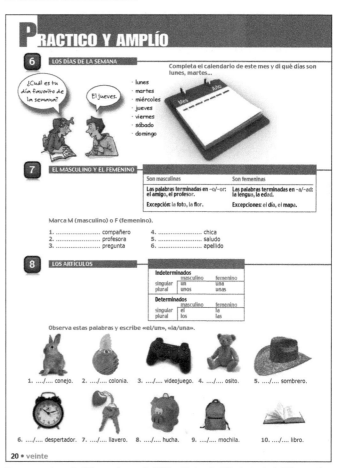

Respuestas: 1. **Mis** amigos; 2. **Mi** instituto; 3. **Mi** ciudad; 4. **Mis** profesoras; 5. **Tu** profesor; 6. **Tus** amigas; 7. **Tu** equipo de fútbol; 8. **Tus** compañeros; 9. **Su** clase; 10. **Sus** apellidos; 11. **Su** compañera; 12. **Su** correo electrónico.

Actividad 6
Saque un voluntario para que escriba en la pizarra y entre todos formen el calendario del mes, *¿qué día de la semana es el 1, el 2...?* Márqueles que, en el sistema español, el primer día de la semana es el lunes.

Actividad 7
Deje que los alumnos observen el recuadro gramatical. Luego, propóngales que realicen la actividad en parejas.

Respuestas: 1-M; 2-F; 3-F; 4-F; 5-M; 6-M.

Actividad 8
Siga el mismo procedimiento que para la actividad anterior: observe el cuadro gramatical con toda la clase y deje que realicen la actividad en parejas.

Respuestas: 1. **el/un** conejo; 2. **la/una** colonia; 3. **el/un** videojuego; 4. **el/un** osito; 5. **el/un** sombrero; 6. **el/un** despertador; 7. **el/un** llavero; 8. **la/una** hucha; 9. **la/una** mochila; 10. **el/un** libro.

Como complemento, es muy útil que refuerce el aprendizaje, bien en clase o bien en casa, realizando la actividad 5 de la página 11 del cuaderno de ejercicios.

Actividad 9A

Lea el comienzo de cada frase, que los alumnos tienen que completar, y propóngales que adivinen los regalos (entre los objetos de la actividad 8).

Ponga la grabación dos veces: la primera, para que descubran el texto; la segunda, para que completen las frases. Saque un voluntario a la pizarra e invite a sus compañeros a que le dicten las respuestas. ¿Quién ha acertado más regalos?

Respuestas: El cumpleaños de Pablo es el 10 de octubre; Los regalos de cumpleaños son: un libro, un videojuego, una hucha.

Transcripción:

Chica:	Pablo, ¿qué día es tu cumpleaños?
Pablo:	El 10 de octubre.
Chica:	¡El 10 de octubre! Es hoy, ¡feliz cumpleaños!
Pablo:	Gracias.
Chica:	¿Y cuáles son tus regalos?
Pablo:	Pues... un libro, un videojuego y una hucha.
Chica:	¡Qué bien!

Actividades 9B y 9C

Pida a dos alumnos que escenifiquen el ejemplo. Luego, deje que formen los grupos y que anoten las respuestas en la tabla. Finalmente, por turnos, cada alumno presenta las respuestas de uno de sus compañeros de grupo. Aunque lleve tiempo, es importante que cada alumno tenga la posibilidad de expresarse. Según vayan contestando, escriba los regalos en la pizarra para poder hacer más fácilmente la actividad.

Código <R>: Anime a los alumnos a que cuenten los nombres de los regalos escritos en la pizarra para saber cuáles son los 2 favoritos de la clase.

Blog

Vuelva al texto de la página 18 y mándeles como deberes que escriban un texto como el *blog* de Irene presentándose a sí mismos. Si hay errores, márqueselos en un color para que se autocorrijan y, entonces, pídales que entren en http://www.edelsa.es y en la *Zona Estudiante* pulsen en *Adolescentes*. Allí, localicen el libro *Código ELE* y vayan al nivel 1. En esa sección, busquen el enlace al *blog* de *Código*, entren en él y pídales que copien correctamente su entrada en el *blog*.

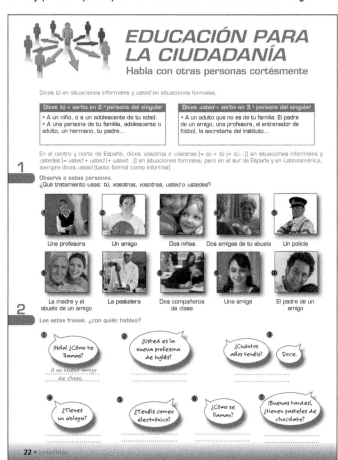

Lea en voz alta el contenido de los dos recuadros verdes. Luego, compare con los tratamientos en el país de los alumnos.

Actividad 1

Lea en alto el nombre de cada persona para que los alumnos se familiaricen con su pronunciación. Luego, deje que trabajen de forma individual y comparen sus respuestas con las de su compañero de pupitre. Corrija pidiendo a los alumnos que contesten por turnos.

Respuestas: 1. Usted; **2.** Tú; **3.** Vosotras; **4.** Ustedes; **5.** Usted; **6.** Ustedes; **7.** Usted; **8.** Vosotros; **9.** Tú; **10.** Usted.

Actividad 2

Por turnos, un alumno lee la frase y el resto de la clase contesta. Y así sucesivamente con todas las frases. Anímelos a que den varias respuestas para cada frase, cuando sea posible.

Respuestas posibles: 1. A un nuevo amigo de clase. A un nuevo vecino; **2.** A una profesora; **3.** A dos niñas. A dos compañeras del instituto; **4.** A un amigo. A una amiga; **5.** A dos compañeros de clase.

A unas amigas; **6.** A dos amigas de tu abuela o a la madre y al abuelo de un amigo; **7.** A una pastelera.

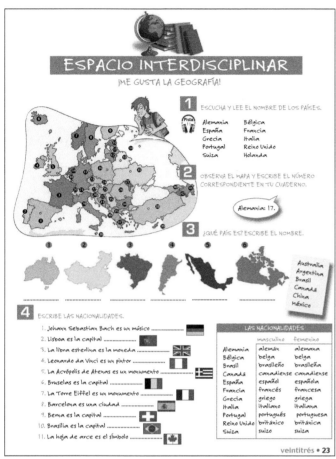

Como complemento, es muy útil que refuerce el aprendizaje, bien en clase o bien en casa, realizando las actividades de la página 13 del cuaderno de ejercicios.

Actividad 1
Ponga la grabación dos veces: la primera, para que los alumnos descubran los nombres; la segunda, para que los repitan mentalmente junto con el locutor.

Actividades 2 y 3
Proponga a los alumnos que trabajen por parejas, para que cada uno pueda sacar partido de los conocimientos de su compañero.

Respuestas: Alemania, 17; España, 1; Grecia, 37; Portugal, 2; Suiza, 20; Bélgica, 18; Francia, 3; Italia, 29; Reino Unido, 5; Holanda,19. **1.** Australia; **2.** China; **3.** Brasil; **4.** Argentina; **5.** México; **6.** Canadá.

Actividad 4
Llame la atención de los alumnos sobre el recuadro de las nacionalidades y léalas. Haga la actividad con los alumnos: lea el comienzo de una frase y dígales que escriban la nacionalidad en su cuaderno.

Respuestas: 1. Johann Sebastian Bach es un músico **alemán; 2.** Lisboa es la capital **portuguesa; 3.** La libra esterlina es la moneda **británica; 4.** Leonardo da Vinci es un pintor **italiano; 5.** La Acrópolis de Atenas es un monumento **griego; 6.** Bruselas es la capital **belga; 7.** La Torre Eiffel es un monumento **francés; 8.** Barcelona es una ciudad **española; 9.** Berna es la capital **suiza; 10.** Brasilia es la capital **brasileña; 11.** La hoja de arce es el símbolo **canadiense.

Como complemento, es muy útil que refuerce el aprendizaje, bien en clase o bien en casa, realizando las actividades de la página 14 del cuaderno de ejercicios.

Actividad 1 Respuestas libres: **1.** ¡Adiós, hasta luego!; **2.** ¡Adiós, hasta mañana!; **3.** ¡Hola, buenos días!; **4.** ¡Hola! ¿Qué tal?

Actividad 2 Respuestas libres.

Actividad 3 Respuestas: es, se llama; vivís, escribís; estudio, tengo; hablamos, vivimos; te llamas, eres; leen, estudian; escribe, habla; tienen, leen.

Actividad 4 Respuestas: ¿Cómo se llama el profesor?; ¿Cuántos años tiene Pedro?; ¿Cuántos idiomas habla Elena?; ¿Dónde viven Juan y Lucía? ¿Cuáles son tus meses favoritos? ¿De dónde eres? Mexicana.

Actividad 5 Respuestas: No vivimos en Mallorca; Julián no tiene 13 años; Usted no es italiano; No hablas inglés.

Actividad 6 Respuestas: El profesor, nombre, equipo, instituto, cumpleaños, chico; La amiga, ciudad, semana, mariposa, profesora, capital, edad.

Actividad 7 Respuestas: **1.** un teléfono; **2.** un pájaro; **3.** una bicicleta; **4.** un ordenador; **5.** un plátano; **6.** un pastel; **7.** una pelota; **8.** un caracol; **9.** una mariposa.

Actividad 8 Respuestas: 17. Diecisiete; 19. Diecinueve; 21. Veintiuno; 26. Veintiséis; 28. Veintiocho; 31. treinta y uno.

Actividad 9 Respuestas: ENERO, FEBRERO, MARZO, ABRIL, MAYO, JUNIO, JULIO, AGOSTO, SEPTIEMBRE, OCTUBRE, NOVIEMBRE, DICIEMBRE.

Actividad 10 Respuestas: NÚMERO-**LUNES**-AO-**MARTES**-TREINTA-**MIÉRCOLES**-GEOGRAFÍABLOG-**JUEVES**-NACIONALIDAD-MES-**VIERNES**-**SÁBADO**-EUROPADÓNDE-**DOMINGO**-MAPA.

Extensión digital: Dado que la sección *Ahora ya sé* está diseñada para que el alumno confirme los conocimientos que ha adquirido, así como que los ponga a prueba mediante una selección de ejercicios cerrados y controlados, esta sección está abierta a que se pueda realizar en autonomía. Por ello, está también disponible en formato digital. Si considera que esta opción es más adecuada para sus estudiantes, pídales que vayan a www.edelsa.es y pulsen en *Zona Estudiante* y, después, en *Adolescentes*. Allí verán la cubierta del libro, pulsen allí y encontrarán las 6 secciones de *Ahora ya sé*. Elijan la que corresponde a la unidad y realicen desde sus ordenadores las actividades y ejercicios.

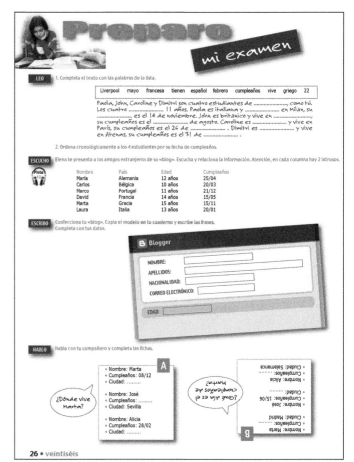

LEO 1. Paola, John, Caroline y Dimitri son cuatro estudiantes de **español**, como tú. Los cuatro **tienen** 11 años. Paola es italiana y **vive** en Milán, su **cumpleaños** es el 14 de diciembre. John es británico y vive en **Liverpool**, su cumpleaños es el **22** de agosto. Caroline es **francesa** y vive en París, su cumpleaños es el 26 de **febrero**. Dimitri es **griego** y vive en Atenas, su cumpleaños es el 31 de **mayo. 2** Carolina, Dimitri, John y Paola.

ESCUCHO Marco, Italia, 12 años, 15/05; María, Portugal, 11 años, 20/01; Laura, Francia, 13 años, 25/04; David, Alemania, 14 años, 21/12.

Transcripción: Hola, me llamo Elena. En mi *blog* tengo cuatro amigos extranjeros. Marco es italiano, tiene 12 años y su cumpleaños es el 15 de mayo. María es portuguesa, tiene 11 años y su cumpleaños es el 20 de enero. Laura es francesa, tiene 13 años y su cumpleaños es el 25 de abril. David es alemán, tiene 14 años y su cumpleaños es el 21 de diciembre.

ESCRIBO Respuestas libres.

En todas las unidades, los exámenes con los que se cierran las 6 unidades sirven para preparar a sus estudiantes a la realización con éxito de futuribles exámenes oficiales. Por ello, acostúmbreles al formato y mecánica de estos exámenes: seriedad, trabajo en silencio, cuidado en la presentación de las respuestas y trabajo individual, excepto en la sección *Hablo*, en la que se espera una interacción con su compañero de pupitre. Es conveniente que les fije un tiempo límite para cada sección, para que se acostumbren a controlar el tiempo.

Este modelo de examen sigue en parte las características de los exámenes DELE (Diploma de Español Lengua Extranjera).

Describe tu instituto

Como actividad extra, pídales que identifiquen los objetos de la parte derecha de la página.

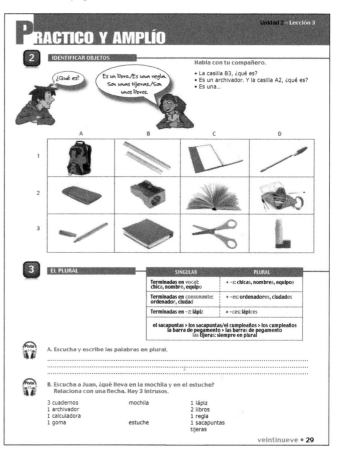

Ponga el CD y deje que los alumnos escuchen y lean el texto al mismo tiempo. A continuación, enseñe los materiales del dibujo (o use los del aula) y diga los nombres correspondientes.

Actividad 1

Proponga a los alumnos que trabajen de forma individual y comparen luego sus respuestas con las de su compañero de pupitre. Corrija colectivamente: por turnos, los alumnos dicen el nombre de un objeto, luego, si la frase es verdadera o falsa. Anímelos a que corrijan las frases falsas.

Respuestas: una mochila-V; libros-F; tres cuadernos-V; dos reglas-F, compra una; un estuche-F, tiene dos en casa; cuatro gomas- F, tiene cuatro en casa; dos bolígrafos-V; unas tijeras-V; un lápiz-V; cinco rotuladores-F, compra siete; una calculadora-F, ya tiene una en casa; dos archivadores-V; una barra de pegamento-V.

Como complemento, es muy útil que refuerce el aprendizaje, bien en clase o bien en casa, realizando la actividad 1 de la página 19 del cuaderno de ejercicios.

Observe que tiene un enlace con el que podrá completar su clase.

Actividad 2

Diga a los alumnos que vuelvan a leer dos veces los nombres de la actividad 1 e intenten memorizarlos. Seguidamente, pídales que pongan su cuaderno sobre el ejercicio 1 y digan todos los nombres de la actividad 2 de memoria. Ahora, explique la mecánica del juego con la ayuda del ejemplo de libro y ponga otro si resulta necesario. Luego, los alumnos pueden jugar por parejas o en grupo, por turnos: el alumno que contesta dice las coordenadas de otra casilla. Como complemento, es muy útil que refuerce el aprendizaje en clase realizando la actividad 3 de la página 20 del cuaderno de ejercicios.

Actividad 3A

Centre la atención de la clase sobre el recuadro gramatical y explique cómo se forma el plural. Diga a los alumnos que copien las palabras (en singular y plural) en su cuaderno. Ponga el CD y deje que los alumnos contesten individualmente y por escrito. Para corregir, pida a un voluntario que salga a la pizarra y las anote.

Respuestas: 1. los institutos; **2.** los despertadores; **3.** unas semanas; **4.** las nacionalidades; **5.** unos llaveros; **6.** unas mochilas; **7.** las ilustraciones; **8.** unos archivadores; **9.** los sacapuntas; **10.** unos días.

Transcripción: 1. el instituto; 2. el despertador; 3. una semana; 4. la nacionalidad; 5. un llavero; 6. una mochila; 7. la ilustración; 8. un archivador; 9. el sacapuntas; 10. un día.

Actividad 3B
Ponga la grabación dos veces, con los libros cerrados. Luego, invite a los alumnos a que contesten de memoria y comparen sus respuestas con las de su compañero de pupitre. Después de la corrección, pídales que le enseñen cada objeto.

Respuestas: los intrusos son 3 cuadernos, 1 lápiz y 2 libros; en la mochila tiene 1 archivador, 1 calculadora y 1 regla; en el estuche tiene 1 goma, 1 sacapuntas y tijeras.

Transcripción: En mi mochila tengo 2 cuadernos, 3 libros, 1 calculadora, un archivador, una regla y 1 estuche. En mi estuche tengo 2 lápices, 1 goma, 1 sacapuntas, unas tijeras.

Como complemento, es muy útil que refuerce el aprendizaje en clase realizando la actividad 2 de la página 19 del cuaderno de ejercicios.

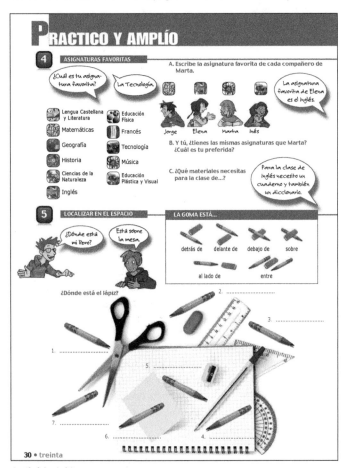

Actividad 4A
Llame la atención de los alumnos sobre los nombres de las asignaturas y pídales que los escriban en su cuaderno. Saque un voluntario para que escriba en la pizarra las frases que sus compañeros le dictan siguiendo el modelo.

Actividad 4B
Haga las preguntas a varios alumnos.

Actividad 4C
Pida a un alumno que lea el ejemplo en voz alta. Seguidamente, lea

el nombre de una de las asignaturas y pregunte a otro alumno qué material necesita. Y así sucesivamente con las demás asignaturas. Como complemento, es muy útil que refuerce el aprendizaje en casa realizando la actividad 4 de las páginas 20 y 21 del cuaderno de ejercicios.

Actividad 5
Introduzca las palabras del recuadro usando el material del aula, por ejemplo: *la mochila, el libro, un rotulador,* etc., de algún alumno.
Diga a los alumnos que, en cada frase, repitan: «El lápiz está...».

Respuestas: 1. El lápiz está al lado de las tijeras; **2.** El lápiz está detrás de la goma; **3.** El lápiz está al lado de la regla; **4.** El lápiz está delante del bolígrafo; **5.** El lápiz está al lado del sacapuntas; **6.** El lápiz está sobre el cuaderno; **7.** El lápiz está delante de las tijeras.

Como complemento, es muy útil que refuerce el aprendizaje, en casa o en clase, realizando la actividad 5 de la página 21 del cuaderno de ejercicios.

Actividad 6
Explique la mecánica de la actividad con la ayuda del ejemplo. Luego, deje unos minutos a los alumnos para que escriban cada uno tres frases. Pídales después que se las dicten a sus compañeros. Puede hacer una corrección plenaria si le parece oportuna y necesaria.

CÓDIGO <S>: Dé unos minutos a los alumnos para que preparen sus respuestas. Seguidamente, pida voluntarios para describir su mesa.

Actividad 7A
Pida a un alumno que lea en voz alta el sistema de notas en España. Luego, pregunte a la clase si es idéntico al suyo.

Actividad 7B

Hagan la actividad todos juntos: por turnos, cada alumno va explicando las notas de Raúl.

Respuestas: En Música tiene un insuficiente; En Francés tiene un insuficiente; En Inglés tiene un suficiente; En Tecnología tiene un notable; En Geografía tiene un sobresaliente; En Educación Física tiene un bien; En Historia tiene un insuficiente; En Matemáticas tiene un insuficiente; En Ciencias de la Naturaleza tiene un notable; En Educación Plástica y Visual tiene un insuficiente.

CÓDIGO <N>: Respuesta libre.

Como complemento, es muy útil que refuerce el aprendizaje en clase realizando la actividad 6 de la página 21 del cuaderno de ejercicios.

voz alta para que sus alumnos digan el número de foto que corresponde. Luego, pida a algún voluntario que las lean en voz alta.

Como complemento, es muy útil que refuerce el aprendizaje, bien en casa o bien en clase, realizando la actividad 1 de la página 22 del cuaderno de ejercicios.

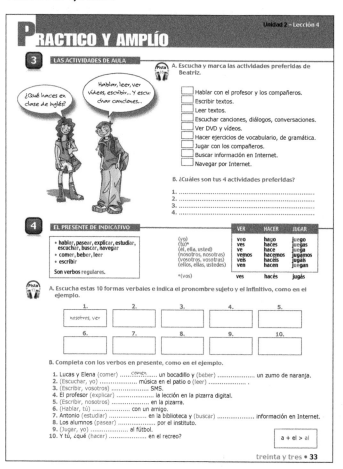

Actividad 1

Lea el contenido de la web en voz alta y explique el sentido de las palabras nuevas con la ayuda de las fotos y mímica. Anime a los alumnos a que las escriban en su cuaderno, para facilitar su memorización. Finalmente, deje que contesten a las 3 preguntas por escrito con frases completas, para que cada uno pueda trabajar a su ritmo.

Respuestas: Practican la gimnasia, el yudo, el baloncesto y el fútbol; Los alumnos comen con los profesores; En el taller de idiomas escriben, escuchan diálogos, ven la tele inglesa y francesa, hablan por videoconferencia con los alumnos extranjeros.

Actividad 2

Los alumnos no conocen estas palabras y puede que no sean transparentes en italiano, haga la actividad en pleno. Empiece por las palabras que sean más transparentes y, una por una, vaya leyéndolas en

Actividad 3

Pida a dos voluntarios (un chico y una chica) que lean los textos de los bocadillos. Si resulta necesario, explique de nuevo con gestos el significado de cada verbo. A continuación, lea todas las frases del ejercicio para que los alumnos se familiaricen con ellas y ponga el CD para que marquen las respuestas.

Respuestas: Hablar con el profesor y los compañeros; Escuchar canciones, diálogos, conversaciones; Ver DVD y vídeos.

Transcripción:

Juan: Hola, Beatriz.

Beatriz: Hola.

Juan: ¿Cuáles son tus actividades preferidas de la clase de idiomas?

Beatriz: Pues… mi preferida es ver vídeos, pero también escuchar textos y hablar con mis compañeros.

Juan: ¿Y leer?

Beatriz: No, leer, no.

Actividad 4

Llame primero la atención de los alumnos sobre los verbos regulares y pídales que conjuguen uno en *-ar* (por ejemplo, *estudiar*), uno en *-er* (por ejemplo, *beber*) y *escribir*. Luego, dígales que copien las formas de los tres verbos irregulares en su cuaderno. Hágales notar las irregularidades (en naranja). Ponga la grabación dos veces: la primera, para que descubran las formas; y la segunda, con las pausas necesarias para darles tiempo a contestar.

Respuestas: 1. ver, nosotros, nosotras; **2.** escribir, tú; **3.** jugar, ellos, ellas, ustedes; **4.** hacer, yo; **5.** pasear, él, ella, usted; **6.** beber, vosotros, vosotras; **7.** comer, yo; **8.** explicar, tú; **9.** buscar, nosotros, nosotras; **10.** leer, ellos, ellas, ustedes.

Transcripción: 1. vemos; **2.** escribes; **3.** juegan; **4.** hago; **5.** pasea; **6.** bebéis; **7.** como; **8.** explicas; **9.** buscamos; **10.** leen.

Actividad 4B
Diga a los alumnos que trabajen de forma individual y comparen luego sus respuestas con las de su compañero de pupitre. Hágales notar que «a + el» > «al». Saque un voluntario para que lea en voz alta las respuestas.

Respuestas: 1. Lucas y Elena **comen** un bocadillo y **beben** un zumo de naranja; **2. Escucho** música en el patio o **leo**; **3. Escribís** SMS; **4.** El profesor **explica** la lección en la pizarra digital; **5. Escribimos** en la pizarra; **6. Hablas** con un amigo; **7.** Antonio **estudia** en la biblioteca y **busca** información en Internet; **8.** Los alumnos **pasean** por el instituto; **9. Juego** al fútbol; **10.** Y tú, ¿qué **haces** en el recreo?

Como complemento, es muy útil que refuerce el aprendizaje, bien en casa o bien en clase, realizando las actividades 3 y 4 de la página 23 del cuaderno de ejercicios.

Actividad 5
Llame la atención de la clase sobre la ilustración y pronuncie cada palabra. Luego, déjeles unos minutos para que se familiaricen con este nuevo vocabulario. Anímelos a que cuenten los objetos en dos minutos de forma individual y por escrito.

Respuestas posibles: Hay una pizarra digital. Hay una puerta. Hay tres ventanas. Hay una planta. Hay un ordenador. Hay una papelera. Hay una calculadora. Hay dos libros. Hay un póster. Hay 14 pupitres. Hay dos estantes. Hay muchas sillas, etc.

Actividad 6
Centre la atención de los alumnos en el recuadro y lea las frases en voz alta haciendo hincapié en los artículos usados con «hay» y «está/n». Invítelos a que den más ejemplos con el aula de la ilustración, por ejemplo:
- *Hay una planta en un estante.*
- *Hay tres ventanas.*
- *El ordenador está sobre un pupitre.*
- *La calculadora está entre el ordenador y los libros.*
- *Los libros están al lado de la calculadora.*

Finalmente, diga a los alumnos que trabajen de forma individual y comparen luego sus respuestas con las de su compañero de pupitre. Saque un voluntario para leer en voz alta las respuestas.

Respuestas: 1. ¿Dónde **está** el rotulador de Maite?; **2.** En el aula de Francés **hay** 15 ordenadores; **3.** Mis libros **están** en mi mochila; **4.** En mi instituto **hay** una biblioteca muy grande; **5.** Marina y José **están** en el patio; **6.** ¿Dónde **estás**? Estoy en el comedor, con mis compañeros; **7. Hay** dos gatos en el árbol del patio; **8.** La profesora **está** delante de la pizarra; **9. Estamos** en el gimnasio, tenemos Educación Física; **10.** ¿Cuántas ventanas **hay** en el aula?

Como complemento, es muy útil que refuerce el aprendizaje en clase realizando la actividad 2 de la página 23 del cuaderno de ejercicios.

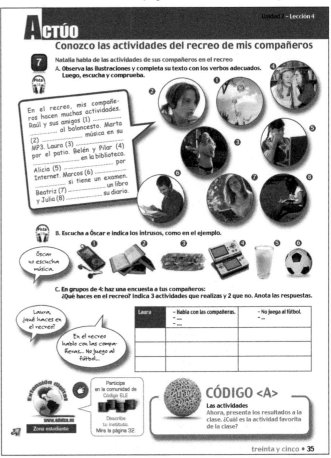

Actividad 7A

Ponga un ejemplo conjugando el primer verbo con los alumnos. Luego, deje que escriban los otros de forma individual, para que cada uno pueda trabajar a su propio ritmo. Si comprueba dificultades, escriba todos los infinitivos en la pizarra, para que los relacionen con una ilustración. Finalmente, ponga la grabación para que los alumnos se autocorrijan.

Respuestas y transcripción: En el recreo, mis compañeros hacen muchas actividades. Raúl y sus amigos **juegan** al baloncesto. Marta **escucha** música en su MP3. Laura **corre** por el patio. Belén y Pilar **hablan** en la biblioteca. Alicia **navega** por Internet. Marcos **estudia** si tiene un examen. Beatriz **lee** un libro y Julia **escribe** en su diario.

Actividad 7B

Primero, pregunte a los alumnos qué verbo les sugiere cada foto (*escuchar, leer, comer, jugar, beber, jugar*). Proponga a los alumnos que realicen la actividad en dos pasos: primero, escuchan la grabación y escriben lo que hace Óscar (pueden escribir los verbos o los números correspondientes de las fotos); después, deducen lo que no hace.

Respuestas: No come un bocadillo, no juega con los videojuegos.

Transcripción:

Chica: Hola, Óscar. ¿Qué haces en el recreo?

Óscar: Pues... leo un libro, bebo un zumo de naranja en la cafetería y juego al fútbol.

Actividad 7C

Cada alumno contesta en la forma «yo» y, por turnos, otro escribe las frases en la forma «él, ella».

CÓDIGO <A>: Diga a los grupos que elijan a un portavoz para presentar los resultados de la encuesta a la clase. Escriba las respuestas en la pizarra y, cuando todos los grupos hayan contestado, encuentren juntos la actividad favorita de la clase.

Blog

Vuelva al texto de la página 32 y mándeles como deberes que escriban un texto describiendo su instituto. Si hay errores, márqueselos en un color para que se autocorrijan y, entonces, pídales que entren en www.edelsa.es y en la *Zona Estudiante* pulsen en *Adolescentes*. Allí, localicen el libro *Código ELE* y vayan al nivel 1. En esa sección, busquen el enlace al *blog* de *Código*, entren en él y pídales que copien correctamente su entrada en el *blog*.

Sugerencia general de corrección: Le aconsejamos que los primeros días de clase les entregue a sus estudiantes una hoja con un sistema de símbolos de corrección, de tal manera que cada símbolo represente un tipo de error. Cada vez que, en un escrito, un alumno cometa un error, en vez de marcarle el error y darle la solución correcta, utilice el sistema de símbolos. Así, el alumno, cuando vea los símbolos, identificará los errores que ha cometido y se podrá autocorregir, favoreciendo de esta manera el aprendizaje. Para estimular la autocorrección, propóngales que les pondrá dos notas: una con los resultados del texto con errores, la segunda, más alta, con los errores corregidos.

Esto es especialmente importante que lo haga siempre que vea el símbolo de blog, para que sus estudiantes se sientan obligados a hacerlo cuando vayan a publicar un texto.

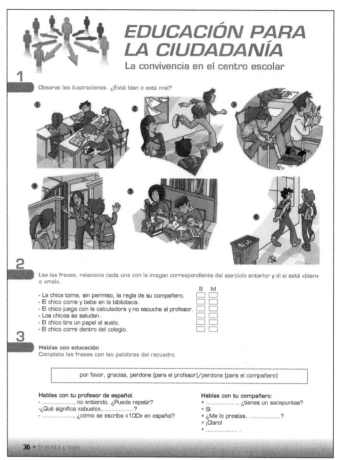

Actividad 1

Presente las acciones a los alumnos, escriba estas frases en la pizarra y pídales que las copien en su cuaderno.

Ilustración 1: jugar con la calculadora durante la clase.

Ilustración 2: correr por los pasillos.

Ilustración 3: tomar la regla de un compañero sin su permiso.

Ilustración 4: saludar a los compañeros.

Ilustración 5: beber en la biblioteca y manchar los libros.

Ilustración 6: tirar papeles al suelo.

Finalmente, pregunte a la clase cuáles están bien y cuáles mal.

Respuestas: Bien: 4; Mal: 1, 2, 3, 5, 6.

Actividades 2 y 3

Lea las frases para dar el modelo de pronunciación y pida a los alumnos que las repitan. Como complemento, es muy útil que refuerce el aprendizaje en clase realizando las actividades de la página 25 del cuaderno de ejercicios.

La sección *Educación para la ciudadanía* propone una educación en valores del alumno como ciudadano del mundo. No se trata de aislar la enseñanza de español con respecto a las otras materias de la enseñanza general, sino que se trata de que el alumno perciba que todo está relacionado con su educación formal. Por eso, es importante, si le es posible, que se ponga en contacto con profesores de otras asignaturas o con sus tutores de curso para que, paralelamente, desarrollen ellos también los mismos contenidos que trabajamos en estas páginas.

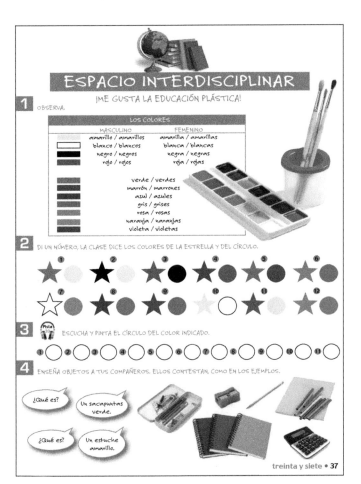

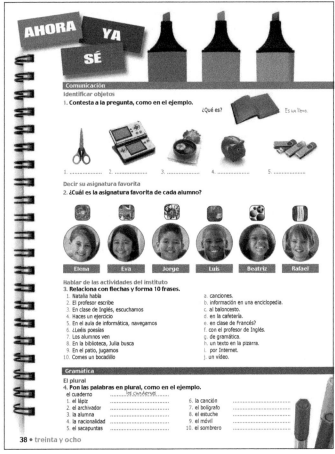

Actividad 1

Pida un voluntario que lea las palabras y haga hincapié en la formación del femenino y del plural.

Actividad 2

Ejemplifique la actividad con el número 10: *La estrella es amarilla. El círculo es blanco.* Luego, deje que jueguen (varias veces hasta que se familiaricen bien con los nombres de los colores).

Actividad 3

Ponga la grabación haciendo las pausas necesarias para que los alumnos puedan colorear los círculos.

Respuestas y transcripción: 1. verde; **2.** negro; **3.** blanco; **4.** azul; **5.** gris; **6.** marrón; **7.** rosa; **8.** violeta; **9.** rojo; **10.** naranja; **11.** amarillo.

Actividad 4

Diga a los alumnos que pongan en su pupitre varios objetos suyos. Saque voluntarios para que se los enseñen a sus compañeros, estos tienen que identificar el objeto y decir su color.

Sería muy interesante que trabajara esta sección en colaboración con su colega de Arte o con el de Educación Plástica y Visual. Pídale a su colega correspondiente que trabaje en su clase con un cuadro, el que sea, que tenga mucho colorido, y usted en su clase proyecte el mismo cuadro para que lo describan, pero ahora en español. Para sus estudiantes será todo una sorpresa y así, además, no solo estará fomentando el aprendizaje interdisciplinar, sino que también les estará ayudando a desarrollar su capacidad de expresión en español.

Actividad 1 Respuestas: 1. Son unas tijeras; **2.** Es un videojuego; **3.** Son unas velas; **4.** Es una hucha; **5.** Son unas llaves.

el tercer(a)
la tercer(a)
la tercera

Histo-
avorita
grafía;
gnatura

-c; 10-d.

s; 3. las
anciones;
breros.

a mochila
s; 5. El pu-
n blancos;
. Las sillas

pelotas; 2. El
e de la pelota;
s de la pelota;

Actividad 7 Respuestas: 1. El profesor **esta** en el aula; **2.** La profesora **está** a la derecha de la pizarra; **3.** La ventana **está** enfrente de la puerta; **4.** ¿Cuántos alumnos **hay** en la biblioteca?; **5.** ¿En tu instituto **hay** un comedor?; **6.** El móvil **está** detrás del estuche; **7.** Las mochilas **están** debajo de los pupitres; **8.** ¿Qué **hay** sobre la mesa del profesor?; **9.** En el aula 9 **hay** tres ventanas verdes; **10.** ¿Dónde **está** el archivador amarillo?

Actividad 8 Respuestas: 1. escribimos; **2.** ves; **3.** leéis; **4.** come; **5.** juegan; **6.** escribes; **7.** hago; **8.** come; **9.** escucha; **10.** veo.

Actividad 9 Respuestas posibles: 1. una mochila; **2.** un archivador; **3.** un cuaderno; **4.** un lápiz; **5.** un sacapuntas; **6.** unas tijeras.
Otras palabras con «a»: un rotulador, una regla, un bolígrafo, una barra de pegamento, una goma, una calculadora.

Actividad 10 Respuestas: Educación Plástica y Visual; Ciencias de la Naturaleza; Inglés; Lengua Castellana y Literatura; Matemáticas; Geografía; Historia; Francés; Música; Tecnología; Educación Física.

Actividad 11 Respuestas: Personas: el profesor, el alumno, la alumna. Lugares: la cafetería, el comedor, el gimnasio, la biblioteca, el patio, el aula. Objetos para estudiar: el diccionario, el ordenador. Muebles: la mesa del profesor, la silla, el estante, el pupitre. Elementos del aula: la ventana, la puerta, la papelera, la pizarra digital.

¿Qué le parecería hacer una actividad complementaria de repaso y con movimiento? Proponga a los alumnos salir todos juntos y con un cierto orden del aula y dar una vuelta por el colegio o instituto describiendo lo que ven, eso sí, en español. Hágalo de forma organizada, para no molestar la marcha de otras clases, y avise antes a sus colegas, para contar con su beneplácito y con su ayuda.

Respuesta Física Total (TPR)

LEO Los 4 errores: Tiene cuatro ventanas. No hay pizarra digital. La mesa del profesor está delante de la pizarra. A la izquierda de la mesa del profesor hay un ordenador.
La mesa de Andrés es la mesa número f.

ESCUCHO **1.** Hablan dos personas; **2.** Se llaman Lucas y Pedro; **3.** Están en el patio; **4.** Juegan al baloncesto; **5.** La asignatura favorita de Lucas es la Geografía; **6.** Los martes después del recreo Pedro estudia en la biblioteca; **7.** Patricia es una compañera de Pedro; **8.** Pedro y Patricia tienen un examen de Inglés el jueves.

Transcripción:
Pedro: ¡Lucas!
Lucas: Hola, Pedro, ¿qué tal?
Pedro: Muy bien. ¿Jugamos?
Lucas: Vale.
Pedro: ¿Qué tal la clase de Geografía?
Lucas: Bien, bien... Es mi asignatura favorita. ¿Qué clase tienes después del recreo?
Pedro: Los martes no tengo clase. Hoy estudio con Patricia en la biblioteca, en los ordenadores. El jueves tenemos un examen de Inglés.
Lucas: ¡¡Oh, no!!
Pedro: ¡Chao!
Lucas: ¡Adiós!

ESCRIBO Respuesta libre.

HABLO En la mochila de Pedro hay una regla, un cuaderno, un archivador, una calculadora, dos lápices, un bolígrafo y un rotulador. En la mochila de Elena hay una regla, dos cuadernos, una barra de pegamento, unas tijeras, un rotulador y un bolígrafo.

Presenta a tu gente

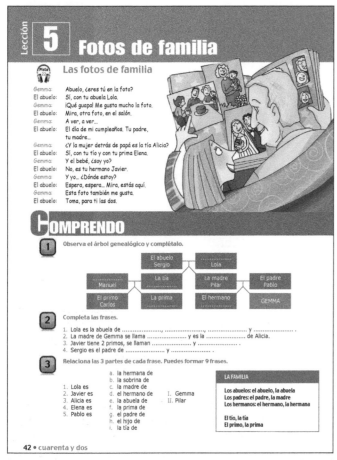

Ponga la grabación y deje que los alumnos la escuchen y sigan el texto en su libro al mismo tiempo. Repita este paso si resulta necesario. Explique el sentido de las palabras nuevas (el parentesco) dibujando un pequeño árbol genealógico en la pizarra. Finalmente, pida voluntarios para que escenifiquen la conversación.

Actividad 1

Borre el árbol de la pizarra y anime a los alumnos a que completen el de su libro. Luego, sugiérales que comparen sus respuestas con las de su compañero de pupitre. Haga preguntas sobre los nombres de los miembros de la familia, como *¿cómo se llama la tía?*, para comprobar que lo han entendido bien.

Respuestas: El abuelo, Sergio; La abuela, Lola; El tío, Manuel; La tía, Alicia; La madre, Pilar; El padre, Pablo; El primo, Carlos; La prima, Elena; El hermano, Javier.

Actividad 2

Deje que los alumnos trabajen de forma individual para que cada uno pueda hacerlo a su ritmo. Luego, saque cuatro voluntarios para que cada uno lea una frase.

Respuestas: 1. Lola es la abuela de Carlos, Elena, Javier y Gemma; **2.** La madre de Gemma se llama Pilar y es la hermana de Alicia; **3.** Javier tiene 2 primos, se llaman Carlos y Elena; **4.** Sergio es el padre de Alicia y Pilar.

Actividad 3

Antes de pedir a los alumnos que realicen la actividad, llame su atención sobre el recuadro de vocabulario y pídales que copien las palabras en su cuaderno.

Respuestas: Lola es la madre de Pilar; Lola es la abuela de Gemma; Javier es el hermano de Gemma; Javier es el hijo de Pilar; Alicia es la hermana de Pilar; Alicia es la tía de Gemma; Elena es la sobrina de Pilar; Elena es la prima de Gemma; Pablo es el padre de Gemma.

Como complemento, es muy útil que refuerce el aprendizaje en clase realizando las actividades 1 y 2 de la página 31 del cuaderno de ejercicios.

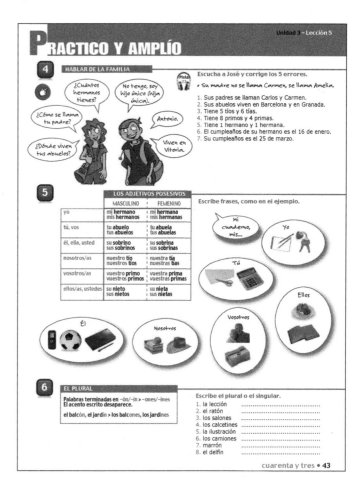

Actividad 4

Antes de poner el CD, pida dos voluntarios (un chico y una chica) para que lean en voz alta los textos de los bocadillos. Realice dos audiciones: la primera, para que los alumnos se familiaricen con el texto; la segunda, para que busquen los errores. Dígales que rodeen los números de las frases incorrectas y luego las corrijan.

Respuestas: Su madre no se llama Carmen, se llama Amelia; Los padres de su padre no viven en Barcelona, viven en Madrid; No tiene cuatro primas, tiene cinco; El cumpleaños de su hermano no es el 16 de enero, es el 6 de enero; Su cumpleaños no es el 25 de marzo, es el 25 de agosto.

Transcripción:

Chica:	Hola
José:	Hola
Chica:	¿Cómo se llaman tus padres?
José:	Mi padre se llama Carlos y mi madre, Amelia.
Chica:	¿Dónde viven tus abuelos?
José:	Los padres mi padre viven en Madrid y los padres de mi madre viven en Granada.
Chica:	¿Cuántos tíos y tías tienes?
José:	Tengo 5 tíos y 6 tías.
Chica:	¿Cuántos primos tienes?
José:	8.
Chica:	¿Cuántas primas tienes?
José:	5.
Chica:	¿Eres hijo único?
José:	¡¡No!! Tengo un hermano y una hermana.
Chica:	¿Y qué día es su cumpleaños?
José:	El cumpleaños de mi hermano el 6 de enero y mi cumpleaños, el 25 de agosto.

Actividad 5

Enseñe el cuadro de los adjetivos posesivos a los alumnos y hágales notar que las formas masculinas y femeninas son idénticas, excepto *nuestro(s)/a(s)* y *vuestro(s)/a(s)*. A continuación, escriba en la pizarra las frases que tienen que construir con cada ilustración y pronombre:
Yo   *Mi cuaderno, mis lápices, mis llaves.*

Respuestas: Yo- Mi cuaderno, mis lápices, mi llavero; Tú- Tu papel, tus tijeras, tu calculadora; Él- Su móvil, su pelota, su consola; Nosotros - Nuestra manzana, nuestros libros, nuestro sombrero; Vosotros- Vuestros abuelos, vuestro sacapuntas; Ellos- Su pastel, su libro.

Como complemento, es muy útil que refuerce el aprendizaje, bien en casa o bien en clase, realizando la actividad 3 de la página 32 del cuaderno de ejercicios.

Actividad 6

Escriba en la pizarra los ejemplos del recuadro haciendo hincapié en la desaparición del acento en los plurales. Luego, pida a los alumnos que realicen la actividad individualmente. Corríjala pidiendo a un voluntario que escriba las palabras en la pizarra.

Respuestas: 1. las lecciones; **2.** los ratones; **3.** el salón; **4.** el calcetín; **5.** las ilustraciones; **6.** el camión; **7.** marrones; **8.** los delfines.

Como complemento, es muy útil que refuerce el aprendizaje, bien en casa o bien en clase, realizando la actividad 4 de la página 32 del cuaderno de ejercicios.

Actividad 7A

Lea las frases del recuadro en voz alta, recalcando el uso de *gusta* (con infinitivos y palabras en singular) y *gustan* (con palabras en plural). Para asegurarse de la comprensión, haga las tres primeras frases con los alumnos. Luego, deles suficiente tiempo para que cada uno pueda trabajar a su ritmo.

Respuestas: 1. ¿Te **gusta** escuchar música?; **2.** A ellos no les **gustan** los ratones; **3.** A mí me **gusta** el chocolate; **4.** A Sonia le **gusta** la piña; **5.** A usted le **gustan** las serpientes; **6.** A nosotros nos **gusta** comer *pizza*; **7.** A Pedro le **gustan** las patatas fritas; **8.** A ti no te **gustan** las arañas; **9.** A mí me **gusta** beber zumo; **10.** A vosotros no os **gusta** el circo; **11.** A usted le **gustan** los caramelos; **12.** A Cristina le **gustan** las galletas.

Actividad 7B

Antes de poner la grabación, repase el vocabulario con los alumnos: pregúnteles qué les sugiere cada foto (*ver la tele, leer, las fresas, el baloncesto, el chocolate, montar en bici, las galletas*). Realice dos audiciones: la primera, para que los alumnos se familiaricen con el texto; la segunda, para que marquen las casillas. Luego, pídales que escriban las frases. Saque un voluntario a la pizarra para que las copie, sus compañeros se las dictarán.

Respuestas: a: ver la tele, el baloncesto, el chocolate, las galletas, montar en bici; b: leer, las fresas. A Natalia le gusta ver la tele; A Natalia le gusta el baloncesto; A Natalia le gusta el chocolate; A Natalia le gustan las galletas, A Natalia le gusta montar en bici; A Natalia no le gusta leer; A Natalia no le gustan las fresas.

Transcripción:
- Hola, Natalia.

- Hola.
- ¿Te gusta ver la tele?
- Sí, veo la tele cuando vuelvo del instituto.
- ¿Te gusta el baloncesto?
- Sí, juego con el equipo del instituto.
- ¿Y el chocolate?
- Síííííí… Me gusta muchísimo. ¡Qué bueno!
- A mí también me gusta. Y las galletas, ¿te gustan las galletas?
- ¡Síííííí!
- ¿Te gusta leer?
- Pf… No, no…
- ¿Te gusta montar en bici?
- Sí, pero no tengo bici, monto en la bici de mi hermana.
- ¿Te gustan las fresas?
- No. ¡A mí me gusta el chocolate!

Actividad 7C

Pida primero a los alumnos que completen la tabla. Si comprueba dificultades, sugiérales que hablen de las asignaturas, los colores, las actividades del aula o usen el vocabulario de la actividad 7A. A continuación, centre de nuevo su atención sobre el recuadro gramatical de arriba y explique cómo se expresan el acuerdo y el desacuerdo. Finalmente, anímelos a que comparen sus gustos por parejas. Como complemento, es muy útil que refuerce el aprendizaje, bien en casa o bien en clase, realizando la actividad 5 de la página 33 del cuaderno de ejercicios.

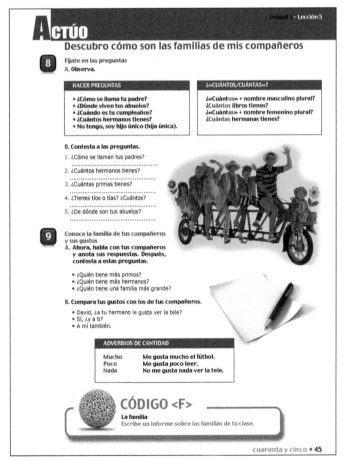

Actividad 8

Solicite un voluntario para que lea las preguntas en voz alta. Luego, haga notar a la clase que *cuántos/cuantas* varían en género. Ponga algunos ejemplos y pida a sus alumnos que hagan más ejemplos. Si es necesario, escriba los ejemplos de sus alumnos en la pizarra.

Actividad 9

La actividad puede llevarse a cabo en grupos de cuatro, para que todos los alumnos puedan expresarse. Lea el ejemplo en voz alta y pida a los alumnos que lo imiten, usando los adverbios de cantidad del recuadro. Dígales que hablen de cinco personas y tomen nota de las respuestas, para luego hacer la última actividad.

CÓDIGO <F>: Pídales que escriban un pequeño informe sobre los gustos de los miembros de la familia de su compañero. Los alumnos tienen que escribir un pequeño texto con los apuntes de la actividad 9B. Los que lo deseen podrán salir a la pizarra para leer su texto ante la clase.

Lea el anuncio y la presentación de cada personaje. Luego, explique el sentido de las palabras nuevas describiendo a algunos alumnos o hablando de personajes famosos conocidos por sus alumnos.

Actividad 1

Respuestas: 1. El abuelo tiene setenta y tres años; **2.** El padre tiene cuarenta y siete años; **3.** La abuela tiene sesenta y ocho años; **4.** La madre tiene cuarenta y dos años.

Actividad 2

Sugiera a los alumnos que trabajen por parejas, para que cada uno pueda sacar provecho de los conocimientos de su compañero. Dígales que corrijan las frases falsas.

Respuesta falsa: 2, la abuela es baja.

Como complemento, es muy útil que refuerce el aprendizaje, bien en casa o bien en clase, realizando la actividad 1 de la página 34 del cuaderno de ejercicios.

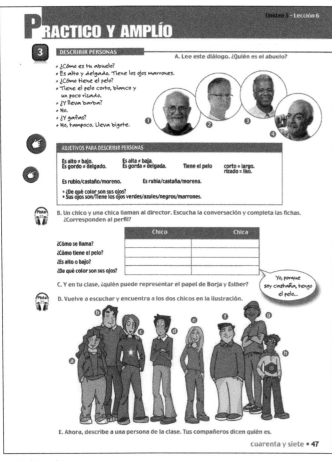

Actividad 3A

Lea las frases del recuadro y vuelva a explicar el sentido de cada adjetivo señalando a algunos de sus alumnos. Para el adjetivo «gordo», elija un personaje famoso de su país (ya que podría resultar algo problemático calificar así a un alumno). Pida dos voluntarios para que lean el diálogo en voz alta. Luego, escriba en la pizarra los datos relativos al abuelo: *alto, delgado, ojos marrones, pelo corto, blanco y un poco rizado, bigote*. Finalmente, todos juntos y con la información de la pizarra digan quién es el abuelo.

Respuesta: 4.

Actividad 3B

Ponga la grabación dos veces: la primera, para que los alumnos descubran el diálogo; la segunda, para que escriban la información. Haga pausas si resulta necesario.

Respuestas: El chico- Se llama José; Es moreno. Tiene el pelo corto y liso; Es alto; Sus ojos son verdes. La chica- Se llama Natalia; Es rubia; Tiene el pelo largo y liso; Es baja; Sus ojos son azules.

Transcripción:

Hombre:	¿Diga?
Chico:	Buenos días, llamo por el anuncio de la obra de teatro.
Hombre:	Muy bien. ¿Cómo te llamas?
Chico:	José.
Hombre:	¿Cómo tienes el pelo?
Chico:	Soy moreno. Tengo el pelo corto y liso.
Hombre:	¿Cuánto mides?
Chico:	Mido un metro sesenta y ocho.
Hombre:	¿De qué color son tus ojos?
Chico:	Tengo los ojos verdes.

Hombre:	Muchas gracias.
Hombre:	¿Diga?
Chica:	Hola, llamo por el anuncio de la obra de teatro.
Hombre:	¿Cómo te llamas?
Chica:	Me llamo Natalia.
Hombre:	¿Cómo tienes el pelo?
Chica:	Soy rubia. Tengo el pelo largo y liso.
Hombre:	¿Cuánto mides?
Chica:	Mido un metro cincuenta y tres.
Hombre:	¿De qué color son tus ojos?
Chica:	Tengo los ojos azules.
Hombre:	Muchas gracias.

Actividad 3C

Pida un voluntario para leer de nuevo la descripción de los dos personajes. Luego, haga la pregunta y anime a los alumnos a contestar.

Actividad 3D

Ponga de nuevo la grabación para que los alumnos localicen a los personajes. También pueden hacerlo con la información de la tabla de la actividad 3B.

Respuestas: Son d y e.

Actividad 3E

Anime a los alumnos a que describan a su personaje en el siguiente orden: estatura, corpulencia, pelo (largo, color, liso/rizado), ojos. Como complemento, es muy útil que refuerce el aprendizaje, bien en casa o bien en clase, realizando la actividad 2 de la página 35 del cuaderno de ejercicios.

Actividad 4A

Llame la atención de los alumnos sobre el recuadro gramatical y hágales notar la formación del femenino de los adjetivos. Como consolidación, dígales que pongan estos adjetivos en femenino: *blanco, verde, rubio, alto.*

Actividad 4B

Solicite un voluntario para que diga el nombre de los colores y lea los adjetivos en masculino y femenino.

Actividad 4C

Ponga el CD dos veces: la primera, con los libros cerrados, para que descubran la conversación; la segunda, para que tomen nota de qué colores le gustan a cada persona.

Respuestas: A Juan le gustan el azul y el violeta. Es hablador y vago. A Juan no le gusta el verde. Es romántico; A Celia le gusta el rosa. Es graciosa. A Celia no le gusta el violeta. Es trabajadora.

Transcripción:

Celia:	A ver, Juan… ¿Qué colores te gustan?
Juan:	El azul y el violeta.
Celia:	El azul y el violeta… Vale. ¿Qué colores no te gustan?
Juan:	El verde.
Celia:	El verde.
Juan:	¡Ahora contestas tú!
Celia:	Pues me gusta el rosa y no me gusta el violeta.

Actividad 4D

Solicite dos voluntarios para que lean el ejemplo del libro. Luego, deje que formen los grupos y anímelos a apuntar las respuestas para presentárselas al resto de la clase. Como complemento, es muy útil que refuerce el aprendizaje, bien en casa o bien en clase, realizando las actividades 3 y 4 de la página 36 del cuaderno de ejercicios.

Aclaración: el test que proponemos en el libro es un puro juego, una herramienta didáctica que nos permite presentar y trabajar el vocabulario de los adjetivos de carácter y, al mismo tiempo, repasar los colores; pero no tiene ningún rigor científico ni lo pretende. Déjeselo claro a sus alumnos. Por eso, después de hacer la actividad, permítales que reaccionen diciendo si es verdad o no lo que dicen los resultados del test. Como complemento, además y para que la clase sea más lúdica, propóngales que confeccionen ellos otros test. Forme grupos de cuatro estudiantes para que decidan qué adjetivos corresponden a cada color. Permítales utilizar sus diccionarios bilingües para ampliar la lista de adjetivos. Vaya mesa por mesa ayudándoles. Después, deje que hagan el test al resto de la clase o, si tiene otros grupos, a alumnos de otros cursos.

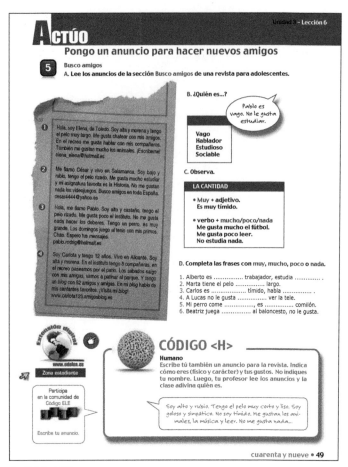

Actividad 5A

Pida a cuatro alumnos (dos chicos y dos chicas) que lean en alto cada uno un anuncio. Luego, pregunte a la clase si hay palabras que no entienden.

Actividad 5B

Indique a los alumnos que *estudioso* es sinónimo de *trabajador.* Dé tiempo a los alumnos para que cada uno pueda trabajar a su ritmo. Deberán justificar sus respuestas con frases de los anuncios, como en el ejemplo. Luego, invítelos a que comparen sus respuestas con las de su compañero de pupitre.

Respuestas: Pablo es vago. No le gusta estudiar; Elena es habladora. Le gusta chatear con sus amigas y en el recreo le gusta hablar con sus compañeros; César es estudioso. Le gusta mucho estudiar; Carlota es sociable. En el instituto tiene 8 compañeras y en su *blog* tiene 52 amigos y amigas.

Actividad 5C

Pida a los alumnos que busquen más ejemplos en los anuncios:

- *Tengo el pelo muy largo.*
- *Me gustan mucho los animales.*
- *Me gusta mucho estudiar.*
- *No me gustan nada los videojuegos.*
- *Me gusta poco el instituto.*
- *No me gusta nada hacer los deberes.*

Actividad 5D

Proponga a los alumnos que trabajen por parejas para que cada uno pueda sacar provecho de los conocimientos de su compañero y corrija luego en el pleno.

Respuestas: 1. Alberto es **muy** trabajador, estudia **mucho**; **2.** Marta tiene el pelo **muy** largo; **3.** Carlos es **muy** tímido, habla **poco**; **4.** A Lucas no le gusta **nada** ver la tele; **5.** Mi perro come **mucho**, es **muy** comilón; **6.** Beatriz juega **poco** al baloncesto, no le gusta.

CÓDIGO <H>: Pida a un alumno que lea el enunciado del ejercicio. Explique el significado del adjetivo *goloso: Les gustan mucho los pasteles y los caramelos.* Luego, anime a los alumnos a que se describan en el siguiente orden: estatura, pelo, carácter (*Soy... No soy...*), gustos. Deles suficiente tiempo para redactar su texto y motívelos para que lo pasen a limpio, sin faltas de gramática ni ortografía. Circule por el aula para ayudarles. Finalmente, dígales que pongan su hoja en su mesa y elija 6 al azar. Léalas para que la clase adivine de quién se trata.

Blog
Pídales que entren en www.edelsa.es y en la *Zona Estudiante* pulsen en *Adolescentes*. Allí, localicen el libro *Código ELE* y vayan al nivel 1. En esa sección, busquen el enlace al *blog* de *Código*, entren en él y pídales que copien correctamente su entrada en el *blog*.

Actividad 1
Explique a los alumnos que DNI significa 'Documento Nacional de Identidad'. Luego, deje que contesten de forma individual.

Respuestas: 1. Se llama Carmen González Garaicoechea; **2.** Su cumpleaños es el 1 de diciembre.

Actividad 2
Presente fotos de personajes famosos hispanos conocidos para que sus estudiantes digan sus nombres y sus apellidos. Aproveche para trabajar de paso las profesiones y para repasar la descripción física.

Respuestas posibles, algunos españoles famosos que pueden conocer los alumnos: Pablo Picasso, Rafa Nadal, Antonio Banderas, Fernando Alonso...

Actividad 3A
Pida a un alumno que lea el texto en voz alta. Pregúnteles qué apellidos conocían. Luego, deje que completen el árbol genealógico.

Respuestas:

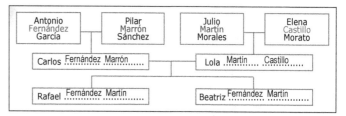

Pídales que dibujen su árbol genealógico y den sus datos como si fueran españoles, es decir, utilizando los dos apellidos. Para hacerlo más interactivo incluso, pídales que trabajen en parejas: cada estudiante deberá dibujar y completar el árbol genealógico de su compañero siguiendo sus instrucciones. Vaya de mesa en mesa ayudándoles.

Como complemento, es muy útil que refuerce el aprendizaje, bien en casa o bien en clase, realizando las actividades de la página 37 del cuaderno de ejercicios.

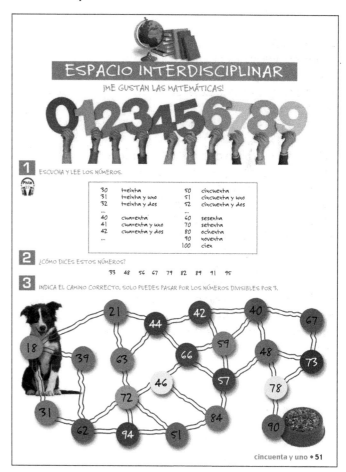

Actividad 1
Ponga el CD dos veces para que los alumnos se familiaricen bien con los números. Hágales notar el uso de *y* entre las decenas y las unidades.

Actividad 2

Saque sucesivamente 9 alumnos a la pizarra. Pida a sus compañeros que les digan los números para que los escriban con letras.

Respuestas: 33- treinta y tres; 48- cuarenta y ocho; 56- cincuenta y seis; 67- sesenta y siete; 79- setenta y nueve; 82- ochenta y dos; 89- ochenta y nueve; 91- noventa y uno; 95- noventa y cinco.

Actividad 3

Anime a los alumnos a que trabajen por parejas.

Respuestas: dieciocho, veintiuno, sesenta y tres, setenta y dos, cincuenta y uno, ochenta y cuatro, cincuenta y siete, cuarenta y ocho, setenta y ocho, noventa.

Como complemento, es muy útil que refuerce el aprendizaje, bien en casa o bien en clase, realizando las actividades de la página 38 del cuaderno de ejercicios.

Sería muy interesante que trabajara en coordinación con su colega de Matemáticas. Pídale que le dé algún ejercicio de Matemáticas sencillo con los que está trabajando en ese momento. Llévelo a la clase y haga las operaciones matemáticas, pero ahora en español. No olvide que antes deberá darles

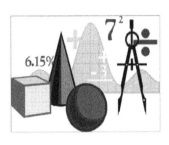

el léxico como *más*, *sumar*, *restar*, *menos*, *es igual a*, etc. Es muy conveniente hacer una enseñanza interdisciplinar donde todas las asignaturas y todo el conocimiento están relacionados entre sí.

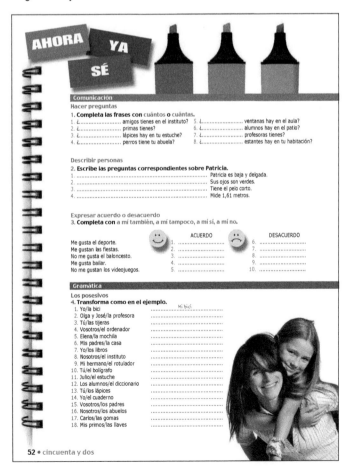

AHORA YA SÉ

Comunicación

Hacer preguntas
1. **Completa las frases con cuántos o cuántas.**
1. ¿.................... amigos tienes en el instituto?
2. ¿.................... primas tienes?
3. ¿.................... lápices hay en tu estuche?
4. ¿.................... perros tiene tu abuela?
5. ¿.................... ventanas hay en el aula?
6. ¿.................... alumnos hay en el patio?
7. ¿.................... profesoras tienes?
8. ¿.................... estantes hay en tu habitación?

Describir personas
2. **Escribe las preguntas correspondientes sobre Patricia.**
1. .... Patricia es baja y delgada.
2. .... Sus ojos son verdes.
3. .... Tiene el pelo corto.
4. .... Mide 1,61 metros.

Expresar acuerdo o desacuerdo
3. **Completa con** a mí también, a mí tampoco, a mí sí, a mí no.

	ACUERDO		DESACUERDO
Me gusta el deporte.	1.	6.	
Me gustan las fiestas.	2.	7.	
No me gusta el baloncesto.	3.	8.	
Me gusta bailar.	4.	9.	
No me gustan los videojuegos.	5.	10.	

Gramática

Los posesivos
4. **Transforma como en el ejemplo.**
1. Yo/la bici   Mi bici
2. Olga y José/la profesora
3. Tú/las tijeras
4. Vosotros/el ordenador
5. Elena/la mochila
6. Mis padres/la casa
7. Yo/los libros
8. Nosotros/el instituto
9. Mi hermano/el rotulador
10. Tú/el bolígrafo
11. Julio/el estuche
12. Los alumnos/el diccionario
13. Tú/los lápices
14. Yo/el cuaderno
15. Vosotros/los padres
16. Nosotros/los abuelos
17. Carlos/las gomas
18. Mis primos/las llaves

52 • cincuenta y dos

El verbo «gustar»
5. **Completa con gusta o gustan.**
1. Me .... el deporte.
2. Me .... los animales.
3. Me .... leer.
4. No me .... chatear.
5. No me .... la natación.
6. Le .... la música y el cine.

«También» y «tampoco»
6. **Relaciona.**
1. A mí me gusta mucho el chocolate.
2. A mí no me gusta el fútbol.
3. No me gusta nada leer.
4. No me gustan los exámenes.

a. A mí tampoco, prefiero el baloncesto.
b. A mí sí, especialmente los libros de aventuras.
c. A mí tampoco. Los odio.
d. A mí también. ¡Qué rico!

Los pronombres de complemento indirecto
7. **Completa con los pronombres personales:** me, te, le, nos, os, les.
1. A Juan .... gustan los perros.
2. A mí no .... gusta ver la tele.
3. A mis padres .... gusta el cine.
4. A vosotros .... gustan las galletas.
5. A mí .... gustan los libros.
6. A ti .... gusta el chocolate.
7. A mis amigos .... gusta navegar por Internet.
8. A nosotros .... gustan los caramelos.
9. A ti .... gusta escribir SMS.
10. A Elena .... gusta la habitación de Sonia.

Léxico

La familia
8. **Escribe los femeninos.**
1. el abuelo ....
2. el tío ....
3. el padre ....
4. el nieto ....
5. el hijo ....
6. el sobrino ....
7. el hermano ....

Los adjetivos para describir
9. **Escribe los plurales. Luego, elige 3 y forma una frase.**
1. graciosa
2. vaga
3. moreno
4. desordenado
5. azul
6. marrón
7. verde
8. delgado
9. cariñosa
10. trabajador
11. sociable
12. habladora
13. rizado
14. bajo
15. romántica

....

cincuenta y tres • 53

Actividad 1 Respuestas: 1. ¿**Cuántos** amigos tienes en el instituto?; 2. ¿**Cuántas** primas tienes?; 3. ¿**Cuántos** lápices hay en tu estuche?; 4. ¿**Cuántos** perros tiene tu abuela?; 5. ¿**Cuántas** ventanas hay en el aula?; 6. ¿**Cuántos** alumnos hay en el patio?; 7. ¿**Cuántas** profesoras tienes?; 8. ¿**Cuántos** estantes hay en tu habitación?

Actividad 2 Respuestas: 1. ¿Cómo es Patricia?; 2. ¿De qué color son sus ojos?; 3. ¿Cómo tiene el pelo?; 4. ¿Cuánto mide?

Actividad 3 Respuestas: 1. A mí también; 2. A mí también; 3. A mí tampoco; 4. A mí también; 5. A mí tampoco; 6. A mí no; 7. A mí no; 8. A mí sí; 9. A mí no; 10. A mí sí.

Actividad 4 Respuestas: 1. Mi bici; 2. Su profesora; 3. Tus tijeras; 4. Vuestro ordenador; 5. Su mochila; 6. Su casa; 7. Mis libros; 8. Nuestro instituto; 9. Su rotulador; 10. Tu bolígrafo; 11. Su estuche; 12. Su diccionario; 13. Tus lápices; 14. Mi cuaderno; 15. Vuestros padres; 16. Nuestros abuelos; 17. Sus gomas; 18. Sus llaves.

Actividad 5 Respuestas: 1. Me **gusta** el deporte; 2. Me **gustan** los animales; 3. Me **gusta** leer; 4. No me **gusta** chatear; 5. No me **gusta** la natación; 6. Le **gustan** la música y el cine.

Actividad 6 Respuestas: 1-d; 2-a; 3-b; 4-c.

Actividad 7 Respuestas: 1. A Juan **le** gustan los perros; 2. A mí no **me** gusta ver la tele; 3. A mis padres **les** gusta el cine; 4. A vosotros **os** gustan las galletas; 5. A mí **me** gustan los libros; 6. A ti **te** gusta el chocolate; 7. A mis amigos **les** gusta navegar por Internet; 8. A nosotros **nos** gustan los caramelos; 9. A ti **te** gusta escribir SMS; 10. A Elena **le** gusta la habitación de Sonia.

Actividad 8 Respuestas: 1. la abuela; **2.** la tía; **3.** la madre; **4.** la nieta; **5.** la hija; **6.** la sobrina; **7.** la hermana.

Actividad 9 Respuestas: 1. Graciosas; **2.** Vagas; **3.** Morenos; **4.** Desordenados; **5.** Azules; **6.** Marrones; **7.** Verdes; **8.** Delgados; **9.** Cariñosas; **10.** Trabajadores; **11.** Sociables; **12.** Habladoras; **13.** Rizados; **14.** Bajos; **15.** Románticas. **Frases posibles:** Mis amigos son muy sociables, Mis primos son románticos; Mis ojos son marrones; Las hermanas de José son vagas; Soy muy desordenado; Tienes los ojos verdes.

LEO Eduardo es educado; Julián es vago; Carmen es trabajadora; Patricia es tímida; César es sociable; Bea es desordenada.

ESCUCHO Elena es la chica número 2.

Transcripción: Hola. Me llamo Elena. Soy alta y delgada. Soy morena. Tengo el pelo corto y rizado. Tengo los ojos negros. Ah… llevo zapatillas deportivas. ¿Quién soy?

ESCRIBO Respuestas libres.

HABLO Respuestas libres.

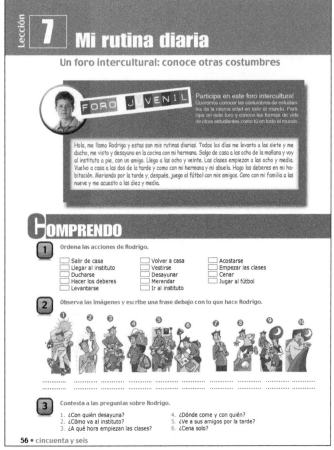

Respuestas: 1. Desayuna con su hermana; **2.** Va al instituto a pie; **3.** Las clases empiezan a las ocho y media; **4.** Come en casa con su hermana y su abuela; **5.** Sí, juega al fútbol con sus amigos; **6.** No, cena con su familia.

Como complemento, es muy útil que refuerce el aprendizaje, bien en casa o bien en clase, realizando las actividades 1 de la página 43 del cuaderno de ejercicios.

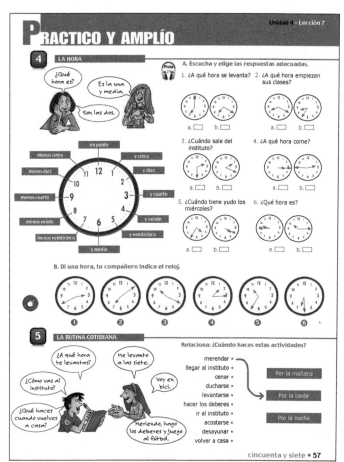

Pida a un voluntario que lea el texto del foro. Explique el sentido de cada acción cotidiana con la ayuda de los dibujos de la actividad 2.

Actividad 1

Los alumnos tienen que deducir el infinitivo de cada verbo del texto en presente y ordenarlos todos según los van leyendo.
Para ayudarles, lea el texto en voz alta haciendo una pausa después de cada forma verbal para que encuentren el infinitivo correspondiente.

Respuestas: 5, Salir de casa; 7, Llegar al instituto; 2, Ducharse; 10, hacer los deberes; 1, Levantarse; 9, Volver a casa; 3, Vestirse; 4, Desayunar; 11, Merendar; 6, Ir al instituto; 14, Acostarse; 8, Empezar las clases; 13, Cenar; 12, Jugar al fútbol.

Actividad 2

Deje que los alumnos trabajen de forma individual. Deles tiempo para que se familiaricen con todos estos verbos.

Actividad 3

·Diga a los alumnos que realicen la actividad por parejas, para que cada uno pueda sacar partido de los conocimientos de su compañero.

Actividad 4A

Primero, llame la atención de los alumnos sobre el reloj y explique cómo se forma la expresión de la hora. Como consolidación, dibuje cinco o seis relojes con horas diferentes en la pizarra y pregunte, señalando cada uno: *¿Qué hora es?* Antes de poner la grabación, pida a los alumnos que indiquen la hora de cada uno de los 12 relojes.

Respuestas: 1-b; 2-a; 3-a; 4-b; 5-a; 6-a.

Transcripción:

- Tengo que hacer un trabajo para la clase. ¿Puedo hacerte unas preguntas sobre tus horarios?

- Sí, claro.
- Dime, ¿a qué hora te levantas normalmente?
- Pues a las siete y veinte.
- Ajá. ¿Y a que hora empiezan las clases en tu instituto?
- A las ocho y veinte.
- ¿Y cuándo terminan las clases?
- Pues salimos del instituto a las dos y media.
- ¿Y comes en el instituto?
- No, no, como en casa, normalmente a las tres menos cuarto.
- ¿Y haces alguna actividad extraescolar?
- Sí, hago yudo. Voy todos los miércoles. A las cinco menos veinticinco.
- Bueno, ya está. Son las diez menos cuarto y me tengo que ir a clase. Muchas gracias.

Actividad 4B

Diga a los alumnos que indiquen dos horas cada uno a su compañero. Como complemento, es muy útil que refuerce el aprendizaje, bien en casa o bien en clase, realizando las actividades 2 de la página 43 del cuaderno de ejercicios.

Actividad 5

Explique el sentido de *Por la mañana, Por la tarde* y *Por la noche* con la ayuda de las ilustraciones de la actividad 2. Tenga en cuenta que los conceptos de *mañana, tarde* o *noche* no son universales, sino que son una cuestión cultural. En España, la mañana es un tiempo que va desde la primera hora del día hasta, aproximadamente, después de comer. Recuerde que la hora de comer habitual en España es entre las dos y las tres y media. La tarde va desde después de comer hasta la hora de cenar. La hora de la cena, tradicionalmente, es entre las nueve y las diez. La noche va desde que se cena. Para facilitarles a los alumnos la comprensión, dígales:

Por la mañana: hasta la hora de comer (viñeta 5).

Por la tarde: hasta la hora de cenar (viñeta 9).

Por la noche: desde la cena.

Luego, invite a los alumnos a que trabajen de forma individual y comparen sus respuestas con las de su compañero de pupitre.

Quizá sería un trabajo interesante que compararan los conceptos de las tres partes del día entre las dos culturas, la cultura de los alumnos y la española.

Respuestas: merendar-por la tarde; llegar al instituto- por la mañana y por la tarde (si comen en casa); cenar- por la noche; ducharse- por la mañana o por la noche; levantarse- por la mañana; hacer los deberes- por la tarde; ir al instituto- por la mañana y por la tarde (si comen en casa); acostarse- por la noche; desayunar- por la mañana; volver a casa- por la mañana (si vuelven a comer), por la tarde (si tienen clase por la tarde).

Saque dos voluntarios (un chico y una chica) para que lean en voz alta los textos de los bocadillos. Luego, anime a varios alumnos a que contesten personalmente a las tres preguntas.

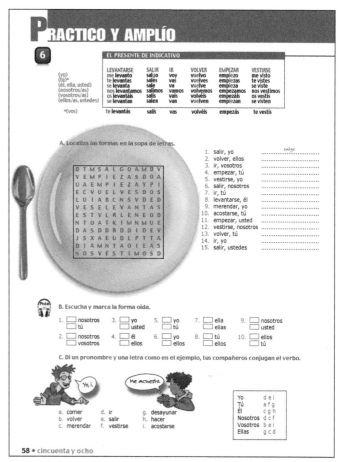

Actividad 6A

Llame la atención de los alumnos sobre el recuadro y haga hincapié en las formas irregulares (en naranja). Luego, deles unos minutos para que se familiaricen con las mismas. Finalmente, pídales que busquen las formas en la sopa de letras. Llámeles la atención que *merendar* se conjuga como *empezar* y *acostarse* como *volver*.

Respuestas:

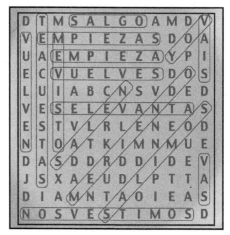

1. salgo; **2.** vuelven; **3.** vais; **4.** empiezas; **5.** me visto; **6.** salimos; **7.** vas; **8.** se levanta; **9.** meriendo; **10.** te acuestas; **11.** empieza; **12.** nos vestimos; **13.** vuelves; **14.** voy; **15.** salen.

Actividad 6B

Realice dos audiciones si resulta necesario.

Respuestas: **1.** nosotros; **2.** vosotros; **3.** yo; **4.** ellos; **5.** yo; **6.** yo; **7.** ellas; **8.** tú; **9.** usted; **10.** tú.

Transcripción: 1. salimos; 2. empezáis; 3. voy; 4. vuelven; 5. me visto; 6. me levanto; 7. se visten; 8. empiezas; 9. vuelve; 10. te levantas.

Actividad 6C

Respuestas: Yo- voy, salgo, me acuesto; Tú- comes, te vistes, desayunas; Él- merienda, desayuna, hace; Nosotros- vamos, merendamos, nos vestimos; Vosotros- volvéis, salís, os acostáis; Ellas- desayunan, meriendan, van.

Como complemento, es muy útil que refuerce el aprendizaje, bien en casa o bien en clase, realizando las actividades 3 y 4 de las páginas 44 y 45 del cuaderno de ejercicios.

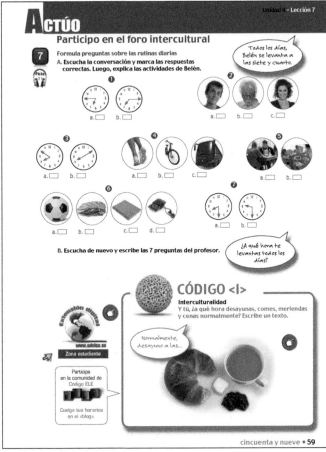

Actividad 7A

Antes de poner el CD, repase el vocabulario con los alumnos: pídales que digan todas las horas y qué les sugiere cada foto.
Fotos:
2   su hermano, su abuelo, su madre
4   a pie, en bici, en autobús
5   come en el colegio, come con sus padres
6   jugar al fútbol, merendar, hacer los deberes, escuchar música.

Realice dos audiciones: una, para que los alumnos descubran el texto, sin mirar el ejercicio; y la segunda, para que marquen las casillas.

Respuestas: 1-b; 2-a y c; 3-a; 4-b; 5-a; 6-b, c y d; 7-b.

Transcripción:
– Hola, Belén. ¿A qué hora te levantas todos los días?
– Me levanto a las siete y cuarto. Después, me ducho, me visto y desayuno.
– ¿Con quién desayunas?

– Con mi madre y mi hermano, en la cocina.
– ¿A qué hora sales de casa?
– A las ocho menos diez.
– ¿Cómo vas al instituto?
– En bici, y llego a las ocho y veinte. Las clases empiezan a las ocho y media.
– ¿Vuelves a casa para comer?
– No, como en el instituto con un compañero.
– Y cuando vuelves a casa, ¿qué haces?
– Meriendo, hago los deberes y escucho música.
– ¿A qué hora cenas?
– A las nueve y media.

Actividad 7B

Corrija sacando un voluntario a la pizarra para que escriba las preguntas.

Respuestas: 1. ¿A qué hora te levantas todos los días?; 2. ¿Con quién desayunas?; 3. ¿A qué hora sales de casa?; 4. ¿Cómo vas al instituto?; 5. ¿Vuelves a casa para comer?; 6. Y cuando vuelves a casa, ¿qué haces?; 7. ¿A qué hora cenas?

Blog

Pídales que redacten un texto explicando sus horarios. Si hay errores, márqueselos en un color para que se autocorrijan y, entonces, pídales que entren en www.edelsa.es y en la *Zona Estudiante* pulsen en *Adolescentes*. Allí, localicen el libro *Código ELE* y vayan al nivel 1. En esa sección, busquen el enlace al *blog* de *Código*, entren en él y pídales que copien correctamente su entrada en el *blog*.

CÓDIGO <I>: Anime a los alumnos a que escriban su texto y luego lo pasen a limpio cuidando la ortografía, la gramática y la presentación.

Actividad 1

Ponga el CD y deje que los alumnos escuchen y lean el texto al mismo tiempo. A continuación, solicite voluntarios para que lo escenifiquen. Para que los alumnos puedan contestar sin dificultad, las ilustraciones van colocadas en el mismo orden que los verbos correspondientes en el diálogo. Haga las siguientes preguntas a 6 alumnos:

- *¿Qué verbo es la foto número 1?*
- *¿Qué verbo es la foto número 2?*

Y así sucesivamente.

Respuestas: La foto número 1 es el verbo «dibujar»; La foto número 2 es el verbo «jugar»; La foto número 3 es el verbo «patinar»; La foto número 4 es el verbo «ir» (a la piscina); La foto número 5 es el verbo «cantar»; La foto número 6 es el verbo «bailar».

Actividad 2

Proponga a los alumnos que trabajen por parejas: uno lee el texto y el otro va completando el cuadro.

Respuestas:

	Actividad	Cuándo	Con quién	Dónde
Camila	dibujar	esta mañana	sola	en su habitación
	jugar	esta mañana	el perro	en el jardín
	patinar	esta tarde a las tres	Cristina y Celia	en el parque
	merendar	esta tarde a las cinco	su abuela y sus primas	en casa de su abuela
Celia	ir a la piscina	esta tarde a las cinco y media	con Raquel	en la piscina
	ir a una fiesta	mañana	con David	

Como complemento, es muy útil que refuerce el aprendizaje, bien en casa o bien en clase, realizando la actividad 1 de la página 46 del cuaderno de ejercicios.

Como consolidación, puede pedirles a sus estudiantes que formen parejas y que juntos transformen el diálogo de Camila y Celia haciéndolo suyo, es decir, que cambien las actividades por las que ellos van a hacer o quieren hacer, y que cambien también los horarios ajustándolos a los suyos. Para que tengan el vocabulario necesario y amplíen el que ya tienen, lleve fotos de personas haciendo actividades coti-

dianas, muéstrelas y deje que sus alumnos digan los verbos o delos usted después. Escríbalos en la pizarra en infinitivo. Deje luego que redacten sus diálogos. Vaya mesa por mesa ayudándoles y colaborando. Si le parece oportuno, pida a dos o tres parejas de voluntarios que escenifiquen sus diálogos delante de la clase.

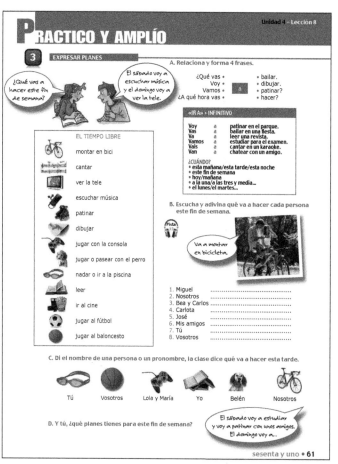

PRACTICO Y AMPLÍO

3 EXPRESAR PLANES

¿Qué vas a hacer este fin de semana?

El sábado voy a escuchar música y el domingo voy a ver la tele.

A. Relaciona y forma 4 frases.

¿Qué vas
Voy
Vamos
¿A qué hora vas   **a**   bailar.
dibujar.
patinar.
hacer?

EL TIEMPO LIBRE

- montar en bici
- cantar
- ver la tele
- escuchar música
- patinar
- dibujar
- jugar con la consola
- jugar o pasear con el perro
- nadar o ir a la piscina
- leer
- ir al cine
- jugar al fútbol
- jugar al baloncesto

«IR A» + INFINITIVO

Voy	a	patinar en el parque.
Vas	a	bailar en una fiesta.
Va	a	leer una revista.
Vamos	a	estudiar para el examen.
Vais	a	cantar en un karaoke.
Van	a	chatear con un amigo.

¿CUÁNDO?
- esta mañana/esta tarde/esta noche
- este fin de semana
- hoy/mañana
- a la una/a las tres y media...
- el lunes/el martes...

B. Escucha y adivina qué va a hacer cada persona este fin de semana.

Va a montar en bicicleta

1. Miguel ....
2. Nosotros ....
3. Bea y Carlos ....
4. Carlota ....
5. José ....
6. Mis amigos ....
7. Tú ....
8. Vosotros ....

C. Di el nombre de una persona o un pronombre, la clase dice qué va a hacer esta tarde.

Tú   Vosotros   Lola y María   Yo   Belén   Nosotros

D. Y tú, ¿qué planes tienes para este fin de semana?

El sábado voy a estudiar y voy a patinar con unos amigos. El domingo voy a...

sesenta y uno • 61

Actividad 3A

Escriba las frases de los bocadillos en la pizarra para presentar la forma «*ir a* + infinitivo». Luego, pida a los alumnos que vuelvan a leer la conversación entre Celia y Camila y formen las 4 frases (todas están en la conversación).

Respuestas: ¿Qué vas a hacer?; Voy a dibujar; Vamos a bailar; ¿A qué hora vas a patinar?

Actividad 3B

Llame la atención sobre el recuadro «El tiempo libre» y pregunte a los alumnos cuáles son sus dos actividades favoritas. A continuación, ponga la grabación y pídales que escriban en la forma de la persona indicada «*ir a* + infinitivo» del verbo que les sugiere cada efecto de sonido. Haga con ellos los dos primeros para asegurarse de que lo han entendido bien.

Respuestas: 1. Miguel va a montar en bici; **2.** Nosotros vamos a jugar al baloncesto; **3.** Bea y Carlos van a nadar en la piscina; **4.** Carlota va a tocar la guitarra; **5.** José va a jugar al tenis; **6.** Mis amigos van a jugar con los videojuegos; **7.** Tú vas a jugar con el perro/Tú vas a pasear con el perro; **8.** Vosotros vais a jugar al fútbol.

Actividad 3C

Ponga un ejemplo, diga *vosotros*, enseñe la ilustración correspondiente y pida a los alumnos que conjuguen el verbo sugerido por la ilustración en la forma «ir a + infinitivo» (*Vais a jugar al baloncesto*). A continuación, saque cinco voluntarios para que digan un pronombre o una persona a sus compañeros.

Respuestas: Vas a nadar/Vas a ir a la piscina; Vais a jugar al baloncesto; Lola y María van a jugar con la consola; Voy a leer; Belén va a jugar con el perro/Belén va a pasear con el perro; Vamos a montar en bici.

Actividad 3D

Lea el enunciado y dé unos minutos a los alumnos para que preparen su respuesta por escrito (para que cada uno pueda contestar a su ritmo). Luego, anímelos a que presenten sus planes.

Como complemento, es muy útil que refuerce el aprendizaje, bien en casa o bien en clase, realizando las actividades 2 y 3 de las páginas 46 y 47 del cuaderno de ejercicios.

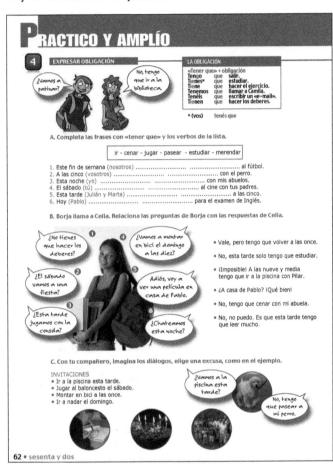

Actividad 4A

Llame la atención de los alumnos sobre el recuadro y lea las seis frases. A continuación, pídales que busquen más ejemplos en la conversación entre Camila y Celia (página 60).

Respuestas: 1. Este fin de semana **tenemos que jugar** al fútbol; **2.** A las cinco **tenéis que pasear** con el perro; **3.** Esta noche **tengo que cenar** con mis abuelos; **4.** El sábado **tienes que ir** al cine con tus padres; **5.** Esta tarde **tienen que merendar** a las cinco; **6.** Hoy **tiene que estudiar** para el examen de Inglés.

Actividad 4B

Lea todas las frases para asegurarse de que los alumnos entienden todo el vocabulario. Seguidamente, dígales que trabajen por parejas: uno dice las preguntas de Borja y su compañero, las respuestas de Celia.

El orden correcto de las respuestas es : 2, 1, 4, 5, 6 y 3.

Actividad 4C

Pregunte primero a los alumnos qué excusa les sugiere cada ilustración (*hacer los deberes, ir a una fiesta de cumpleaños, celebración, comida o fiesta familiar, pasear al perro*) y anímelos a que encuentren

otras, escríbalas en la pizarra. Antes de pedir a los alumnos que trabajen, lea el ejemplo del libro y saque dos voluntarios para que imaginen otro minidiálogo. Como complemento, es muy útil que refuerce el aprendizaje, bien en casa o bien en clase, realizando la actividad 4 de la página 47 del cuaderno de ejercicios.

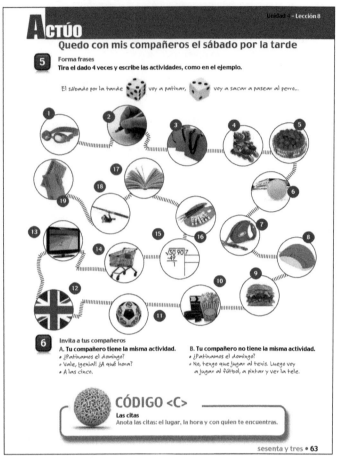

Actividad 5

Explique la mecánica del juego con la ayuda del ejemplo. Luego, pregunte a los alumnos qué representa cada ilustración (1. Nadar, ir a la piscina; 2. Hacer los deberes; 3. Ir de compras, ir al centro comercial; 4. Patinar; 5. Tener una fiesta de cumpleaños, comer una tarta; 6. Jugar al tenis; 7. Pasear al perro; 8. Navegar por Internet; 9. Merendar, comer un bocadillo; 10. Ir al cine; 11. Jugar al fútbol; 12. Hacer los deberes de Inglés, estudiar juntos Inglés; 13. Ver la tele; 14. Ir al supermercado, hacer la compra; 15. Hacer los deberes de Matemáticas, estudiar para un examen de Matemáticas; 16. Dibujar, pintar; 17. Leer; 18. Pescar; 19. Ir a un concierto de música, ir a un museo).

Actividad 6

Centre la atención de los alumnos sobre el ejemplo. El primero tiene que invitar a su compañero a realizar con él una de las cuatro actividades del ejercicio anterior.

- Si este también realiza la actividad, dicen a qué hora se ven.
- Si no la realiza, pone como excusa sus cuatro actividades anteriores y propone una alternativa.

Código <C>: Ahora, pida a los alumnos que escriban en su cuaderno las actividades qué van a realizar con su compañero indicando:
- El lugar: en la piscina, delante del cine, en su casa, en el polideportivo, en el parque, etc.
- La hora: a las…
- El nombre de su compañero.

Actividad 1

Antes de entrar en la lectura, escriba en la pizarra «Consejos para vivir mejor» y pídales que den ideas. A continuación, deje que los alumnos lean individualmente el texto, cada persona tiene su propio ritmo. Forme parejas para contestar a las preguntas, así se aprovecharán de las distintas habilidades y conocimientos de cada uno. Pida que algunos voluntarios den las respuestas en el pleno. Entonces, lea el texto en voz alta y, luego, pida voluntarios para que lean distintas partes también en voz alta. Aclare significados si fuera necesario.

Respuestas: Es bueno dormir 10 horas; Deportes recomendados: jugar al fútbol (porque es en equipo); Actividades menos recomendadas: ver la televisión y chatear; Es mejor estudiar todos los días un poco.

Actividad 2

Pida a los alumnos que comparen sus hábitos con las respuestas a la actividad 1. Si coinciden en 3, tienen una vida saludable.
Para explicar su respuesta, tienen que poner en la forma afirmativa o negativa los verbos del recuadro. Por ejemplo:
- *Duermo 10 horas. No duermo 10 horas.*
- *Juego al fútbol. No juego al fútbol.*
- *Veo la tele. No veo la tele.*
- *Estudio todos los días un poco. No estudio todos los días, estudio antes de un examen.*

Actividad 3

Proponga la actividad como deberes para casa. Pídales que entrevisten a dos personas de su entorno y que, después, le entreguen a usted un pequeño informe escrito. Marque los errores y devuélvales los escritos para que se autocorrijan. Como complemento, es muy útil que refuerce el aprendizaje, bien en casa o bien en clase, realizando las actividades de la página 49 del cuaderno de ejercicios.

Lea el nombre de cada deporte. Para que los alumnos se familiaricen con este nuevo vocabulario, pídales que copien las palabras en su cuaderno. A continuación, deles unos minutos para que escriban qué deportes recomiendan a cada persona (para que cada alumno pueda trabajar a su ritmo) y ponga las respuestas en común.

Observe que, como en otra secciones, le ofrecemos un enlace para complementar sus clases. En este caso, le ofrecemos una ampliación del vocabulario que, quizá, le resulte atractiva si sus alumnos están interesados o si puede coordinarse con su colega de Educación Física y aprovecharlo para las clases de los dos.

Respuestas: Antonio: los deportes de equipo como jugar al baloncesto, jugar al fútbol, jugar al balonmano, hacer ciclismo; Carolina: Hacer natación; Manuel: hacer equitación; Alicia: hacer esquí, hacer ciclismo.

Como consolidación, sería muy positivo que pudieran hablar de sí mismos. Pregúnteles qué deportes les gustan y por qué, qué deportes practican y cuándo o cuáles les llaman más la atención y ven por televisión, etc. Pídales también que digan nombres de deportistas famosos de las distintas disciplinas.

Una actividad complementaria muy diferente, pero enriquecedora, es que vaya con sus alumnos y con el profesor de Educación Física al gimnasio o el polideportivo del colegio o instituto y que les pida a los estudiantes que vayan diciendo qué deporte se practica con los distintos elementos y objetos deportivos que vean.

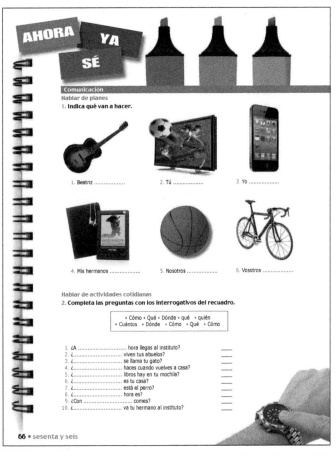

Actividad 2 Respuestas: 1. ¿A **qué** hora llegas al instituto? 7; **2.** ¿**Dónde** viven tus abuelos? 1; **3.** ¿**Cómo** se llama tu gato? 8; **4.** ¿**Qué** haces cuando vuelves a casa? 5; **5.** ¿**Cuántos** libros hay en tu mochila? 6; **6.** ¿**Cómo** es tu casa? 10; **7.** ¿**Dónde** está el perro? 3; **8.** ¿**Qué** hora es? 4; **9.** ¿Con **quién** comes? 9; **10.** ¿**Cómo** va tu hermano al instituto 2.

Actividad 4 Respuestas: yo- empiezo, salgo, voy; tú- te vistes, vuelves, meriendas; él- va, desayuna, se acuesta; nosotros- nos vestimos, salimos, jugamos; vosotros- os levantáis, empezáis, volvéis; ellos- se lavan, vuelven, llegan.

Actividad 5 Respuestas: 1. Todos los días **voy** al instituto en bici; **2.** Cuando volvemos a casa, merendamos y **jugamos** al fútbol; **3.** Marina y Carlos **salen** a las dos del instituto; **4.** Pedro cena a las nueve y **se acuesta** a las diez; **5.** ¿A qué hora **haces** los deberes?; **6.** Todos los días **me levanto** a las siete, me ducho y me visto.

Actividad 6 Respuestas: 1. Este fin de semana **tenemos** que estudiar; **2.** Hoy **tiene** que llamar a su abuelos; **3.** A las cinco **tenéis** que pasear al perro; **4.** Esta noche **tengo** que volver a casa a las diez; **5.** Mañana **tienes** que ir a la piscina; **6.** Esta tarde **tienen** que hacer los ejercicios de inglés.

Actividad 7 Respuestas: 1. Montar **en** bici; **2.** Ir **al** cine; **3.** Jugar **con** el perro; **4.** Jugar **al** baloncesto; **5.** Ir **a** la piscina.

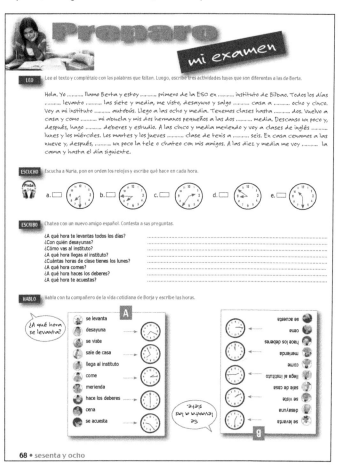

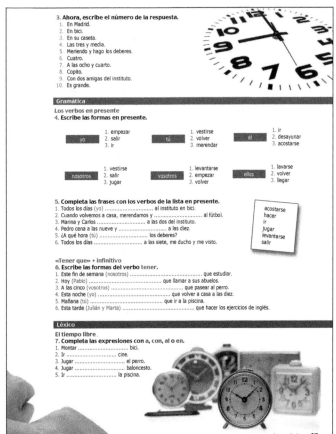

Actividad 1 Respuestas: 1. Beatriz va a tocar la guitarra; **2.** Vas a ver el fútbol; **3.** Voy a mandar un SMS/Voy a hablar por teléfono; **4.** Mis hermanos van a leer; **5.** Vamos a jugar al baloncesto; **6.** Vais a montar en bici.

LEO Hola. Yo **me** llamo Berta y estoy **en** primero de la ESO en **un** instituto de Bilbao. Todos los días **me** levanto **a** las siete y media, me visto, desayuno y salgo **de** casa a **las** ocho y cinco. Voy a mi instituto **en** autobús. Llego a las ocho y media. Tenemos clases hasta **las** dos. Vuelvo a casa, como **con** mi abuela y mis dos hermanos pequeños a las dos **y** media. Descanso un poco y, después, hago **los** deberes y estudio. A las cinco y media meriendo y voy a clases de Inglés **los** lunes y los miércoles. Los martes y los jueves **tengo** clase de tenis a **las** seis. En casa cenamos a las nueve y, después, **veo** un poco la tele o chateo con mis amigos. A las diez y media me voy **a** la cama y hasta el día siguiente.

ESCUCHO El orden de los relojes es: a-1; b-3; c-2; d-4; e-5.

Transcripción: Hola, me llamo Nuria. Estoy en primero de la ESO y me levanto todos los días a las siete y media para ir al instituto. Salgo del instituto a las tres menos veinticinco y me voy a casa a comer. A las ocho menos cuarto termino los deberes y, entonces, chateo con mis amigos o escucho música. En casa cenamos a las nueve menos diez y a las diez y media me voy a dormir.

ESCRIBO Respuesta libre.

HABLO Respuesta libre.

Muévete por la ciudad
Unidad 5

Lección 9

¿Dónde vives?

Casas ecológicas

ECOCASA

Una casa ideal es una casa en un entorno hermoso, con un buen clima, que utiliza energía gratis y natural, y que está construida con materiales de la zona. Parece una idea de un libro de ciencia ficción, pero es hoy una realidad, es la casa ecológica.

Las casas bioclimáticas (casas ecológicas) son aquellas que están diseñadas inteligentemente, donde la energía para calentar el agua o las habitaciones procede de la naturaleza y es gratis, donde se usa el agua de la lluvia, y está construida con materiales no tóxicos, es decir, una casa más humana.

COMPRENDO

1 Marca, según el texto, qué aspectos definen una casa ecológica.

☐ Utiliza energías naturales.
☐ Está construida con materiales tradicionales.
☐ Está hecha de materiales reciclados.
☐ Es una casa de estilo tradicional.
☐ No usa agua natural.
☐ No es bonita, pero es cómoda.

2 Relaciona.

1. Entorno hermoso
2. Buen clima
3. Materiales de la zona
4. De ciencia ficción
5. Diseñada
6. Procede de
7. Construida de

a. Calor y buena temperatura
b. Del futuro
c. Elementos naturales
d. Es de
e. Hecha de
f. Lugar bonito
g. Pensada

3 Escribe tu definición de una casa ecológica.

70 • setenta

Antes de entrar en la lectura, escriba en la pizarra «ecocasas» y pida a sus estudiantes que digan palabras que asocian con el concepto. Escriba las palabras en la pizarra y ayúdeles. A continuación, haga tres lecturas con el texto: la primera, individualmente, para respetar los ritmos de cada uno; la segunda, usted lee el texto en voz alta y sus estudiantes la siguen en silencio; y la última, pida voluntarios que lean párrafos en voz alta.

Actividad 1
Permita primero que los alumnos respondan a las preguntas en parejas. Luego, pida voluntarios para que den las dos respuestas. Es conveniente que realice esta actividad entre la segunda y la tercera lectura.

Respuestas: Utiliza energías naturales y Está construida con materiales tradicionales.

Actividad 2
Forme otra vez parejas o grupos pequeños para que busquen la información y relacione, antes de corregirlo plenariamente.

Respuestas: 1-f; 2-a; 3-c; 4-b; 5-g; 6-d; 7-e.

Actividad 3
Forme grupos de trabajo para confeccionar su definición de casa ecológica. Busque un voluntario de cada grupo para que presente a la clase las definiciones. La actividad termina con que la clase elige la mejor definición.

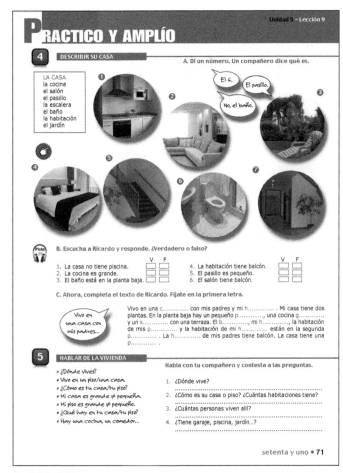

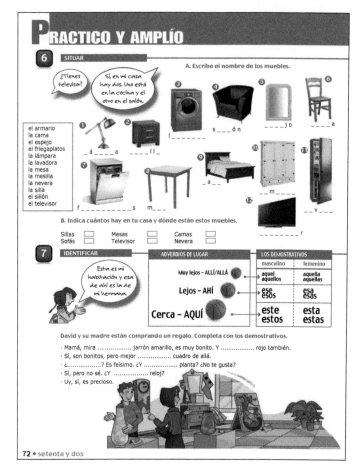

mento, es muy útil que refuerce el aprendizaje, bien en casa o bien en clase, realizando las actividades 1 de la página 55 del cuaderno de ejercicios.

Actividad 5

Centre primero la atención de la clase sobre las preguntas de la izquierda y léalas en voz alta. Luego, deje que cada alumno las haga a su compañero y anote las respuestas debajo de cada pregunta de la derecha.

Actividad 4A

Lea las palabras del cuadro «La casa» en voz alta y pida a sus estudiantes que identifiquen las palabras con las ilustraciones. Les será relativamente fácil hacerlo, pues varias palabras ya han ido saliendo a lo largo del curso. A continuación, simule con un alumno el diálogo, tal y como se representa en el libro. Después, forme parejas para que practiquen entre ellos.

Respuestas: la cocina-1; el salón-2; el pasillo-7; la escalera-5; el baño-6; la habitación-4; el jardín-3.

Actividad 4B

Invite primero a los alumnos a que lean las seis frases y asegúrese de que entienden todas las palabras. A continuación, realice dos audiciones: la primera, para que los alumnos se familiaricen con el texto (sin mirar las frases); y la segunda, para que contesten. Para terminar, anime a los alumnos a que corrijan las frases falsas.

Respuestas: 1-F, La casa tiene piscina; 2-V; 3-F, El baño está en la segunda planta; 4-V; 5-V; 6-F, El salón tiene terraza.

Transcripción: Vivo en una casa con mis padres y mi hermana. Mi casa tiene dos plantas. En la planta baja hay un pequeño pasillo, una cocina grande y un salón con una terraza. El baño, mi habitación, la habitación de mis padres y la habitación de mi hermana están en la segunda planta. La habitación de mis padres tiene balcón. La casa tiene una piscina.

Actividad 4C

Deje que los alumnos trabajen de forma individual y comparen luego sus respuestas con las de su compañero de pupitre. Como comple-

Actividad 6A

Pida un voluntario que lea en voz alta las palabras del recuadro. Luego, deje que los alumnos completen solos las palabras con la ayuda de las letras que ya están.

Respuestas: 1. lámpara; 2. mesilla; 3. lavadora; 4. sillón; 5. espejo; 6. silla; 7. friegaplatos; 8. mesa; 9. cama; 10. armario; 11. nevera; 12. televisor.

Actividad 6B

Deje primero que los alumnos contesten por escrito en su cuaderno, para que cada uno pueda trabajar a su ritmo. Anímelos a que imiten el ejemplo de su libro.

Actividad 7

Presente los demostrativos señalando algunos objetos del aula.

Respuestas: Mamá, mira, **este** jarrón amarillo, es muy bonito. Y **ese** rojo también; Sí, son bonitos, pero mejor **aquel** cuadro de allá; ¿**Aquel**? Es feísimo. ¿Y **aquella** planta? ¿No te gusta?; Sí, pero no sé. ¿Y **ese** reloj?; Uy sí, es precioso.

Como complemento, es muy útil que refuerce el aprendizaje, bien en casa o bien en clase, realizando la actividad de la página 57 del cuaderno de ejercicios.

Actividad 8A

Lea en voz alta las 5 preguntas y asegúrese que las comprenden bien.

Actividad 8B

Lea cada texto y pregunte a los alumnos a qué sobre corresponde. A continuación, escriba las abreviaturas en la pizarra:

calle: C/

paseo: P.°

plaza: Pza.

avenida: Avda.

Respuestas: 1. Antonio; **2.** Pilar; **3.** Pablo; **4.** Sara.

CÓDIGO <D>: Repase con sus estudiantes los ordinales. Puede hacerlo utilizando la actividad 2 de la página 55 del cuaderno de ejercicios. A continuación, para darle más interés al ejercicio y para que sus estudiantes se esfuercen en dar las direcciones en castellano, escriba el nombre de calles españolas (La rambla de las Flores, la Gran Vía, la calle Mayor...) y pídales que elijan la que quieran y simulen la calle, la ciudad, el piso, el código postal, etc. A continuación, forme parejas para que realicen la simulación. Pídales que escriban las direcciones de su compañeros en un sobre. Como complemento, es muy útil que refuerce el aprendizaje, bien en casa o bien en clase, realizando las actividades 3 de la página 56 del cuaderno de ejercicios.

Blog

Vuelva al texto de la página 71 y mándeles como deberes que escriban un texto describiendo su casa. Si hay errores, márqueselos en un color para que se autocorrijan y, entonces, pídales que entren en www.edelsa.es y en la *Zona Estudiante* pulsen en *Adolescentes*. Allí, localicen el libro *Código ELE* y vayan al nivel 1. En esa sección, busquen el enlace al *blog* de *Código*, entren en él y pídales que copien correctamente su entrada en el *blog*.

Actividad 1

Ponga la grabación para que los alumnos descubran el texto. A continuación, solicite un voluntario para leer el anuncio del perro. Deje que los alumnos contesten de forma individual en su cuaderno construyendo frases completas y comparen luego sus respuestas con las de su compañero de pupitre. Corrija colectivamente haciendo cada pregunta a un alumno diferente.

Respuestas: 1. Los dos amigos están en el instituto Guillén; **2.** El anuncio habla de un perro. Es negro y marrón; **3.** La dirección de Marta es la calle San Miguel, número 4; **4.** Sonia tiene que ir a su casa y pedirle permiso a sus padres.

Como complemento, es muy útil que refuerce el aprendizaje, bien en casa o bien en clase, realizando la actividad 1 de la página 58 del cuaderno de ejercicios.

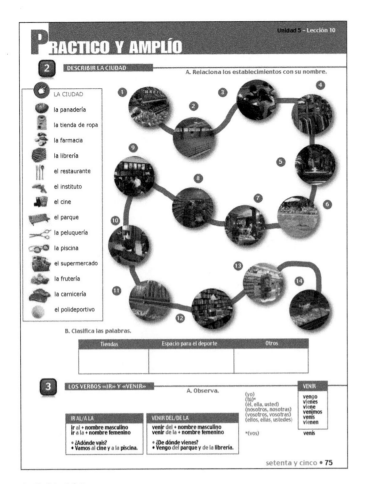

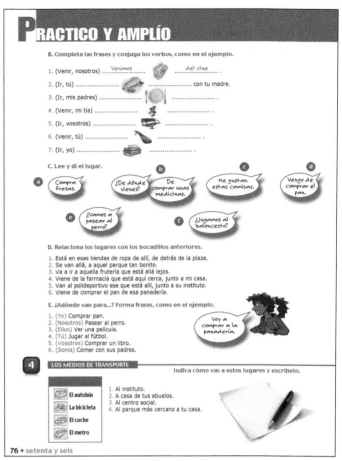

Actividad 2A

Lea en voz alta las palabras del recuadro y llame la atención de los alumnos sobre las pequeñas fotos que acompañan a cada palabra. Luego, pídales que asocien las palabras con las fotos individualmente, para que cada uno pueda trabajar a su ritmo y familiarizarse con este nuevo vocabulario.

Respuestas: 1. la frutería; **2.** el polideportivo; **3.** el instituto; **4.** la tienda de ropa; **5.** el parque; **6.** la piscina; **7.** el restaurante; **8.** el supermercado; **9.** el cine; **10.** la peluquería; **11.** la panadería; **12.** la librería; **13.** la farmacia; **14.** la carnicería.

Actividad 2B

Proponga a los alumnos que trabajen por parejas.

Respuestas: Tiendas: la panadería, la tienda de ropa, la farmacia, la librería, el supermercado, la frutería, la carnicería; Espacio para el deporte: el parque, la piscina, el polideportivo; Otros: el restaurante, el instituto, el cine, el parque, la peluquería.

Como complemento, es muy útil que refuerce el aprendizaje, bien en casa o bien en clase, realizando la actividad 3 de la página 59 del cuaderno de ejercicios.

Actividad 3A

Presente los verbos *ir* y *venir* haciendo hincapié en las preposiciones que los acompañan. Para asegurarse de la comprensión, pida a los alumnos que formen más frases como los ejemplos de los dos recuadros usando las palabras del recuadro de la actividad 2A.

Actividad 3B

Respuestas: 1. Venimos del cine; **2.** Vas a merendar con tu madre; **3.** Mis padres van al restaurante; **4.** Mi tía viene de la farmacia; **5.** Vais al parque; **6.** Vienes de la carnicería; **7.** Voy a la librería.

Actividad 3C

Haga las dos primeras frases con los alumnos para explicarles la mecánica de la actividad.

Respuestas: a. La frutería; **b.** La farmacia; **c.** La tienda de ropa; **d.** La panadería; **e.** El parque; **f.** El polideportivo.

Actividad 3D

Respuestas: 1-c; 2-e; 3-a; 4-b; 5-f; 6-d.

Actividad 3E

Respuestas: 1. Voy a comprar a la panadería; **2.** Vamos a pasear al parque; **3.** Van a ver una película al cine; **4.** Vas a jugar al polideportivo; **5.** Vais a comprar a la librería; **6.** Va a comer al restaurante.

Como complemento, es muy útil que refuerce el aprendizaje, bien en casa o bien en clase, realizando la actividad 4 de la página 60 del cuaderno de ejercicios.

Actividad 4

Escriba usted una frase en la pizarra indicando el medio de transporte que utiliza. Señale el uso de la preposición «en». Lea los cuatro medios de transporte y pídales que individualmente escriban su frase en su cuaderno. En el pleno, pida que un estudiante le dicte a otro su frase. Vaya por las mesas ayudando.

Actividad 5A

Ponga el CD y deje que los alumnos escuchen y lean las frases al mismo tiempo. Luego, explique el significado de cada expresión con la ayuda de las ilustraciones.

Actividad 5B

Si le es posible, proyecte la imagen en la pizarra y pida un voluntario para que marque el recorrido para ir a la casa de Sonia. Pida a sus compañeros que le ayuden oralmente.

CÓDIGO <P>: Proponga la actividad en parejas. Pida que un estudiante le cuente a otro cómo se va del instituto a su casa y que este otro tome notas y lo escriba en un papel.

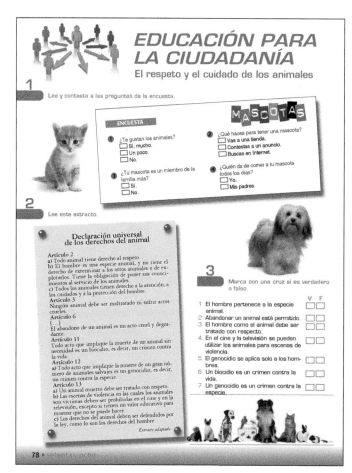

Actividad 1

Proponga a los alumnos que contesten a la encuesta por parejas: un alumno hace las preguntas y su compañero contesta. Luego, hacen lo contrario.

Actividad 2

Antes de leer el texto, escriba en la pizarra «Declaración universal de los derechos del animal» y pida a sus estudiantes que se levanten y que cada uno escriba una palabra relacionada con los derechos de los animales. Deles unos minutos para pensar la palabra, en caso necesario, buscarla en el diccionario. Deje que entre ellos aclaren las dudas. Después forme cuatro grupos. Uno de ellos leerá el artículo 2; otro el 3, 6 y 11; otro, el 12; y, por último, otro el 13. Después, deben expresar con una frase la idea más importante de lo que ha leído y entendido. A continuación, lea usted en voz alta el texto completo mientras ellos siguen la lectura en silencio.

Actividad 3

Resuélvala en el pleno y después pídales que indiquen en qué artículo se encuentra cada respuesta.

Respuestas: Son verdaderas la 1, 3, 6 y 7; son falsas la 2, 4 y 5.

ESPACIO INTERDISCIPLINAR

¡ME GUSTA LA BIOLOGÍA!

1 LEE ESTE ARTÍCULO SOBRE MASCOTAS DE UNA REVISTA PARA ADOLESCENTES.

MASCOTAS

LOS ESPAÑOLES Y LOS ANIMALES DOMÉSTICOS

En España, 8,5 millones de familias tienen una mascota.
• 6 millones de pájaros.
• 5 millones de perros.
• 4 millones de gatos.
• 4 millones de peces.
• 2 millones de pequeños mamíferos, roedores y reptiles.

MAMÍFEROS
El hurón El perro El gato

ROEDORES
El conejo El ratón El hámster El conejillo de Indias

PÁJAROS
El canario El periquito

OTROS
La tortuga El pez

2 CONTESTA A ESTAS PREGUNTAS.

1. ¿Cuál es el animal preferido de los españoles?
2. ¿Cuántos animales tienen los españoles en total?
3. Escribe el nombre de:
   3 roedores: ...., ..., ...
   1 reptil: ....

LOS ADJETIVOS

MASCULINO	FEMENINO
cariñoso, bonito, bueno	cariñosa, bonita, buena
fiel	fiel
juguetón, dormilón	juguetona, dormilona
obediente, inteligente	obediente, inteligente

3 ¿VERDADERO O FALSO?

	V	F
1. El periquito es más grande que el canario.	☐	☐
2. La tortuga es menos rápida que el conejo.	☐	☐
3. El gato es más inteligente que el hámster.	☐	☐
4. El perro es menos fiel que el ratón.	☐	☐
5. El gato es tan juguetón como el perro.	☐	☐
6. El pez es más obediente que el perro.	☐	☐
7. El hámster es más pequeño que el pez.	☐	☐

LOS COMPARATIVOS
= Tomi es tan bueno como Lulú.
+ Lulú es más juguetón que Tomi.
– Lulú es menos dormilón que Tomi.

setenta y nueve • 79

Actividad 1

Saque un voluntario para que lea el texto. A continuación, pida a los alumnos que copien los nombres de las mascotas en su cuaderno, por orden alfabético (para que se vayan familiarizando con el mismo).

Actividad 2

Diga a los alumnos que contesten de forma individual, construyendo frases completas, y comparen luego sus respuestas con las de su compañero de pupitre.

Respuestas: 1. El animal preferido de los españoles es el pájaro (6 millones); **2.** En total, los españoles tienen veintiún millones de animales; **3.** El conejo, el hámster, el ratón, el conejillo de Indias; la tortuga.

Actividad 3

Llame la atención de los alumnos sobre los adjetivos y explique su sentido mediante mímica, por ejemplo. A continuación, pida un voluntario para leer las tres frases comparativas y ponga más ejemplos con objetos del aula o con algunos alumnos.
Finalmente, pida a los alumnos que contesten de forma individual, para que cada uno pueda trabajar a su ritmo.

Respuestas: Son verdaderas la 2, 3 y 5; son falsas la 1, 4, 6 y 7.

Como complemento, es muy útil que refuerce el aprendizaje, bien en casa o bien en clase, realizando las actividades de las páginas 61 y 62 del cuaderno de ejercicios.

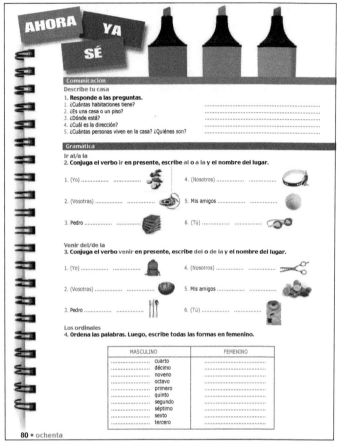

AHORA YA SÉ

Comunicación
Describe tu casa
1. Responde a las preguntas.
1. ¿Cuántas habitaciones tiene? ....
2. ¿Es una casa o un piso? ....
3. ¿Dónde está? ....
4. ¿Cuál es la dirección? ....
5. ¿Cuántas personas viven en la casa? ¿Quiénes son? ....

Gramática
Ir a/a la
2. Conjuga el verbo ir en presente, escribe al o a la y el nombre del lugar.

1. (Yo) ....
2. (Vosotras) ....
3. Pedro ....
4. (Nosotros) ....
5. Mis amigos ....
6. (Tú) ....

Venir del/de la
3. Conjuga el verbo venir en presente, escribe del o de la y el nombre del lugar.

1. (Yo) ....
2. (Vosotras) ....
3. Pedro ....
4. (Nosotros) ....
5. Mis amigos ....
6. (Tú) ....

Los ordinales
4. Ordena las palabras. Luego, escribe todas las formas en femenino.

MASCULINO		FEMENINO
....	cuarto	....
....	décimo	....
....	noveno	....
....	octavo	....
....	primero	....
....	quinto	....
....	segundo	....
....	séptimo	....
....	sexto	....
....	tercero	....

80 • ochenta

Léxico
Los muebles
5. Escribe los nombres de los muebles.

1. ....
2. ....
3. ....
4. ....
5. ....
6. ....
7. ....
8. ....
9. ....
10. ....
11. ....

La casa y los muebles
6. Relaciona según están los muebles en tu casa.

1. el armario
2. la cama
3. el espejo
4. el friegaplatos
5. la lavadora
6. la mesa grande
7. la mesa baja
8. la mesilla
9. la nevera
10. la silla
11. el sillón
12. el sofá
13. el televisor

a. la cocina
b. el salón
c. el pasillo
d. el baño
e. la habitación

ochenta y uno • 81

Actividad 1 Respuestas libres.

Actividad 2 Respuestas: 1. Voy a la farmacia; **2.** Vais al cine; **3.** Pedro va a la librería; **4.** Vamos al parque; **5.** Mis amigos van al polideportivo; **6.** Vas a la piscina.

Actividad 3 Respuestas: 1. Vengo del instituto; **2.** Venís de la panadería; **3.** Pedro viene del restaurante; **4.** Venimos de la peluquería; **5.** Mis amigos vienen de la frutería; **6.** Vienes de la tienda de ropa.

Actividad 4 Respuestas: primero, primera; segundo, segunda; tercero, tercera; cuarto, cuarta; quinto, quinta; sexto, sexta; séptimo, séptima; octavo, octava; noveno, novena; décimo, décima.

Actividad 5 Respuestas: 1. la lámpara; **2.** la lavadora; **3.** el sillón; **4.** el espejo; **5.** la mesa; **6.** la mesilla; **7.** el televisor; **8.** la nevera **9.** el friegaplatos; **10.** la cama; **11.** el armario.

Actividad 6 Respuestas libres.

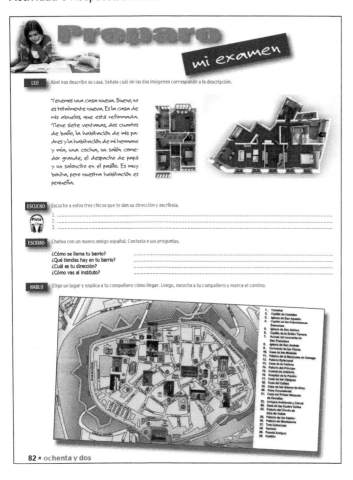

LEO El piso grande.

ESCUCHO 1. Pilar García Gil, c/ del Barco, 16 2.º, 30065 Zaragoza; **2.** Raúl Álvarez, Pza. Grande, 5 3.ºdcha., 28502 Galapagar; **3.** Teresa Sans, c/ Larga, 7 1.º, 08012 Barcelona.

Transcripción:
– Hola, me llamo Pilar, Pilar García Gil, y vivo en la calle del Barco, número dieciséis. En el segundo piso. El código postal es el 30065 de Zaragoza.
– Yo soy Raúl Álvarez y vivo en la plaza Grande, 5, en el tercero derecha. Es en Galapagar, en el 28502.
– Y yo soy Teresa Sans. Vivo en Barcelona, en la calle Larga, número siete, en el primer piso. Ah, el código postal es el 08012.

ESCRIBO Respuestas libres.

HABLO Respuestas libres.

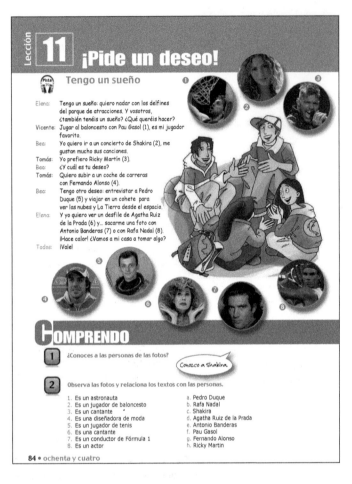

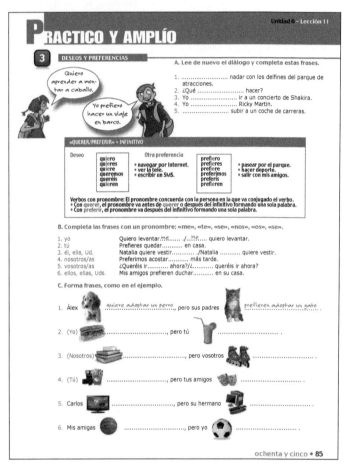

Actividad 1

Pregunte primero a los alumnos a qué personas conocen y qué hacen. A continuación, ponga el CD y deje que escuchen y lean el texto al mismo tiempo. Luego, saque 4 voluntarios para que lo lean de la forma más expresiva posible. Resuelva las dudas de vocabulario.

Actividad 2

Respuestas: 1-a; 2-f; 3-h; 4-d; 5-b; 6-c; 7-g; 8-e.

Como complemento, es muy útil que refuerce el aprendizaje, bien en casa o bien en clase, realizando la actividad 1 de la página 67 del cuaderno de ejercicios.

Si dispone de ordenadores con conexión a Internet, le proponemos una actividad: forme ocho grupos e indique que deben informarse de uno de los personajes. Permítales que vaya cada grupo a un ordenador, consulte la información y escriba tres frases sobre su personaje. Le sugerimos la consulta en Wikipedia porque la información que proporcionan es muy sencilla. En el aula, leen sus frases.

Actividad 3A

Pida a los alumnos que copien los verbos de forma individual y lean en voz alta sus respuestas.

Respuestas: 1. Quiero nadar con los delfines del parque de atracciones; **2.** ¿Qué **queréis** hacer?; **3.** Yo **quiero** ir a un concierto de Shakira; **4.** Yo **prefiero** Ricky Martin; 5. **Quiero** subir a un coche de carreras.

Actividad 3B

Solicite dos voluntarios para que lean los ejemplos de los bocadillos y llame la atención de la clase sobre el recuadro gramatical. Haga hincapié en las formas irregulares de ambos verbos y escriba un ejemplo de uso de los pronombres personales reflexivos en la pizarra:
Quiero acostarme a las 10. Me quiero acostar a las 10. Yo prefiero acostarme a las 11.
Seguidamente pida a los alumnos que copien en su cuaderno todas las formas de los verbos *querer* y *preferir* (para que se vayan familiarizando con las mismas). Finalmente, deje que completen las frases.

Respuestas: 1. Quiero levantarme/Me quiero levantar; **2.** Prefieres quedarte en casa; **3.** Natalia quiere vestirse/Natalia se quiere vestir;

4. Preferimos acostarnos más tarde; **5.** ¿Queréis iros ahora?/¿Os queréis ir ahora?; **6.** Mis amigos prefieren ducharse en su casa.

Actividad 3C

Deje a los alumnos que lean de nuevo las formas de ambos verbos, las tapen con su cuaderno y conjuguen luego los verbos de memoria. Si lo ve necesario, pregúnteles qué verbo les sugiere cada foto.

Respuestas: **1.** Álex quiere adoptar un perro, pero sus padres prefieren adoptar un gato; **2.** Quiero comer un bocadillo, pero tú prefieres beber un zumo; **3.** Queremos leer, pero vosotros preferís patinar; **4.** Quieres ir al cine, pero tus amigos prefieren ir al teatro; **5.** Carlos quiere ver la tele, pero su hermano prefiere navegar por Internet; **6.** Mis amigas quieren jugar al baloncesto, pero yo prefiero jugar al fútbol.

Como complemento, es muy útil que refuerce el aprendizaje, bien en casa o bien en clase, realizando la actividad 3 de la página 68 del cuaderno de ejercicios.

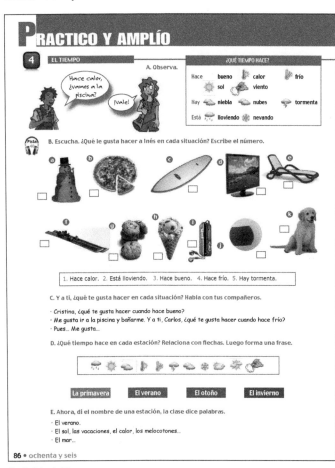

Actividad 4A

Pida a un voluntario que lea las expresiones del recuadro «¿Qué tiempo hace?» y diga a los alumnos que copien las expresiones en su cuaderno.

Actividad 4B

Realice dos audiciones: la primera, para que los alumnos descubran el texto (sin mirar su libro); y la segunda, para que contesten.

Respuestas: 1 son c, e y h; 2 son b, d e i; 3 son j y k; 4 son a y f.

Transcripción:

1   – ¿Qué te gusta hacer cuando hace calor?

      – Me gusta ir a la playa, comer helados, hacer surf.

2   – ¿Y cuando llueve?

      – No me gusta salir, prefiero ver la tele o escuchar música. Y me gusta mucho comer *pizza* cuando llueve.

3   – Cuando hace bueno, ¿qué haces?

      – Juego con mi perro, paseo con mis amigos, juego al voleibol...

4   – ¿Y cuando hace frío?

      – Me gusta esquiar. Me gusta mucho ir a los Pirineos con mi padre. Y hacer un muñeco de nieve en el jardín, ¡claro! Con su sombrero.

5   – ¿Y qué te gusta hacer cuando hay tormenta?

      – No me gustan nada las tormentas... No salgo, me quedo en casa y hago galletas de chocolate.

      – ¡Ja ja ja!

Actividad 4C

Un alumno hace la pregunta a un compañero. Este contesta y vuelve a hacer la misma pregunta a otro compañero. Y así sucesivamente.

Actividad 4D

Haga con los alumnos las frases relacionadas con la primavera (como ejemplo: *Es primavera y hace bueno*). Luego, pídales que trabajen de forma individual y comparen sus respuestas con las de su compañero de pupitre. Indíqueles que algunas expresiones pueden relacionarse con varias estaciones.

Respuestas: Es primavera y hace sol; Es verano y hace sol, hace calor, hay tormenta; Es otoño y está lloviendo, hay nubes, hay tormenta, hay viento; Es invierno y hay nubes, hace frío, hay tormenta, está nevando, hay viento.

Actividad 4E

Los alumnos tienen que indicar todas las palabras que les sugiere cada estación. Como complemento, es muy útil que refuerce el aprendizaje, bien en casa o bien en clase, realizando la actividad 4 de la página 68 del cuaderno de ejercicios.

Si le parece oportuno realizar una actividad que relaciona su aprendizaje de español con su cotidianeidad, pídales que entren en alguna página web del tiempo y vean el pronóstico meteorológico para su país o su ciudad en los próximos días. Pueden hacerlo, por ejemplo, en http://wwis.aemet.es y elegir el país y la ciudad de su interés. Pídales que redacten un texto haciendo los pronósticos meteorológicos de los próximos días y utilizando la estructura «*ir a* + infinitivo».

Actúo

Hago una estadística sobre los deseos de la clase

5 Y tú, ¿qué sueños tienes?
A. En grupos de 4. Completa las listas con tus compañeros.

Conocer a una persona famosa (del cine, del deporte, de la música, de la tele...).

Ir a un parque temático, un concierto, una fiesta gigante...

Hacer un viaje (indica los países y los medios de transporte: avión, tren, coche, barco, moto...).

Aprender a hacer una actividad (un deporte, tocar un instrumento, fotografía...).

Ver un museo.

Visitar una ciudad.

Comprar algo muy especial para ti.

Hacer algo extraordinario: jugar con un cachorro de león, nadar con un delfín, montar en globo, hacer un safari en África, visitar el fondo del mar...

B. Elige 5 actividades. Luego, compara tus respuestas con las de tus compañeros.

- Yo quiero montar en una moto de carreras, jugar con un cachorro de león...
- Pues yo prefiero montar en globo, en primavera, cuando hace bueno y...
- Y yo quiero practicar espeleología, aprender a tocar la guitarra...
- Yo también quiero montar en una moto de carreras, pero no me gusta la espeleología, prefiero el submarinismo. Cuando hace calor, me gusta hacer surf.

Participa en la comunidad de Código ELE

Escribe la actividad que más te gusta

Zona estudiante

www.edelsa.es

CÓDIGO <T>

Tus deseos
Ahora, presenta a la clase las 4 actividades más mencionadas en tu grupo. ¿Cuál es la actividad preferida de la clase?

Lección 12 — Un trabajo sobre Pedro Duque

Un astronauta español en las nubes

El astronauta Pedro Duque

Pedro Duque nació el 14 de marzo de 1963 en Madrid.

Es ingeniero aeronáutico (1986) por la Universidad Politécnica de Madrid.

Después de la universidad, completó su formación en centros especializados de Alemania, Rusia y EE. UU., se entrenó en la Ciudad de las Estrellas de Moscú y participó en diferentes programas espaciales.

Hizo diferentes vuelos al espacio, por ejemplo:
- En octubre de 1998, salió al espacio a bordo del transbordador Discovery.
- En octubre de 2003, trabajó en la Estación Espacial Internacional para la realización de la Misión Cervantes.

Realizó un extenso programa experimental en las áreas de Biología, Fisiología, Física, la observación de La Tierra, el estudio del Sol, las nuevas tecnologías...

Actualmente es presidente de una empresa dedicada a la explotación de datos obtenidos por satélites de observación de La Tierra.

En el futuro, quiere viajar a Marte, porque está convencido de que la vida del hombre de forma estable en el espacio es posible.

Comprendo

1 El trabajo de Bea está incompleto, no tiene títulos. Escríbelos sobre los párrafos correspondientes.

1. Sus principales vuelos
2. Formación y experiencias
3. Datos personales
4. Trabajo actual
5. Estudios
6. Sus experimentos en el espacio
7. Su sueño

Actividad 5

Pida a un voluntario que lea las frases y solucione las dudas de vocabulario. Seguidamente, pida a los alumnos que formen los grupos y circule por el aula para proporcionarles más vocabulario. Los alumnos deberán usar la expresión: *¿Cómo se dice... en español, por favor?*

CÓDIGO <T>: Diga a cada grupo que nombre a un portavoz para indicar a sus compañeros la actividad preferida de su grupo. Escríbalas todas en la pizarra mientras cada portavoz la menciona. Encuentren todos juntos la actividad favorita de la clase.

Blog

Pídales que todos juntos redacten una lista de las actividades preferidas de la clase. Si hay errores, márqueselos en un color para que se autocorrijan y, entonces, pídales que entren en www.edelsa.es y en la *Zona Estudiante* pulsen en *Adolescentes*. Allí, localicen el libro *Código ELE* y vayan al nivel 1. En esa sección, busquen el enlace al *blog* de *Código*, entren en él y pídales que copien correctamente su entrada en el *blog*.

Ahora que entramos en el último *blog* de este libro, nos permitimos darle unas indicaciones que, posiblemente, le serán útiles en los próximos cursos: en el sitio de Edelsa (www.edelsa.es, en la *Zona Estudiante* y sección *Adolescentes*) se irán guardando y poniendo a la vista todas las entradas de los *blog* que nos vayan llegando. Por ello, podrá echar mano de las producciones de sus antiguos alumnos de cursos anteriores para estimular la lectura y la producción escrita de sus actuales alumnos. Esto aumenta el grado de motivación que sus estudiantes puedan sentir por aprender español y por continuar haciéndolo en el futuro.

Actividad 1

Lea cada texto y pida a los alumnos que indiquen el título correspondiente. Luego, saque dos voluntarios: uno tiene que leer los títulos y su compañero los textos. Anime a los alumnos a que copien las palabras nuevas en su cuaderno.

Respuestas: 3-5-2-1-6-4-7.

Como complemento, es muy útil que refuerce el aprendizaje, bien en casa o bien en clase, realizando la actividad 1 de la página 70 del cuaderno de ejercicios.

Le reproducimos un extracto del perfil biográfico que Wikipedia presenta de Pedro Duque, por si le puede servir de utilidad:

Pedro Duque Duque (Madrid, 14 de marzo de 1963). Ingeniero aeronáutico, conocido principalmente por haber sido el primer astronauta español. Está casado y tiene tres hijos. Duque es aficionado a la natación, al submarinismo y a la bicicleta.

Se licenció en 1986 en la ETSI Aeronáuticos de la Universidad Politécnica de Madrid, con una nota media de 10. Trabajó en Darmstadt (Alemania) para realizar trabajos en el marco de la Agencia Espacial Europea (ESA). Se entrenó en la Ciudad de las Estrellas de Moscú (Rusia) y en Estados Unidos. Su primera misión espacial fue la STS-95 del transbordador espacial Discovery, entre octubre y noviembre de 1998, de nueve días de duración. Actualmente es el presidente ejecutivo de *Deimos Imaging, S.L.*, una empresa situada en el Parque Tecnológico de Boecillo (Valladolid).

Adaptado de: http://es.wikipedia.org/wiki/Pedro_Duque

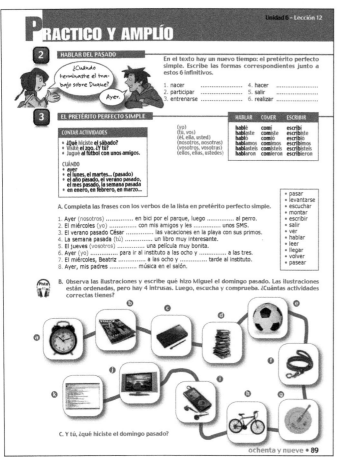

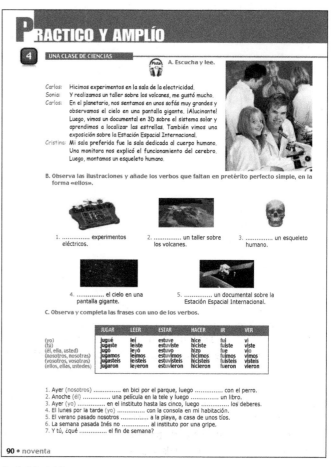

Actividad 2

Escriba el nombre de este nuevo tiempo verbal y deje que los alumnos contesten de forma individual, para que cada uno pueda trabajar a su ritmo.

Respuestas: 1. nació; **2.** participó; **3.** se entrenó; **4.** hizo; **5.** salió; **6.** realizó.

Actividad 3A

Ahora, llame la atención de los alumnos sobre la formación del pretérito perfecto simple y el recuadro de las expresiones temporales que lo acompañan. Pídales que copien en su cuaderno las formas de los verbos regulares (para que se vayan familiarizando con las mismas). A continuación, propóngales que trabajen solos y comparen sus respuestas con las de su compañero de pupitre.

Respuestas: 1. Ayer **montamos** en bici por el parque, luego **paseamos** al perro; **2.** El miércoles **hablé** con mis amigos y les **escribí** unos SMS; **3.** El verano pasado César **pasó** las vacaciones en la playa con sus primos; **4.** La semana pasada **leíste** un libro muy interesante; **5.** El jueves **visteis** una película muy bonita; **6.** Ayer **salir** para el instituto a las ocho y **volví** a las tres; **7.** El miércoles, Beatriz se **levantó** a las ocho y **llegó** tarde al instituto; **8.** Ayer, mis padres **escucharon** música en el salón.

Actividad 3B

Llame la atención de los alumnos sobre las fotos y pregúnteles qué les sugiere cada foto. A continuación, dígales que elijan 7 y escriban un pequeño texto con ellas en tercera persona del singular.

Respuestas: a. Se levantó a las diez y diez; **c.** Jugó con la consola; **d.** Hizo los deberes; **f.** Paseó al perro; **g.** Comió con sus padres; **h.** Montó en bici; **k.** Chateo con una amiga.

Transcripción: El domingo, me levanté a las diez y diez. Por la mañana, jugué con la consola, hice los deberes y paseé al perro. Comí con mis padres a las dos. Por la tarde, monté en bici con mi padre y chateé con una amiga.

Actividad 3C

Forme parejas y haga que un alumno le cuente su domingo pasado a su compañero de pupitre. Vaya de mesa en mesa ayudándoles. Como complemento, es muy útil que refuerce el aprendizaje, bien en casa o bien en clase, realizando las actividades 3, 4 y 5 de las páginas 71 y 72 del cuaderno de ejercicios.

Actividad 4A

Ponga el CD y diga a los alumnos que escuchen y lean el texto al mismo tiempo. A continuación, dígales que copien las palabras nuevas en su cuaderno y explique su significado.

Actividad 4B

Proponga a los alumnos que trabajen por parejas e indiquen luego el infinitivo de cada verbo.

Respuestas: 1. Hicieron experimentos eléctricos; **2. Realizaron** un taller sobre los volcanes; **3. Montaron** un esqueleto humano; **4. Observaron** el cielo en una pantalla gigante; **5. Vieron** un documental sobre la Estación Espacial Internacional.

Actividad 4C

Llame la atención de los alumnos sobre las formas irregulares de cada verbo y pídales que copien todos los verbos en su cuaderno. Luego, deje que contesten de forma individual, para que cada uno pueda trabajar a su ritmo. Corrija pidiendo a seis voluntarios que lean cada uno una de las frases en voz alta.

Respuestas: 1. Ayer **fuimos** en bici por el parque, luego **jugamos** con el perro; **2.** Anoche **vio** una película en la tele y luego **leyó** un libro; **3.** Ayer **estuve** en el instituto hasta las cinco, luego **hice** los deberes; **4.** El lunes por la tarde **jugué** con la consola en mi habitación; **5.** El verano pasado nosotros **fuimos** a la playa, a casa de unos tíos; **6.** La semana pasada Inés no **fue** al instituto por una gripe; **7.** Y tú, ¿qué **hiciste** el fin de semana?

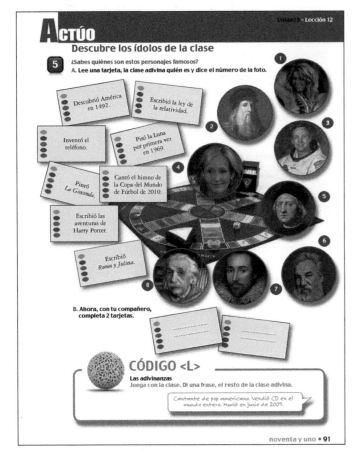

Actividad 5A

Respuestas: Cristóbal Colón descubrió América; Albert Einstein escribió la ley de la relatividad; Graham Bell inventó el teléfono; Armstrong pisó la Luna por primera vez; Leonardo da Vinci pintó *La Gioconda*; Shakira cantó el himno de la Copa del Mundo 2010; Rowling escribió las aventuras de Harry Potter y Shakespeare escribió *Romeo y Julieta*.

Actividad 5B

Anime a los alumnos a que piensen en una persona famosa: un escritor, un deportista de su país, un actor, un inventor… Circule por el aula para proporcionarles los verbos (si resulta necesario).

Le adjuntamos una información de los personajes que quizá, le pueda servir de utilidad:

Cristóbal Colón (Génova, Italia, 1436 – Valladolid, España, 1506) fue un navegante, famoso por haber realizado el denominado *descubrimiento de América*, en 1492.

Albert Einstein (Ulm, Alemania, 1879 – Princeton, Estados Unidos, 1955) fue un físico alemán, nacionalizado después suizo y estadounidense. Está considerado como el científico más importante del siglo xx.

Neil Alden Armstrong (Wapakoneta Ohio, EE. UU, 1930) fue el primer ser humano en pisar La luna el 21 de julio de 1969 en el Apolo 11.

Leonardo da Vinci (Leonardo di ser Piero da Vinci) (Vinci, Italia, 1452 – Amboise, Francia, 1519) fue un pintor florentino del Renacimiento italiano, anatomista, arquitecto, artista, científico, escritor, escultor, filosofo, ingeniero, músico, poeta y humanista.

Shakira Isabel Mebarak Ripoll (Barranquilla, Colombia, 1977) es conocida simplemente como Shakira. Es una cantautora, compositora y bailarina muy conocida internacionalmente. Tiene dos Premios Grammy y ocho Premios Grammy Latinos.

Joanne «Jo» Kathleen Rowling, (Yate, Reino Unido, 1965) es una escritora británica de fama mundial por la serie de libros *Harry Potter.*

William Shakespeare (Stratford, Reino Unido, 1564 – Stratford, Reino Unido, 1616) fue un escritor británico, especialmente conocido por sus obras de teatro. Es considerado el escritor más importante en lengua inglesa y uno de los más conocidos de la literatura universal.

Lea el texto a los alumnos. Luego, pregúnteles de qué color son los contenedores correspondientes en su país.

Actividad 1

Pida a un voluntario que lea en voz alta los nombres de los 9 residuos. Después, todos juntos, resuelvan al actividad.

Respuestas: En el contenedor de papel y cartón van c y h; en el contenedor de envases y plástico, e, f, i; en el de vidrio, b y en el de materia orgánica, a, d y g.

Como complemento, es muy útil que refuerce el aprendizaje, bien en casa o bien en clase, realizando las actividades de la página 73 del cuaderno de ejercicios.

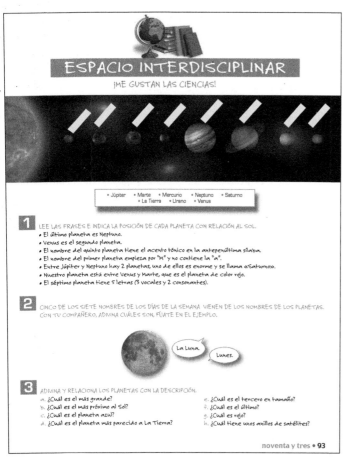

Como complemento, es muy útil que refuerce el aprendizaje, bien en casa o bien en clase, realizando las actividades de la página 74 del cuaderno de ejercicios.

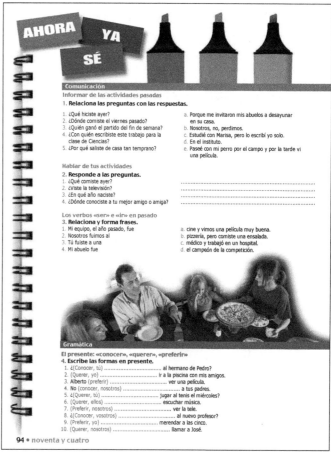

Actividad 1

Llame primero la atención de los alumnos sobre los nombres de los planetas y pida un voluntario para leerlos en voz alta. A continuación, hagan la actividad todos juntos: diga una frase y anime a la clase a indicar el planeta correspondiente.

Respuesta, ordenados del más próximo a más alejado del sol, los planetas son: Mercurio, Venus, La Tierra, Marte, Júpiter, Saturno, Urano y Neptuno.

Diga a los alumnos que escriban los nombres en los recuadros amarillos.

Actividad 2

Saque un voluntario para escribir en la pizarra los nombres de los siete días de la semana. Luego, llame la atención de la clase sobre el ejemplo haciendo hincapié en las letras iniciales que coinciden (para ayudar a los alumnos a indicar los otros nombres). Tenga en cuenta que ni *sábado* ni *domingo* proceden de ningún nombre de ningún planeta.

Respuestas: Lunes>la Luna; Martes>Marte; Miércoles>Mercurio; Jueves>Júpiter; Viernes>Venus.

Actividad 3

Proponga a los alumnos que trabajen en grupos de cuatro, para que cada uno pueda sacar partido de los conocimientos de sus compañeros: por turnos, un alumno hace una pregunta y sus compañeros contestan con la ayuda de la foto de la actividad 1.

Respuestas: a. Júpiter; **b.** Mercurio; **c.** La Tierra; **d.** Venus; **e.** Urano; **f.** Neptuno; **g.** Marte; **h.** Saturno.

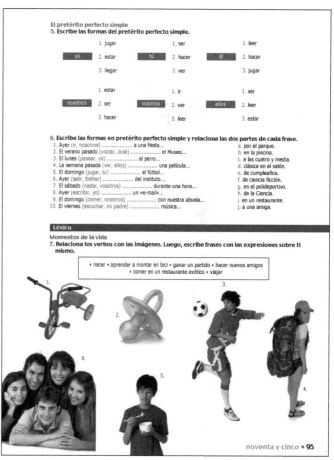

Actividad 1 Respuestas: 1-e; 2-d; 3-b; 4-c; 5-a.

Actividad 2 Respuestas libres.

Actividad 3 Respuestas: 1-d; 2-a; 3-b; 4-c.

Actividad 4 Respuestas: **1.** ¿**Conoces** al hermano de Pedro?; **2. Quiero** ir a la piscina con mis amigos; **3.** Alberto **prefiere** ver una película; **4.** No **conocemos** a tus padres; **5.** ¿**Quieres** jugar al tenis el miércoles?; **6. Quieren** escuchar música; **7. Preferimos** ver la tele; **8.** ¿**Conocéis** al nuevo profesor?; **9. Prefiero** merendar a las cinco; **10. Queremos** llamar a José.

Actividad 5 Respuestas: yo- jugué, estuve, llegué; tú- fuiste, hiciste viste; él- leyó, hizo, jugó; nosotros- estuvimos, fuimos, hicimos; vosotros- fuisteis, visteis, leísteis; ellos- fueron, leyeron, estuvieron.

Actividad 6 Respuestas: **1.** fuimos-e; **2.** visitó-h; **3.** paseé- a; **4.** vieron- f; **5.** jugaste-g; **6.** salió-c; **7.** nadasteis-b; **8.** escribí-j; **9.** comimos-i; **10.** escuchó-d.

Actividad 7 Respuestas: **1.** Aprender a montar en bici; **2.** Nacer; **3.** Ganar un partido; **4.** Viajar; **5.** Comer en un restaurante exótico; **6.** Hacer nuevos amigos. Las respuestas de las frases son libres.

LEO El sábado **fui** a casa de Carlos. **Llegué** a las once. **Hicimos** los deberes. **Comí** con sus padres. Por la tarde, **vinieron** otros amigos y **vimos** un vídeo. Luego, **llamé** a Lola y **fuimos** todos a su casa. **Merendamos** en el jardín. **Volví** a casa a las ocho. Después de cenar, **leí** y me **acosté** a las diez.

ESCUCHO 1-b; 2-b; 3-a; 4-a; 5-b.

Transcripción:
– Museo de la Ciencia, ¡buenos días!
– Buenos días. Soy profesor de Ciencias y quiero organizar una visita con mis alumnos. ¿Qué talleres ofrece el museo?
– Para los alumnos de instituto, tenemos varios talleres. En el planetario hay una exposición sobre el sistema solar. En la sala dedicada a los animales prehistóricos, hay un esqueleto de dinosaurio.
– ¡Qué interesante!
– Sí, los alumnos pueden montar el esqueleto con un programa de ordenador. También tenemos un laboratorio para hacer experimentos con la electricidad.
– ¡Muy bien!
– En la sala dedicada a los océanos, pueden ver un documental sobre la vida de los delfines.
– Y la sala de la geografía, ¿qué es, por favor?
– Es una sala con fotografías gigantes de los bosques de España sacadas desde un satélite durante 10 años, para observar la evolución de los árboles.
– Pues me gustan mucho las actividades. Voy a hablar con mis alumnos para organizar una visita la semana que viene.
– Muy bien. El museo abre a las 10 y cierra a las 6 de la tarde.
– Muchas gracias, adiós.
– Adiós.

ESCRIBO Respuestas libres.

HABLO Este fin de semana, Nuria quiera jugar al baloncesto, ver la tele y leer el sábado. El domingo quiere jugar con su perro y pasear con él en el parque. Este fin de semana Fran quiere chatear, leer y jugar al tenis el sábado. El domingo quiere escuchar música y jugar con la consola. Actividades en común: Leer el sábado.